# Sage und Schreibe

Übungswortschatz Grundstufe A1 – B1 mit Lösungen

Christian Fandrych / Ulrike Tallowitz

# Sage und Schreibe

Übungswortschatz Grundstufe A1 – B1 mit Lösungen



Ernst Klett Sprachen GmbH
Stuttgart

**Bildquellenverzeichnis**
**41** Thinkstock (Hollygraphic), München; **72** Datenreport 2013. Ein Sozialbericht für die Bundesrepublik Deutschland, hrsg. von der Bundeszentrale für politische Bildung, dem Statistischen Bundesamt, dem Wissenschaftszentrum Berlin für Sozialforschung in Zusammenarbeit mit dem Sozio-oekonomischen Panel am Deutschen Institut für Wirtschaftsforschung.; **73** Bundesinstitut für Bevölkerungsforschung (2014): Bevölkerung in Deutschland nach Migrationsstatus und Herkunftsland, 2013. http://www.demografie-portal.de/SharedDocs/Informieren/DE/ZahlenFakten/Bevoelkerung_Migrationshintergrund.html (abgerufen am 10.07.2015)

**Audio-CDs 1 und 2: Sage und Schreibe. Übungswortschatz Grundstufe A1 – B1**
Gesamtlaufzeit CD 1 (78:33:55)
Gesamtlaufzeit CD 2 (79:21:45)
Aufnahmeleitung: Ernst Klett Sprachen GmbH, Stuttgart
Tontechnik und Schnitt: Bettina Bertok
Produktion: Bauer Studios GmbH, Ludwigsburg
Sprecherinnen und Sprecher: Jonas Bolle, Godje Hansen, Johannes Wördemann, Luise Wunderlich

## Hinweise zur Nutzung der Hörbeispiele und -aufgaben

Alle Hörbeispiele der linken Seiten finden Sie auf CD 1: Wortschatz erwerben.
Alle Hörverstehensaufgaben der rechten Seiten finden Sie auf CD 2: Wortschatz üben.
Bei beiden CDs gilt: Kapitelnummer = Titelnummer.
QR-Code (unten) bzw. Online-Code für Hörbeispiele: RQGV789

1. Auflage 1 [7 6 5 4 3] | 2021 20 19 18 17


Internetadresse: www.klett-sprachen.de

Redaktion: Eva Neustadt, Claudia Kreuzer
Layoutkonzeption: Sandra Vrabec
Satz und Gestaltung: Satzkiste GmbH, Stuttgart
Illustrationen: Dorothee Wolters, Köln
Umschlaggestaltung: Marion Köster, Stuttgart
Titelfoto: © Shutterstock (Slavko Sereda), New York
Druck und Bindung: Salzland Druck, Staßfurt
Printed in Germany

ISBN 978-3-12-675357-9

# Vorwort

Liebe Lernerinnen und Lerner,

der Übungswortschatz für die Grundstufe Deutsch *Sage und Schreibe* wurde für Sie grundlegend neu bearbeitet. Das **bewährte Doppelseitenkonzept** wurde dabei beibehalten:

**Auf der linken Seite** der insgesamt 99 Kapitel finden Sie den aktualisierten und neu strukturierten Wortschatz thematisch und übersichtlich geordnet. Bilder und Beispielsätze illustrieren und verdeutlichen die Bedeutungen der Wörter. Kurze Dialoge und Texte zeigen typische Verwendungsweisen, die Sie sich jetzt auch anhören können (CD 1). Wörter mit besonderer Aussprache sind mit einem blauen Blitz markiert, diese Wörter sind ebenfalls auf CD 1 vertont. Wichtige österreichische und Schweizer Varianten werden angegeben. Kollokationen und idiomatische Wendungen wurden ebenfalls aufgenommen und gesondert gekennzeichnet.

Die Übungen zu dem Wortschatz eines Kapitels finden Sie immer **auf der rechten Seite**: Szenen und Gespräche aus dem Alltag sind die Basis für abwechslungsreiche Einzel- und Partnerübungen. Rätsel und spielerische Übungen machen die Arbeit mit dem Wortschatz spannend und unterhaltsam. Die Übungsformate wurden um vielseitige Audioübungen ergänzt. Diese können Sie auf CD 2 anhören. Alle Hörbeispiele und Aufgaben zum Hörverstehen sind auch online verfügbar, dazu den angegebenen Online-Code auf www.klett-sprachen.de eingeben oder direkt über den QR-Code aufrufen.

Sage und Schreibe passt zu jedem Lehrwerk. Die Kapitel sind progressiv (von einfach bis komplex) angeordnet und folgen in der Themenwahl den gängigen Lehrwerken. Kapitel zu Besonderheiten der deutschen Sprache sowie zu logischen Verbindungen ergänzen die thematischen Kapitel.

Mit *Sage und Schreibe* können Sie auch gut allein arbeiten. Im Anhang finden Sie eine **alphabetische Wortliste** sowie die **Lösungen**.

*Sage und Schreibe* vermittelt Ihnen den Wortschatz, den Sie für das Goethe-Zertifikat B1 brauchen, und entspricht den Niveaustufen A1, A2 und B1 des Gemeinsamen Europäischen Referenzrahmens. Ein herzlicher Dank gilt an dieser Stelle Fanny Bies für das Erstellen einer Wortschatzliste auf Grundlage des alten Wortschatzes von Sage und Schreibe und der neuen Wortschatzliste des Goethe Instituts / ÖSD zum Zertifikat B1.

Viel Spaß und Erfolg beim Lernen mit Sage und Schreibe wünschen Ihnen

Christian Fandrych und Ulrike Tallowitz

**Abkürzungen und Symbole**

| | |
|---|---|
| A | Österreichischer Standard |
| CH | Schweizer Standard |
| **süddt.** | Standard in Süddeutschland |
| **ugs.** | Umgangssprachlicher Ausdruck |
| | Wörter mit besonderer Aussprache. Diese Wörter können Sie sich auf CD 1 anhören. |
| | Hier gibt es eine Audioaufgabe (Kapitelnummer entspricht jeweils der Titelnummer auf der CD) |
| | Idiomatische Wendungen |
| | Kollokationen |

# Inhaltsverzeichnis

## Arbeit und Beruf



## Medien und Kommunikation



## Verwaltung und Staat



## Gesellschaft und Umwelt



## Internationales



## Miteinander sprechen



## Wünsche, Möglichkeiten, Absichten



## Logische Verbindungen



## Besonderheiten der deutschen Sprache



## Anhang

# BEGRÜSSUNG UND ABSCHIED

ANKUNFT
„Frau Lange? Guten Tag und herzlich willkommen in Hannover!"

## Grußformeln

**höflich / formell**

| | |
|---|---|
| Guten Morgen, Herr Artuk! | (5 h – ca. 11 h) |
| Guten Tag, Frau Lange! | (11 h – ca. 18 h) |
| Guten Abend! | (18 h – ca. 22 h) |

kurz: Morgen! Tag!

**freundschaftlich / informell**

Hallo, Ute, wie geht's?
Hi (Jugendsprache)

**regional**

Grüß Gott! (A, süddt.)
Grüß dich, Toni! (A, süddt.)
Servus! (A, süddt.)
Grüezi! (CH)

| | |
|---|---|
| die Begrüßung | ⇔ der Abschied |
| jemanden (jdn.) begrüßen | sich von jemandem (jdm.) verabschieden |

„Tschüss Marja, mach's gut!"
„Du auch, Monika, bis bald!"

## Abschiedsformeln

**höflich / formell**

(Auf) Wiedersehen! (Auf) Wiederschauen!
Gute Nacht! (bevor man schlafen geht)

**freundschaftlich / informell**

Tschüss! Bis bald! Mach's gut!
Tschau / Ciao! (ugs.)

**regional**

Servus! (A, süddt.)
Baba! (A, freundschaftlich)

**!** In formellen Situationen schüttelt man sich oft die Hände.

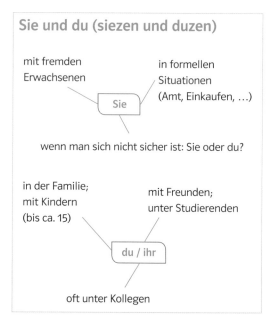

„Guten Tag, Frau Doktor Belmer, wie geht es Ihnen?"
„Danke, gut. Und Ihnen?"

„Hallo, Jan, wie geht's?"
„Hi Bea, danke, prima. Und dir?"

## Sie und du (siezen und duzen)

**Sie**
- mit fremden Erwachsenen
- in formellen Situationen (Amt, Einkaufen, …)
- wenn man sich nicht sicher ist: Sie oder du?

**du / ihr**
- in der Familie; mit Kindern (bis ca. 15)
- mit Freunden; unter Studierenden
- oft unter Kollegen

1 **Was fehlt? Ergänzen Sie die Buchstaben.**

a. Guten Tag, Herr Merz, wie geht es I__nen?

b. Auf W___dersehen, Frau Doktor Pelz!

c. Mach's gut und bis b__ld!

d. Guten Aben__, Herr Dupont!

e. Grü__ Gott!

f. Hallo, Miriam, wie g____t es dir?

2 **Begrüßung oder Abschied? Hören Sie und ordnen Sie zu.**

| Begrüßung | Abschied |
|---|---|
| Hallo! | |
| | |
| | |
| | |
| | |
| | |

~~Hallo!~~ Grüezi! Bis bald!
Gute Nacht! Servus Baba!
Guten Tag! Grüß dich!
Ciao! Grüß Gott!
Auf Wiedersehen!
Guten Abend!

3 **Was passt zusammen? Ergänzen Sie.**

a. Guten Tag, Frau Panislov, herzlich willkommen!

b. Tschüss Uli, ________________!

c. Auf Wiedersehen, Herr Seebald, und ______________!

d. Hallo Christian, ________________?

wie geht's
~~herzlich willkommen~~
mach's gut
bis bald

4 **Sortieren Sie die Sätze zu zwei Dialogen.**

~~„Grüß dich, Klaus, wie geht es dir?“~~ „Auch gut, danke, aber ich bin in Eile.“ „Ja dann – mach's gut!“
„Danke, ebenfalls! Auf Wiedersehen!“ „Ja, gern – hier ist ja schon ein Café. Oh, es ist heute geschlossen.“
Auf Wiedersehen und einen schönen Tag noch!“ „Hallo, Ute, danke gut. Und dir?“
„Guten Tag, Frau Doktor Welke! So ein schöner Tag – haben Sie Zeit für einen Kaffee?“ ~~„Tag, Herr Wuttke!“~~
„Na dann – vielleicht morgen?“ „Du auch, tschüss!“

Dialog 1:
Grüß dich, Klaus, wie geht es dir? …

Dialog 2:
Tag, Herr Wuttke! …

5 **Sie sind Student / Studentin und treffen diese Leute am Nachmittag. Wie begrüßen Sie sie?**

a. Sven Möller, 9 Jahre, Sohn der Nachbarn — Hallo Sven, wie geht's?

b. Vera Maczevski, 23 Jahre, Studentin ________________

c. Karoline Mertens, 22, Polizistin ________________

d. Dr. Karl Melcuk, 35, Arzt ________________

e. Peter Petersen, 21, Ihr bester Freund ________________

# ANGABEN ZUR PERSON

## Eine Castingshow

„Mein Name ist Karin Pantke, ich wohne in Potsdam."
„Und hier ist unser nächster Gast – stellen Sie sich bitte kurz vor!"

### Fragen zur Person

Stellen Sie sich bitte (kurz) vor!
Wie heißen Sie?
Woher kommen Sie?
Wo wohnen / arbeiten / leben Sie?

### Antworten

Mein Name ist Karin Pantke. / Ich heiße Karin Pantke.
Ich komme aus … / Ich bin aus Essen.
Ich lebe momentan in Potsdam, aber eigentlich komme ich aus / bin ich aus Dresden …
Ich arbeite in Essen, aber ich wohne in Dortmund.

**Anmeldung zum Sprachkurs**

Bitte füllen Sie alle Felder aus:

| | |
|---|---|
| Familienname: | Walbaum |
| Vorname(n): | Ernst Ludwig |
| Alter: | 26 Jahre |
| Beruf: | Industriekaufmann |
| Sprachkenntnisse: | Deutsch Englisch Russisch |
| Familienstand: | ☒ ledig ☐ verheiratet ☐ geschieden |
| **Ihre Adresse:** | |
| Straße, Hausnummer: | Ruhrtalstr. 117 |
| Postleitzahl: | 45239 |
| Wohnort: | Essen |
| Telefon: | 0201 415467 |
| Mobiltelefon: | 0155 999333009 |
| E-Mail: | EL_Walbaum@fantasia.de |

zum Ankreuzen („Bitte kreuzen Sie an.")

der Bindestrich — die Vorwahl — der Unterstrich — [æt] — der Punkt

### Persönliche Angaben

der Familienname / Nachname, der Vorname
das Alter
der Beruf
der Familienstand / Personenstand / Zivilstand (CH)
sich vorstellen
das Telefon, die Telefonnummer
das Fax, die Faxnummer
die E-Mail, das E-Mail (A, süddt.)
die Straße
die Hausnummer
die Postleitzahl
der Wohnort
die Stiege (A; = der Eingang, der Treppenaufgang)

Frau
Marietta Fischler
Porzellangasse 14 / 2 / 12
1090 WIEN
ÖSTERREICH

Hausnummer 14
in Österreich: Stiege 2, Wohnung 12

1 **Was passt? Verbinden Sie.**

| | |
|---|---|
| a. Wie heißt du? | In Berlin. |
| b. Wo wohnst du? | Ich bin Studentin. |
| c. Was bist du von Beruf? | Nein. |
| d. Woher kommst du? | Maria Mantzakos. |
| e. Bist du verheiratet? | Ich bin aus Thessaloniki. |

2 **Was passt nicht? Streichen Sie durch.**

a. ledig – geschieden – ~~höflich~~ – verheiratet
b. wohnen – grüßen – leben – arbeiten
c. Wohnort – Hausnummer – Beruf – Postleitzahl
d. Adresse – Bindestrich – Punkt – Unterstrich

3 **Sortieren Sie die Wörter nach ihrem Artikel.**

Telefonnummer Alter Vorwahl ~~Beruf~~ Name Fax
Adresse Wohnort Punkt Straße Telefon

**der** Beruf, ______

**das** ______

**die** ______

4 **Kombinieren Sie Wörter.**

Telefon- Binde-
~~Familie(n)~~ Vor-
Haus- Unter-

| -name: | -nummer: | -strich: |
|---|---|---|
| der Familienname | | |
| | | |

5 **Ergänzen Sie das Formular.**

**Bewerbung für ein Stipendium**

| | | | |
|---|---|---|---|
| Vorname: | Klaus | | 0174 351351359 |
| | Meyertaler | | meyerthaler@uni-muenchen.de |
| | Geigerstr. 19 | | 25 Jahre |
| | 80689 | | Student |
| | München | | ledig |
| | 089 556871 | | Deutsch, Englisch |

6 **Hören Sie und ergänzen Sie die fehlenden Wörter.**

Guten Tag, hier ist der Mitteldeutsche Rundfunk mit der Sendung „MDR-Figaro trifft …". Zunächst die persönlichen Angaben.

Ihr ______ 1: Carmen Mode, ______ 2: Schauspielerin, ______ 3: Dessau, ______ 4:
glücklich ______ 5. Frau Mode, verraten Sie uns, in welchem Film sehen wir Sie als nächstes? …

7 **Notieren Sie Fragen. Stellen Sie die Fragen dann einem Partner.**

| | |
|---|---|
| Familienname, Vorname | Wie heißt du? / Wie heißen Sie? |
| wohnen in, kommen aus, arbeiten / studieren in | Wo … |
| Adresse, Telefon, E-Mail-Adresse | |
| … | |

# BERUFE UND TÄTIGKEITEN

„Sind Sie Lehrerin?“
„Nein, ich bin Studentin und studiere Geschichte.“

„Oh, ich muss noch schnell zum Bäcker“
Bäckerei

ARBEITSAMT
„Ich bin Schauspieler, aber momentan bin ich arbeitslos!“

**!** Heute sagt man oft der / die Studierende, die Studierenden
Das ist neutral: Männer und Frauen.

## Einige Tätigkeiten und Berufe

- der Polizist, die ~in
- der Lehrer, die ~in
- der Schüler, die ~in
- der Manager, die ~in
- der Ingenieur, die ~in
- der Architekt, die ~in
- der Hausmann, die Hausfrau
- der Krankenpfleger, die Krankenschwester
- der Arzt, die Ärztin
- der Verkäufer, die ~in
- der Fotograf, die ~in
- der Schauspieler, die ~in
- der Bäcker, die ~in
- der Bauer, die Bäuerin
- der Postbote, die Postbotin

| | maskulin | feminin |
|---|---|---|
| **Singular** | der Student | die Studentin |
| **Plural** | die Studenten | die Studentinnen |
| **Singular** | der Bankkaufmann | die Bankkauffrau |
| **Plural** | die Bankkaufleute | |

**!** Bei vielen Personenbezeichnungen gilt: mit -in kann man eine feminine Form bilden: der Lehrer – die Lehrerin.
Heute liest man auch öfter: der / die LehrerIn, die LehrerInnen, der / die VerkäuferIn, die VerkäuferInnen.
Damit will man deutlich machen: Man meint Männer und Frauen.

## Die Arbeit

**der Job**, jobben
**umgangssprachlich / kurze berufliche Tätigkeit**
Sie sucht einen Ferienjob.
Er hat seinen Job verloren.

**die Arbeit**
**im Sinne von Tätigkeit**
Ich hab heute sehr viel Arbeit. (= viel zu tun)
Ich komme heute später zur Arbeit (= professionelle Tätigkeit)
Das ist eine schöne Arbeit! (= Produkt, z. B. schriftliche Prüfung)

**die Stelle**
**fester Arbeitsplatz**
Er hat jetzt eine Stelle als Lehrer!

**der Beruf**
**was man gelernt / studiert hat**
Sie ist Mechanikerin von Beruf, aber momentan arbeitet sie als Verkäuferin.

## Arbeit

Sie arbeitet …
- zu Hause.
- bei VW.
- in einem Schuhgeschäft.
- als Verkäuferin.
- halbtags / ganztags.

## Wortfamilie Arbeit

die Arbeit
- eine **Arbeit** suchen / finden / verlieren
- eine **Arbeit** haben (= berufstätig sein)
- **arbeits**los sein, die **Arbeits**losigkeit
- das **Arbeits**amt
- der **Arbeit**er, die ~in
- der **Arbeits**platz
- die **Arbeits**zeit

1 **Berufe und Tätigkeiten: Markieren Sie die acht Wörter. Schreiben Sie die Wörter mit Artikel auf.**

| | | | | | | | | | | | | | |
|---|---|---|---|---|---|---|---|---|---|---|---|---|---|
| D | A | F | S | F | M | O | B | I | V | G | E | R | O |
| E | U | H | A | U | S | M | A | N | N | M | U | A | S |
| R | S | S | R | J | M | O | U | E | O | A | X | Z | Q |
| P | C | S | C | H | Ü | L | E | R | I | N | L | W | A |
| S | H | A | H | A | N | I | R | I | Y | A | F | R | I |
| P | O | L | I | Z | I | S | T | M | L | G | E | B | R |
| Z | Ü | R | S | C | V | J | W | Z | A | E | R | Ä | H |
| A | R | L | E | H | R | E | R | I | N | R | Q | C | N |
| R | E | S | K | A | L | X | H | F | L | Q | O | K | U |
| Z | G | S | T | U | D | I | E | R | E | N | D | E | D |
| T | R | S | U | C | E | K | E | N | T | S | I | R | Z |

der Arzt

2 **Ergänzen Sie die Übersicht.**

| | | | |
|---|---|---|---|
| der Manager | die Manager | | die Managerinnen |
| | | die Architektin | |
| | | | die Verkäuferinnen |
| | | die Lehrerin | |
| der Schüler | | | |
| | die Studierenden | | |

3 **Sagen Sie es anders. Achten Sie auf die Verbformen.**

a. Ich habe keine Arbeit. ⇨ Ich bin arbeitslos.

b. Ich arbeite. ⇨ ______

c. Ich bin Studentin. ⇨ ______

d. Ich bin zu Hause bei den Kindern. ⇨ ______

e. Ich habe Architektur studiert. ⇨ ______

berufstätig sein
Hausfrau / Hausmann sein
~~arbeitslos sein~~
studieren
Architekt / Architektin sein

4 **Hören Sie und ergänzen Sie die passenden Ausdrücke. Manche Wörter passen zweimal. Achten Sie auf den Kasus.**

a. Maria Melzer, 18: „Ich suche einen Job, keine ______ 1, denn ich will erstmal Geld verdienen. ______ 2 kann ich später lernen."

b. Marek Malew, 23: „Ich studiere Geschichte. Ich bin gerne ______ 3! Später will ich ______ 4 werden, das ist ein schöner ______ 5. Hoffentlich finde ich dann auch ______ 6 in einer Schule. Zurzeit sind leider viele Lehrer ______ 7."

Lehrer
Student
~~Job~~
arbeitslos
feste Stelle
Beruf

5 **Welche Berufe haben in Ihrem Land ein hohes oder ein niedriges Prestige? Machen Sie eine Liste (+++: sehr hohes Prestige, –: niedriges Prestige) und vergleichen Sie mit einem Partner.**

# LÄNDER UND KONTINENTE

## Zur Buchmesse in Leipzig kommen Menschen aus allen Kontinenten: aus Afrika, Amerika, Asien, Australien und Europa.

AUSSTELLUN
HAL
„Ich bin Amerikaner, aber ich arbeite für einen Verlag in Österreich."
„Woher sind Sie?"

der Kontinent

der Afrikaner, die ~in
der Amerikaner, die ~in
der Asiate, die Asiatin
der Australier, die ~in
der Europäer, die ~in

**Wo wohnen / leben / arbeiten Sie?**

Ich lebe ...
- in Deutschland
- in Frankreich
- in der Schweiz
- in den USA (in den Vereinigten Staaten)
- im Iran

- in Düsseldorf
- in Zürich
- ...

**Sind Sie Deutscher / Deutsche?**

Nein, ich bin ...
- Österreicher / ~in
- Schweizer / ~in
- US-Amerikaner / ~in
- ...

Ich bin
- Düsseldorfer / ~in
- Münchner / ~in

**Woher kommen Sie? Woher sind Sie?**

**Ich komme aus** Deutschland / aus Österreich / aus der Schweiz / ...

**Ich bin aus** Italien / aus den USA / ...

! Ich fahre nach Deutschland / nach Polen / nach Italien / nach Düsseldorf ... (ohne Artikel)
Aber: Ich fahre in die Schweiz / in die Türkei / in die USA / in den Iran / ... (mit Artikel)

## Einige Länder und Städte

| das Land | die Leute | die Stadtbewohner |
|---|---|---|
| *ohne Artikel:* | | |
| China | der Chinese, die Chinesin<br>ein Chinese, eine Chinesin | Peking: der Einwohner / die ~in von Peking |
| Deutschland | der Deutsche, die Deutsche | Berlin: der Berliner, die ~in |
| Griechenland | der Grieche, die Griechin | Athen: der Athener, die ~in |
| Großbritannien | der Brite, die Britin | London: der Londoner, die ~in |
| Italien | der Italiener, die ~in | Rom: der Römer, die ~in |
| Österreich | der Österreicher, die ~in | Wien: der Wiener, die ~in |
| Polen | der Pole, die Polin | Warschau: der Warschauer, die ~in |
| Russland (Russische Föderation) | der Russe, die Russin | Moskau: der Moskauer, die ~in |
| *mit Artikel:* | | |
| die Schweiz | der Schweizer, die ~in | Bern: der Berner, die ~in |
| die Ukraine | der Ukrainer, die ~in | Kiew: der Kiewer, die ~in |
| der Iran | der Iraner, die ~in | Teheran: der Teheraner / die ~in |
| die Türkei | der Türke, die Türkin | Istanbul: der Einwohner / die ~in von Istanbul |
| die USA (die Vereinigten Staaten von Amerika) | der (US-)Amerikaner, die ~in | New York: der New Yorker, die ~in |

1 **Zu welchem Kontinent gehören diese Länder? Ordnen Sie zu.**

Argentinien, Ukraine, Dänemark, Griechenland, Südafrika, Ägypten, Mongolei, Guatemala, Kanada, Island, China, Ecuador, Nigeria, Indien, Italien, Luxemburg, Rumänien, Afghanistan, Japan, Peru, Namibia, Indonesien

**Asien:** ______

**Afrika:** ______

**Europa:** ______

**Amerika:** ______

2 **Wie heißt der Kontinent / das Land / die Stadt?**

a. die Französin ⇨ Frankreich
b. der Russe ⇨ ______
c. der Brite ⇨ ______
d. die Chinesin ⇨ ______
e. die Türkin ⇨ ______
f. der US-Amerikaner ⇨ ______
g. der Pole ⇨ ______
h. der Schweizer ⇨ ______
i. die Asiatin ⇨ ______
j. der Wiener ⇨ ______

3 **Ich bin . . . Schreiben Sie Antworten.**

a. Kommen Sie aus Amerika? (Ja, Mexiko) Ja, ich bin Mexikaner / Mexikanerin.
b. Und woher kommen Sie? (Deutschland) ______
c. Sie kommen sicher aus Österreich! (Nein, Schweiz) ______
d. Sagen Sie, woher sind Sie eigentlich? (Russland) ______
e. Kommen Sie auch aus Kanada? (Nein, USA) ______

4 **Hören Sie das Gespräch und ergänzen Sie die fehlenden Wörter.**

a. Das ist mein Kollege Klaus Mayer. Er ______ aus Wien.
b. Meine Freundin und ich ______ Schweiz.
c. Toll! ______ Schweiz will ich auch bald fahren, die schönen Berge und Seen!
d. ______ kommen Sie denn?
e. Also ich ______ in Berlin, aber ich ______ eigentlich ______ Innsbruck.
f. Wir fahren morgen endlich in den Urlaub, ______ Frankreich!

5 **Wie heißt die Hauptstadt von . . . ?**

a. Belgien Brüssel
b. Portugal ______
c. Deutschland ______
d. Polen ______
e. der Schweiz ______
f. Schweden ______
g. Ägypten ______
h. China ______
i. Kanada ______

Stockholm, Bern, Peking, ~~Brüssel~~, Lissabon, Berlin, Warschau, Ottawa, Kairo

6.1 **Und woher kommen Sie? Schreiben Sie die Namen in deutscher Form (wenn es sie gibt).**

Ich bin in ______ (Geburtsort) geboren, das ist in ______ (Land).
Ich lebe zurzeit in ______ (Ort), das ist in ______ (Land).
Mein Traumland ist ______, mein Traumort ist ______.
Hier möchte ich nicht wohnen: ______ (Land), ______ (Stadt).
Dieses Land / diese Stadt möchte ich gerne besser kennenlernen: ______.

6.2 **Vergleichen Sie jetzt mit einem Partner.**

- Wo bist du / sind Sie geboren? In welchem Land ist das?
- Wo lebst du / leben Sie zurzeit?
- Was ist dein / Ihr Traumland / Traumort?
- Wo möchtest du / möchten Sie nicht wohnen?
- Welches Land möchtest du / möchten Sie besser kennenlernen?

# FAMILIE UND VERWANDTSCHAFT

## Familienverhältnisse

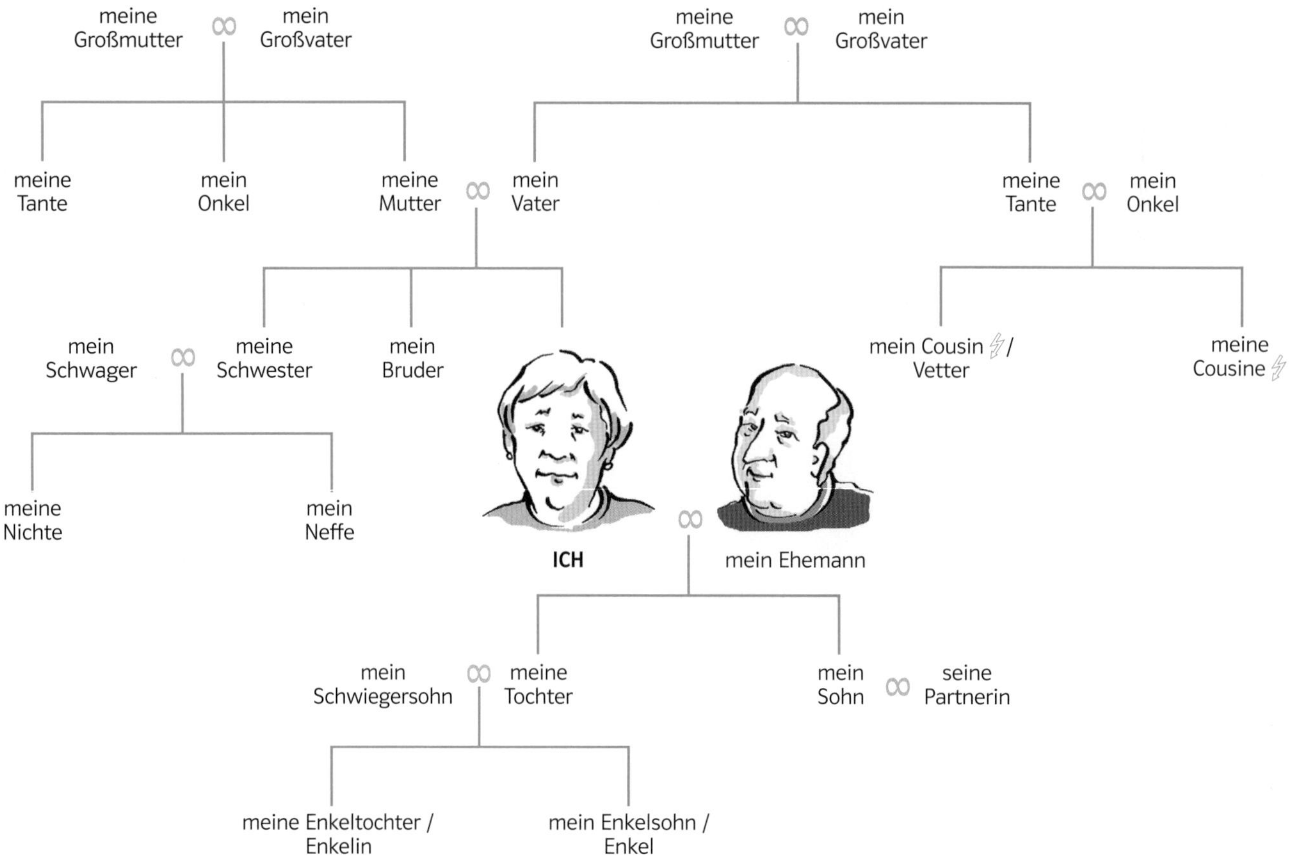


Großvater und Großmutter = die Großeltern
Vater und Mutter = die Eltern
Bruder und Schwester = die Geschwister
Sohn und Tochter = die Kinder (das Kind)
Enkel und Enkelin = die Enkel / Enkelkinder
Ehemann und Ehefrau = das Ehepaar
Schwiegervater und Schwiegermutter = die Schwiegereltern
*(die Eltern des Ehemanns / der Ehefrau)*

**Das sagen Kinder**
zur Großmutter: Oma
zum Großvater: Opa
zur Mutter: Mama, Mutti
zum Vater: Papa, Vati

### Familie und Verwandtschaft

die Familie: *meist Eltern und Geschwister oder Ehepartner und Kinder* — „Schöne Grüße auch an Ihre Familie!"

die Verwandtschaft: *alle Verwandten* — „Die ganze Verwandtschaft war da!" (Eltern, Geschwister, Großeltern, Onkel, Tanten, Schwiegereltern, …)

mit jemandem verwandt sein — „Sie heißen auch Müller? Sind Sie mit Thomas Müller verwandt?"

die Angehörigen: *Menschen, die mit einem verwandt sind* (der / die Angehörige)

1 **Ergänzen Sie.**

| die Großeltern | | die Enkel | |
|---|---|---|---|
| der Großvater | | | |

| | | | |
|---|---|---|---|
| | die Mutter | der Schwiegervater | |

| | | | |
|---|---|---|---|
| der Sohn | | | die Schwester |

2 **Ordnen Sie die Generationen aus der Perspektive von „ICH".**

alt
Generation 1: ____________________
Generation 2: Mama, ____________________
Generation 3: ICH, ____________________
jung
Generation 4: ____________________

3 **Wer ist das? Ergänzen Sie das Rätsel.**

**Waagerecht:**
1. Mutter der Mutter
2. Sohn der Tochter
3. Kinder der Kinder
4. Schwester des Vaters
5. so ruft das Kind den Vater

**Senkrecht:**
1. Brüder und Schwestern
2. Mann der Schwester der Mutter
3. Sohn des Onkels und der Tante
4. Tochter des Onkels und der Tante
5. Tochter der Schwester
6. anderer Name für Großmutter

4 **Familienverhältnisse**

a. Maria Moser: „Markus ist mein Sohn."
b. Hermann Moser: „Paul ist mein ____________."
c. Markus Moser: „Maria und Hermann sind meine ____________."
d. Irene Moser: „Maria und Hermann Moser sind meine ____________."
e. Silke Moser: „Ingrid, Paul und Irene sind meine ____________."

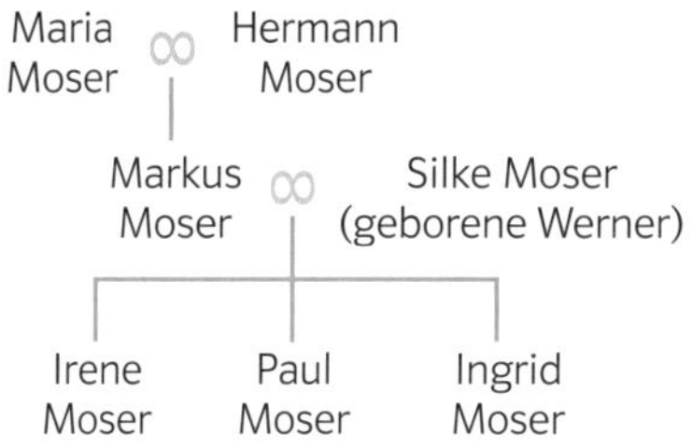


5 **Sprechen Sie mit einem Partner über Ihre Familie. Notieren Sie die Antworten auf einem Zettel.**

- Haben Sie Geschwister?
- Haben Sie noch alle Großeltern? Wo leben sie?
- Wo leben Ihre Eltern?
- Haben Sie schon Kinder? Wie viele?
- Haben Sie einen Lieblingsbruder / eine Lieblingsschwester?

6 **Was sagt der Großvater? Hören Sie den Dialog und ergänzen Sie.**

Leonie: Du, Opa, wie war das, als du ____________ 1 warst?
Opa Georg: Das ist aber lange her. ____________ 2 war Bäcker, ____________ 3 hat auch in der Bäckerei gearbeitet. Ich hatte ja sechs ____________ 4, vier ____________ 5 und zwei ____________ 6. Mit meiner kleinen ____________ 7 habe ich immer sehr viel gespielt. Meine ____________ 8 wohnten auch bei uns im Haus. An Feiertagen kam immer die ganze ____________ 9, da war das Haus richtig voll!

# LIEBE UND PARTNERSCHAFT

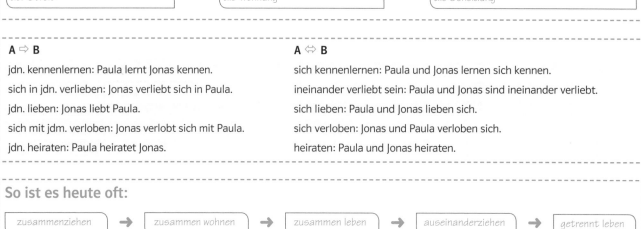

## So ist das traditionelle Ideal:

man lernt sich kennen → man verliebt sich (in jemanden) die Liebe → man verlobt sich (mit jemandem) die Verlobung → man heiratet (jemanden) die Hochzeit, die Ehe → man bekommt Kinder die Geburt

## So ist es leider auch oft:

man streitet sich (mit jemandem) der Streit → man trennt sich (von jemandem) die Trennung → man lässt sich scheiden (von jemandem) die Scheidung

**A ⇨ B**

jdn. kennenlernen: Paula lernt Jonas kennen.
sich in jdn. verlieben: Jonas verliebt sich in Paula.
jdn. lieben: Jonas liebt Paula.
sich mit jdm. verloben: Jonas verlobt sich mit Paula.
jdn. heiraten: Paula heiratet Jonas.

**A ⇔ B**

sich kennenlernen: Paula und Jonas lernen sich kennen.
ineinander verliebt sein: Paula und Jonas sind ineinander verliebt.
sich lieben: Paula und Jonas lieben sich.
sich verloben: Jonas und Paula verloben sich.
heiraten: Paula und Jonas heiraten.

## So ist es heute oft:

zusammenziehen → zusammen wohnen → zusammen leben → auseinanderziehen → getrennt leben

Viele Paare leben zusammen, aber sie heiraten nicht.
Manche Leute leben lieber allein: Sie sind Singles ⚡.
Es gibt viele alleinerziehende Mütter und einige alleinerziehende Väter.

der Partner, die Partnerin (fester Freund / feste Freundin)
das Paar (zwei Partner)

**Gegensätze**

sich lieben ⇔ sich hassen
die Liebe ⇔ der Hass

**1** Finden Sie die Gegensätze.

heiraten ⇔ sich scheiden lassen

______ ⇔ ______

______ ⇔ ______

______ ⇔ ______

______ ⇔ ______

______ ⇔ ______

streiten · zusammen leben · sich hassen · ~~sich scheiden lassen~~ · sich gut verstehen · allein leben · ~~heiraten~~ · die Hochzeit · Ehepartner · sich lieben · die Scheidung · Single

**2** Schreiben Sie die tragische Liebesgeschichte von Lara und Mark.

1. 5. Mai 1999 (sich kennenlernen) Mark und Lara — Am 5. Mai 1999 lernen sich Lara und Mark kennen.
2. (sich verlieben) Lara ⇨ Mark und Mark ⇨ Lara. — Lara ______ sich sofort in Mark und Mark ______.
3. Zwei Monate später (sich verloben) — Zwei Monate später ______ sie ______.
4. 27. August 2000 (heiraten) Lara und Mark ______.
5. Bald (sich streiten) Lara und Mark ______.
6. Im Januar 2002 (sich trennen) Lara und Mark ______.

**3** Was gehört für Sie zu einer Ehe? Notieren Sie sechs Punkte und vergleichen Sie mit einem Partner. Die Lösungen sind subjektiv.

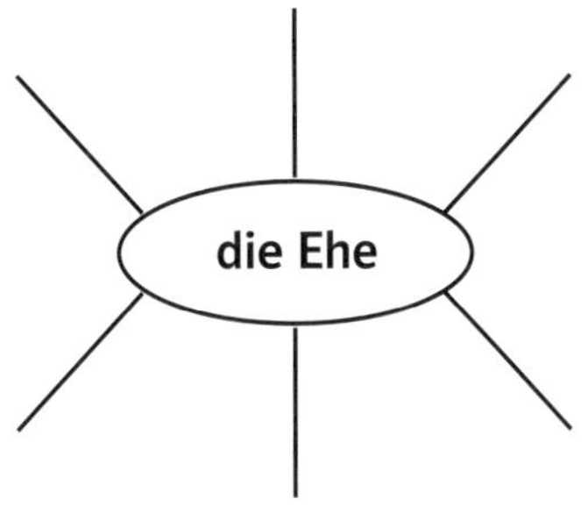


eine Verlobung · man streitet sich · Kinder · Eheringe · Liebe · man wohnt zusammen · gemeinsame Interessen · eine Hochzeit mit vielen Gästen · beide Eltern sind berufstätig · Respekt füreinander · eine große Wohnung · der Mann verdient das Geld · die Frau bleibt zu Hause beim Kind · man teilt die Hausarbeit

**4** Da stimmt etwas nicht. Bringen Sie den Text in die richtige Reihenfolge.

Aber die Meinung der Eltern ist ihnen nicht wichtig! Sie ziehen wieder zusammen … Sie sagt sofort: „Ja!" ~~Es ist wie in einem Film: Der Traummann lernt die Traumfrau kennen.~~ Zur Hochzeit kommt die ganze Verwandtschaft. Zehn Jahre später treffen sie sich zufällig wieder. Ihre Eltern finden den Traummann nicht so sympathisch. Er versteht sich mit seinen Schwiegereltern nicht so gut. Er fragt sie: „Willst du mich heiraten?" und schenkt ihr einen Ring. Dann trennen sie sich. Deswegen streiten sie sich immer wieder. Zum Glück haben sie keine Kinder! Sie verlieben sich sofort ineinander. Bald lassen sie sich scheiden. Sie heiraten. Sie verstehen ihre alten Probleme nicht mehr.

Es ist wie in einem Film: Der Traummann lernt die Traumfrau kennen.

**5** Nachrichten aus der Promi-Welt: Hören Sie und ergänzen Sie die Verben.

sich streiten · sich trennen · heiraten · ineinander verliebt sein

1. Anna B. und Maik D. ______.
2. Carl S. und Maria M. ______.
3. Magda S. und Tobias Z. ______.
4. Moritz B. und Berta Z. ______.

# SOZIALE BEZIEHUNGEN

### Freunde

Wir verbringen die Freizeit zusammen.
Wir sprechen über unsere Freuden und Sorgen. Wir lachen, wir feiern, wir spielen,…

### Kollegen

Wir arbeiten, wir planen Projekte. Wir diskutieren Probleme und suchen Lösungen. Manchmal essen wir gemeinsam in der Kantine.

### Nachbarn

Frau Müller wohnt im Haus gleich nebenan. Wir grüßen uns und sprechen über das Haus und das Wetter.

## Beziehungen pflegen

Lisa ist meine beste Freundin.
Susanne ist auch eine enge Freundin von mir.
Mit Harald bin ich gut befreundet. Er ist ein guter Freund von mir.
Andrea ist eine gute Bekannte. Ich sehe sie aber nicht sehr oft.

| | |
|---|---|
| Arbeit: | der Kollege, die Kollegin, der Mitarbeiter, die ~in |
| Universität: | der Kommilitone, die Kommilitonin |
| Schule: | der Mitschüler, die ~in |

die Freizeit, die Freude, die Sorge, das Projekt, über das Wetter sprechen

**!** mein Freund / meine Freundin bedeutet oft ‚mein Partner' / ‚meine Partnerin'

„Natürlich, gerne!"
„Klar komm ich zu deiner Party. Darf ich meinen Freund mitbringen?"

## Das sagt man oft:

| | |
|---|---|
| Wir verstehen uns gut. | sich mit jemandem (gut) verstehen |
| Manchmal streiten wir uns. | sich (mit jemandem) streiten |
| Aber meistens vertragen wir uns dann wieder. | sich (mit jemandem) vertragen |
| Manchmal ärgere ich mich über unsere Nachbarn. | sich (über jemanden) ärgern |
| Ich fühle mich nie einsam – ich habe viele Freunde und Bekannte. | |

## Soziale Beziehungen

Soziale Beziehungen:
- der Freund, die ~in, die Freundschaft
- der Nachbar, die ~in, die Nachbarschaft
- der / die Bekannte, die Bekanntschaft

mein/e Freund/in — ein/e gute/r Freund/in — ein/e Bekannte/r — ein/e Kolleg/in

vertraut ⟷ nicht so vertraut

**1** Ergänzen Sie.

| | | | |
|---|---|---|---|
| a. der Freund | die Freundin | | |
| b. der Bekannte | | ein Bekannter | |
| c. der Kollege | | | eine Kollegin |
| d. der Kommilitone | | | |
| e. der Mitschüler | | ein Mitschüler | |

**2** Wie heißt der Plural?

a. der Kollege ⇨ die Kollegen

b. die Freundin ⇨ ______

c. der Mitschüler ⇨ ______

d. der Bekannte ⇨ ______

e. der Nachbar ⇨ ______

Wie heißt der Genitiv?

f. die Frau ⇨ meines Kollegen

g. die Tochter ⇨ meiner

h. die Eltern ⇨ ______

i. die Freundin ⇨ ______

j. die Kinder ⇨ ______

**3** Soziale Beziehungen: Ergänzen Sie.

a. Ich kenne ihn schon lange, wir verstehen uns sehr gut. Er ist ein guter Bekannter. (oder: Ich bin mit ihm gut ______ 1.)

b. ______ 2 ist ein wenig eifersüchtig. Auf Partys soll ich nur mit ihm tanzen.

c. Alfred ist ein ______ 3 von uns. Wir haben ihn beim Sport kennengelernt. Seitdem sind wir gut mit ihm ______ 4.

d. Darf ich vorstellen? Das ist mein ______ 5, Herr Stüve. Er arbeitet auch in der Personalabteilung.

e. Mein neuer ______ 6 wohnt in der Wohnung links neben mir. Ich finde gute ______ 7 sehr wichtig.

~~Bekannter~~ Freund mein Freund bekannt Kollege Nachbar Nachbarschaft befreundet

**4** Welche Verben passen? Ergänzen Sie.

a. Rainer: „Hallo, Werner! Stell dir vor, ich gehe heute mit Sabine ins Konzert!"

b. Werner: „Sabine? Wer ist das? Wie lange kennst du sie schon? Ist sie nett? ______ ihr euch schon?"

c. Rainer: „Na klar! Wir kennen uns seit zwei Wochen, aber wir können über alles ______."

d. Werner: „Das hört sich gut an. Ist es immer harmonisch oder ______ ihr euch auch manchmal?"

e. Rainer: „Na ja, manchmal schon, aber wir ______ uns sofort wieder."

(sich) duzen sprechen (über) (sich) vertragen ~~(sich) kennen~~ (sich) streiten

**5** Hören Sie die Texte und ergänzen Sie die Wörter. Achten Sie besonders auf die Endungen.

a. Klaus ist ein ______ 1 ______ 2 von mir. Aber ______ 3 ______ 4 finde ich nicht so sympathisch.

b. ______ 5 ______ 6 ist immer so gestresst. Sie streitet sich auch oft mit den ______ 7 ______ 8.

c. Kennst Du schon ______ 9 ______ 10 ______ 11? Der ist echt nett.

d. Ich wohne schon seit vier Jahren hier und habe immer noch kaum ______ 12 und ______ 13.

# LEUTE CHARAKTERISIEREN

„Ich weiß auch nicht – früher war sie so lieb, so neugierig, so herzlich – und jetzt ist sie nur noch ungeduldig und nervös."

„Was ist eigentlich mit dem Chef los? Er ist auf einmal so freundlich und hat immer gute Laune – er lächelt jetzt immer!"
„Ja, das ist schon sehr komisch. Bisher war er doch immer arrogant, streng und distanziert. Ob er verliebt ist?"

| | | | |
|---|---|---|---|
| Früher war sie so + | lieb, geduldig, herzlich, höflich, glücklich, vergnügt, zufrieden … | Er ist + | freundlich, nett, zuverlässig, sympathisch, gut gelaunt, … |
| Jetzt ist sie so – | nervös, ungeduldig, unhöflich, still, unglücklich, unzufrieden, erschöpft … | Er war – | unfreundlich, kalt, unsympathisch, schlecht gelaunt, egoistisch, … |

„Ehrlich gesagt, ich finde Sport ganz unwichtig. Hauptsache, das Kind ist intelligent und hat Humor!"
„Mein Peter wird bestimmt mal ein prima Sportler, er hat richtig Talent und Kraft."

„Also, den Freund von Susi finde ich richtig süß!"
„Findest du? Ich finde ihn langweilig!"
„Stimmt. Aber er sieht echt gut aus!"

**!** Diese Wörter verstärken die Aussage:
Ich finde Sport **ganz** unwichtig. Ich finde ihn **richtig** süß.
Er sieht **echt** gut aus. Sie war **so** glücklich.

## Das sagt man oft:

Sie hat Talent, einen guten Charakter, Geduld, Humor.
Er hat oft schlechte / gute Laune.
Sie ist eine gute Sportlerin / Musikerin / …
Er sieht gut / interessant / nett / … aus.
Der Vater ist stolz auf seinen Sohn.
Ich finde ihn (sie) süß / langweilig / intelligent / interessant / nett / komisch, seltsam …!

der Charakter, der Humor, das Talent, die Kraft, die Geduld, die Laune, die Intelligenz

**1** Veränderungen: Wie ist Karl jetzt?

Ich verstehe das nicht: Karl war früher so ___geduldig___ , ___freundlich___ und ___höflich___ . Alle fanden ihn immer

sehr ___sympathisch___ und ___interessant___ . Vielleicht, weil er ___jung___ und ___reich___ war?

Heute aber ist er ___ungeduldig___ , _____₁ und _____₂. Alle finden ihn

_____₃ und _____₄. Vielleicht, weil er _____₅ und _____₆ ist?

**2** Wie heißen die Substantive, die zu diesen Adjektiven passen?

a. geduldig ⇨ ___die Geduld___

b. interessant ⇨ _____

c. glücklich ⇨ _____

d. neugierig ⇨ _____

e. höflich ⇨ _____

f. langweilig ⇨ _____

**3** Hier sind noch elf Wörter versteckt. Markieren Sie und schreiben Sie die Wörter auf.

| C | H | E | N | D | U | S | F | J | O | H | U | S | W |
|---|---|---|---|---|---|---|---|---|---|---|---|---|---|
| N | U | N | F | R | E | U | N | D | L | I | C | H | O |
| N | Y | E | R | L | Ä | C | H | E | L | N | G | Ö | S |
| O | S | T | C | H | T | W | Q | U | M | T | E | F | E |
| E | I | T | A | L | E | N | T | A | B | E | C | L | Z |
| X | E | R | B | I | U | M | S | E | W | R | W | I | J |
| N | L | P | G | E | D | U | L | D | A | E | V | C | S |
| K | D | I | U | B | W | H | A | R | K | S | A | H | U |
| I | A | F | T | K | N | E | R | V | Ö | S | F | E | T |
| E | D | C | T | Ö | P | L | B | R | G | A | R | M | Y |
| V | E | N | S | M | C | I | L | A | U | N | E | R | S |
| T | S | E | R | R | Q | A | T | Z | K | T | Y | Q | W |

nett _____

_____

_____

_____

_____

_____

_____

_____

_____

_____

_____

**4** Susi hat ihren Traummann kennengelernt. Sie ist begeistert und schreibt ihrer Freundin.

a. ++ Aussehen ___Er sieht sehr gut aus.___

b. ++ Charakter _____

_____

c. ++ Geduld _____

d. ++ sportlich _____

e. ++ reich _____

f. ++ verständnisvoll _____

_____

g. immer: ++ Laune _____

_____

h. leider: – intelligent _____

_____

**5** Wie sollte Ihr Traummann / Ihre Traumfrau sein? Wie sollte er / sie nicht sein? Machen Sie eine Liste und vergleichen Sie dann mit einem Partner.

**6** Hören Sie und ergänzen Sie die fehlenden Wörter.

a. Ich _____₁ die neue Freundin von Uwe _____₂.

b. Was? Langweilig? Die _____₃ doch so süß. Und sie ist immer _____₄ _____₅.

c. Okay, sie _____₆ _____₇ _____₈. Aber das _____₉ ich _____₁₀. Sie _____₁₁ gar keinen

_____₁₂.

d. _____₁₃ _____₁₄ ich nicht. Sie _____₁₅ doch immer! Ich verstehe dich nicht!

# ZAHLEN, ZIFFERN, NUMMERN

## Adresse

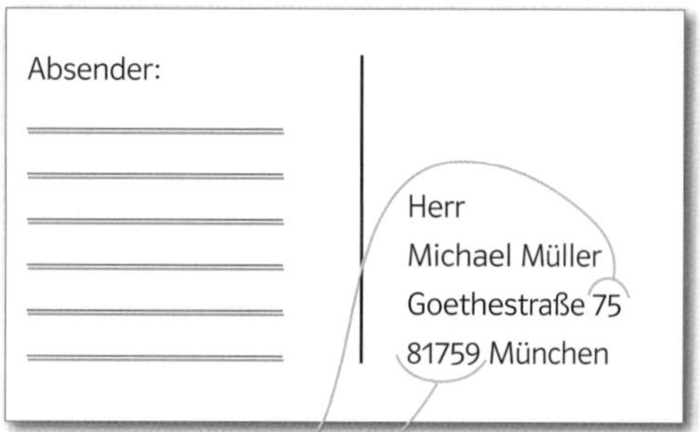


die Hausnummer
die Postleitzahl (PLZ)

## Telefon

die Telefonnummer mit Vorwahl
die Handynummer

## Pass

die Passnummer

## Bank

der Geldautomat

die Geheimzahl (= der PIN-Code ⚡)

**DE85 37050000 3456789012**

die IBAN (die internationale Kontonummer: International Bank Account Number ⚡)

die Bankleitzahl

die Kontonummer

„Ist Ihr Konto in den schwarzen oder in den roten Zahlen?"

im Plus: z. B. + 365,50 EUR (= dreihundertfünfundsechzig Euro fünfzig oder dreihundertfünfundsechzig Euro und fünfzig Cent ⚡)

im Minus: z. B. – 65,30 EUR (= 65 Euro und 30 Cent oder 65 Euro 30)

**!** 467 ist eine Zahl. Die Ziffern in dieser Zahl sind 4, 6 und 7.
Die Nummer ist eine bestimmte Zahl in einer Aufzählung, z. B. die Hausnummer.

### Zahlen und Nummern

der Geldautomat / der Bankomat (A) / der Bancomat (CH)
die ec-Karte (auch: EC-Karte) / die Bankomat-Karte (A) / die Bancomat-Karte (CH)

die Telefonnummer (die Rufnummer), die Handynummer, die Vorwahl,
die Hausnummer, das Nummernschild (z. B. am Auto), die Kontonummer

### Zahlen

Gerade Zahlen: 2, 4, 6, 8, 10, …
Ungerade Zahlen: 1, 3, 5, 7, 9, …
1, 2, 3, 4, … sind arabische Zahlen.
I, II, III, IV, … sind römische Zahlen.

zählen, die Aufzählung

### Rechnen

100 = (ein)hundert
1000 = (ein)tausend
1000 000 = eine Million
1000 000 000 = eine Milliarde
1000 000 000 000 = eine Billion

467 plus 589 ist 1056. Die Summe ist 1056.
100 minus 58 ist 42. Die Differenz ist 42.
25 mal 4 ist 100.
10 geteilt durch 4 ist 2,5 (= zwei Komma fünf).
10 durch 4 teilen
das Verhältnis, im Verhältnis 3:1

**!** Unglückszahl: Manche Leute glauben, die 13 bringt Pech. In vielen Hotels gibt es keinen 13. Stock.

### zahlen oder zählen

Im Café: „Bitte zahlen!"
„Zusammen oder getrennt?"
„Ich zahle für alle zusammen."
Der Gast zählt sein Geld:
10, 20, 30, … Er hat nur noch 30 Euro.

### rechnen oder ausrechnen?

Er ist erst acht Jahre alt und kann schon gut rechnen.
Ich rechne mal aus, was die Reise gekostet hat.

„Gibst du mir bitte deine Handynummer?"

„Ja, das ist die 0121 1582997."

⚡ 15 = fünfzehn (Standard) / fuffzehn (im Norden und Westen) / fuchzehn (im Süden)

1 Ein kleiner Test.

a. Unterstreichen Sie die geraden Zahlen: 577, 244, 890, 2345, 3456, 7, 4441, 1114
b. Wie viele Ziffern hat diese Zahl: 3892345,75?
c. Was ist die Summe von 98 und 89?
d. Sind die Seitenzahlen in diesem Buch römische oder arabische Zahlen?

2 Richtig oder falsch? Kreuzen Sie die richtigen Aussagen an.

a. ☐ Im Supermarkt zahlt man an der Kasse (A: Kassa).
b. ☐ Die Hausnummer steht in deutschen Adressen vor dem Straßennamen.
c. ☐ Jede Stadt hat eine eigene Telefon-Vorwahl.
d. ☐ Für den Geldautomaten braucht man eine Postleitzahl.

3 Ergänzen Sie die fehlenden „Zahl-Wörter".

a. Ich wohne in der Sudermannstr. 56, in 50226 Altstadt. 56 ist die *Hausnummer,* 50226 ist die ____________________.

b. Ich hole Geld vom Automaten, da muss ich eine Zahl, die ______________ oder den ______________ eingeben.

c. Auf meinem Konto ist kein Geld mehr, ich schulde der Bank Geld. Man kann sagen, mein Konto ist im Minus oder in den ____________________________.

d. Die Zahl 987 hat drei ________________.

4 Was passt nicht in die Reihe? Streichen Sie durch.

a. rechnen – zählen – buchstabieren – nummerieren – addieren
b. Postleitzahl – Alter – Hausnummer – Passnummer – Adresse
c. ungerade – arabisch – teuer – gerade – römisch

5 Ordnen Sie die Wörter in die Tabelle ein. Manchmal gehen beide Möglichkeiten.

Klavierstunden einen Sprachkurs Lehrbücher ~~die Finger an der Hand~~ Menschen auf einem Kongress ein Essen im Restaurant Geld Brot(e) Bonbons Küsse die Blumen auf der Wiese

| Das kann man zählen: | Das kann man zahlen: |
|---|---|
| *die Finger an der Hand,* | |
| | |
| | |
| | |

6 Haben Sie eine Glückszahl / Unglückszahl? Unterhalten Sie sich mit einem Partner oder schreiben Sie einen kurzen Text.

______________________________

______________________________

______________________________

______________________________

7 Hören Sie und notieren Sie die Telefonnummern.

a. Die Vorwahl ist 089 für München, dann ____________________.

b. Die Nummer ist ____________________.

c. Die Vorwahl für Kanada ist 1, dann ____________________.

d. Die Vorwahl weiß ich jetzt nicht, die musst du selber raussuchen. Die Nummer ist ____________________.

# JAHRESZEITEN, MONATE, WOCHENTAGE

Im August ist im Norden Sommer …

und im Süden Winter.

Im Dezember ist im Norden Winter …

und im Süden Sommer.

## Die Monate

1 Januar / Jänner (A)
2 Februar / Feber (A)
3 März
4 April
5 Mai
6 Juni
7 Juli
8 August
9 September
10 Oktober
11 November
12 Dezember

## Die Jahreszeiten

**Frühling**
Im Frühling blühen die ersten Blumen.

**Sommer**
Im Sommer ist es oft sehr heiß.

**Herbst**
Im Herbst fallen die Blätter.

**Winter**
Im Winter ist es kalt und manchmal schneit es.

## Die Tage der Woche

Montag
Dienstag
Mittwoch
Donnerstag
Freitag
Samstag / Sonnabend } Wochenende
Sonntag

! Alle Tage, Monate und Jahreszeiten sind maskulin.

| | |
|---|---|
| der Tag (der Montag, der Dienstag, …), der Wochentag, ab Montag | am Montag, montags (jeden Montag, *Akkusativ*) nächsten Montag *(Akkusativ)*; ab Montag |
| die Woche, das Wochenende; der Wochentag | wochentags (jeden Wochentag), werktags in / unter der Woche ⇔ am Wochenende, nächste Woche ⇔ vorige Woche, ab nächster Zeit |
| der Monat (der Januar, der Februar, …) | im Januar, im Februar, … Anfang / Mitte / Ende März |
| das Jahr, die Jahreszeit (Frühling, Sommer, Herbst, Winter) das Jahrzehnt, die 70er Jahre, das Jahrhundert, das Jahrtausend | letztes Jahr *(Akkusativ)*; im Frühling, im Sommer, … im letzten Jahrzehnt, in den siebziger Jahren |

Der Tag – täglich (jeden Tag), der Alltag – alltäglich
die Woche – wöchentlich (jede Woche)
der Monat – monatlich (jeden Monat)
das Jahr – jährlich (jedes Jahr)

der Kalender, der Terminkalender

**Das sagt man oft:**
Wohin fahrt ihr im Sommer in Urlaub? – Wir machen dieses Mal im Winter Urlaub, in der Schweiz.
Hast du am Wochenende Zeit? – Am Samstag nicht, da muss ich arbeiten, aber am Sonntag geht es.
Nächsten Dienstag muss ich zum Zahnarzt. Normalerweise gehe ich dienstags zum Sport.
Wir besuchen fast jeden Sonntag meine Eltern. Letztes Wochenende sind wir zu Hause geblieben.
Ostern ist dieses Jahr schon im März. Voriges Jahr war es Mitte April. Ab März ist hier Frühling.

Das macht er alle Jubeljahre einmal.
‚Das macht er sehr selten.'

in den Tag hineinleben
‚sich keine Sorgen um die Zukunft machen'

1 **Was fehlt? Ergänzen Sie die Buchstaben.**

a. Nächst___en___ Monat lade ich alle meine Freunde zum Geburtstag ein.

b. Vorig__ Woche hatten wir keinen Unterricht.

c. Willst du lieber samstag__ oder dienstag__ Sport machen?

d. Wohin fahren wir nächst___ Jahr in Urlaub?

2 **Ergänzen Sie die Jahreszeiten.**

a. ___Im Sommer___ ist es in Europa oft sehr heiß.

b. ____________ fallen die Blätter von den Bäumen.

c. ____________ blühen die ersten Blumen.

d. ____________ fällt in Österreich und in der Schweiz oft Schnee.

3 **In welchen Monaten sind diese Festtage? Schauen Sie im Kalender nach und notieren Sie.**

a. Dieses Jahr ist Ostern ________________________________________.

b. Hanukkah ist ________________________________________.

c. Ramadan ________________________________________.

d. Das chinesische Neujahrsfest ________________________________________.

4 **Terminplanung: Ergänzen Sie den Dialog. Manchmal gibt es mehrere Möglichkeiten.**

Ute: Hallo, Kurt, hast du Lust, heute Abend ins Kino zu gehen?

Kurt: Nee, tut mir leid. ___Donnerstags___ habe ich immer Volleyball.

Ute: Und wie wär's am Wochenende? Hast du ____________ 1 oder ____________ 2 schon was vor?

Kurt: Na ja, ____________ 3 besuche ich immer meine Mutter. Ich war schon ____________ 4 Sonntag nicht dort, da muss ich ____________ 5 Sonntag auf jeden Fall hin.

Ute: Und morgen? Wann hast du denn ____________ 6 nach der Arbeit Zeit?

Kurt: Ich habe um halb fünf ____________ 7. Hol mich doch im Büro ab, dann gehen wir gleich von dort los.

5 **Finden Sie noch sieben Monate und schreiben Sie sie mit dem Artikel rechts in die Spalte.**

| | | | | | | | | | | | | | | | | | |
|---|---|---|---|---|---|---|---|---|---|---|---|---|---|---|---|---|---|
| U | A | X | S | F | M | O | V | F | E | O | L | B | G | X | N | O | R |
| E | J | H | A | C | S | M | R | N | N | U | A | S | E | M | Y | K | D |
| J | U | S | J | M | O | J | R | E | S | E | P | T | E | M | B | E | R |
| P | L | E | J | A | N | U | A | R | S | T | I | N | L | I | A | U | U |
| S | I | C | A | N | I | N | T | S | K | O | K | T | O | B | E | R | K |
| Z | Ü | R | S | C | V | I | W | Z | A | T | R | H | D | I | W | F | O |
| M | A | E | H | R | E | A | U | G | U | S | T | I | S | M | U | R | A |
| E | B | F | E | B | R | U | A | R | Q | O | K | G | D | A | R | A | Q |
| O | R | A | D | K | E | N | Z | C | W | E | A | T | E | I | Z | U | E |

der Juli

____________

____________

____________

____________

____________

____________

____________

6 **Ergänzen Sie die fehlenden Wörter.**

a. Wir haben dieses Mal unseren ____________ urlaub in Italien verbracht.

b. Die 90er Jahre waren mein Lieblings____________.

c. Gas und Strom kosten 100 Euro ____________.

d. Hans muss dreimal ____________ zur Physiotherapie gehen.

# UHRZEIT UND TAGESABLAUF

Morgens um Viertel nach 6 klingelt der Wecker, ich stehe auf. Mein Mann rasiert sich schon.

Um 7 Uhr frühstücken wir. Die Kinder müssen sich beeilen. Die Schule fängt um 8 Uhr an.

Am Vormittag arbeite ich als Psychologin.

Um halb eins mache ich schnell ein kleines Mittagessen für die Kinder und mich.

Am Nachmittag bringe ich die Kinder oft zum Sport.

Endlich Feierabend! Am Abend sitzen wir meistens zusammen und essen.

| Uhrzeit | Tageszeit | | Mahlzeiten | |
|---|---|---|---|---|
| 6–9 Uhr | morgens | am Morgen / in der Früh (A) | das Frühstück | frühstücken |
| 9–12 Uhr | vormittags | am Vormittag | der Imbiss / die Jause (A) / der Znüni, die Zvieri (CH), der Snack ϟ | einen Imbiss einnehmen |
| 12–14 Uhr | mittags | am Mittag | das Mittagessen | zu Mittag essen |
| 14–18 Uhr | nachmittags | am Nachmittag | das Kaffeetrinken | Kaffee trinken |
| 18–22 Uhr | abends | am Abend | das Abendessen | zu Abend essen |
| 22–6 Uhr | nachts | in der Nacht | | |
| 24 Uhr | mitternachts | um Mitternacht | | |

## Die Uhrzeit

| Die offizielle Uhrzeit (im Radio, am Flughafen): | | Man sagt privat, mündlich: |
|---|---|---|
| 13.00 Uhr: | Es ist dreizehn Uhr. | Es ist ein Uhr. |
| 13.15 Uhr: | Es ist dreizehn Uhr fünfzehn. | Es ist Viertel nach eins / Viertel zwei. |
| 17.30 Uhr: | Es ist siebzehn Uhr dreißig. | Es ist halb sechs. |
| 20.45 Uhr: | Es ist zwanzig Uhr fünfundvierzig. | Es ist Viertel vor neun / Dreiviertel neun. |
| 21.05 Uhr: | Es ist einundzwanzig Uhr fünf. | Es ist fünf nach neun. |

Es ist fünf vor zwölf.
‚Es eilt sehr.'
Zeit ist Geld!

der Morgen, der Vormittag, der Mittag,
der Nachmittag, der Abend, der Feierabend
die Nacht, die Mitternacht
die Uhr, die Zeit, die Uhrzeit, die Sekunde, die Minute,
das Viertel, die Stunde, stündlich (= jede Stunde)
der Tag, der Tagesablauf, den Tagesablauf beschreiben
die Tageszeit, tagsüber (= während des Tages)
aufstehen, sich rasieren, sich beeilen, anfangen / beginnen, zu / ins Bett gehen

vorgestern, gestern
heute
morgen, übermorgen
nie, manchmal, oft,
meistens, immer
inzwischen, regelmäßig
frühestens ⇔ spätestens

**Das sagt man oft:**
Wie viel Uhr ist es? / Wie spät ist es?
Es ist zwanzig nach sieben.
Wann kommt er nach Hause?
Um acht (Uhr). / Um halb neun.

**1** Wie bitte? Trennen Sie die Wörter und schreiben Sie den Text noch einmal richtig.

JedenMorgensteheichumViertelvorachtauf. NachdemDuschenfahreichinsBüro. DortfrühstückeicherstmalundlesedieZeitung. ZumMittagessentreffeichregelmäßigeineKolleginin derCafeteria. NachmittagstrinkenwiramSchreibtischeinenKaffee. UmViertelnachsechsgeheichnachHause.

**2** Wie sagt man diese Uhrzeiten?

| | | offiziell: | privat: |
|---|---|---|---|
| a. | 18.50 Uhr: | Es ist achtzehn Uhr fünfzig. | Es ist zehn vor sieben. |
| b. | 24.00 Uhr: | ______ | Es ist Mitternacht. |
| c. | 15.15 Uhr: | ______ | ______ |

**3** Wie sagt man diese Uhrzeiten privat?

a.  Es ist fünf nach sieben.

c.  Es ist ______

b.  Es ist ______

d.  Es ist ______

**4** Was macht man wann? Ergänzen Sie die Tabelle.

sich rasieren · Kaffee trinken · in die Schule gehen · ~~spielen~~ · Schularbeiten machen · ins Bett gehen · zur Arbeit gehen · zu Abend essen · aufstehen · schlafen · ins Konzert gehen · frühstücken · ~~aufwachen~~ · arbeiten · einen Imbiss einnehmen · träumen · kochen · nach Hause fahren

| morgens | vormittags | mittags | nachmittags | abends | nachts |
|---|---|---|---|---|---|
| aufwachen | | | spielen | | |
| | | | | | |
| | | | | | |

**5** Wie sieht Ihr Alltag aus? Beschreiben Sie Ihren Tagesablauf und vergleichen Sie mit einem Partner.

Um … Uhr: aufstehen; um … Uhr: frühstücken; um … Uhr: mit … zur Arbeit fahren; …

**6** Wie spät ist es? Hören Sie und ergänzen Sie den Dialog.

Sag mal, Frank, kannst du mir sagen, ______ 1? Hast du eine ______ 2?

Ja, klar. Es ist ______ 3.

Danke. Weißt du, ______ 4 der Bäcker zumacht?

Ich glaube, um ______ 5.

Gut, dann hole ich noch etwas Brot und bin ______ ______ 6 bei dir.

# ALTER, DATUM, GEBURTSTAG

„Herzlichen Glückwunsch zum Geburtstag, Sabine!"
„Vielen Dank, Uwe."
„Wann hast du eigentlich Geburtstag?"
„Am dreiundzwanzigsten Juni werde ich dreißig. Da mach' ich eine Riesenparty!"
die Kerze
der Kuchen

## Das Alter

Ich bin zweiundzwanzig (Jahre alt).
Wie alt bist du denn? – Vierzig.
Schon vierzig? Du siehst aber jünger aus!
Hans ist Anfang fünfzig.
Eva ist Ende vierzig.
Robert ist kürzlich 50 geworden.

jung ⇔ alt, jünger ⇔ älter
schon, bereits
ein junges Mädchen
ein junger Mann
ein Mann mittleren Alters
eine ältere Dame
ein älterer Herr

| | |
|---|---|
| ungefähr 0–1 Jahr: | das Baby |
| 2–12 Jahre: | das Kind (der Junge / der Bub (A, CH), das Mädchen) |
| 13–18 Jahre: | der / die Jugendliche, der Teenager |
| ab 18 Jahre: | der / die Erwachsene, erwachsen sein |
| ab ca. 65 Jahre: | der Senior, die Seniorin |

## Das Datum

Der Wievielte ist heute? –
Heute ist der 1. Juli 2015 (= *der erste Juli zweitausendfünfzehn*).

Den Wievielten haben wir heute? –
Den 1. Juli 2015 (= *den ersten Juli zweitausendfünfzehn*).

Wann hast du Geburtstag / Namenstag? –
Ich habe am 28. Oktober (= *am achtundzwanzigsten Oktober*) Geburtstag / Namenstag.

das Datum, das Alter
der Glückwunsch, die Glückwunschkarte
der Geburtstag, der Namenstag
die Party, das Fest, die Fete (ugs.)
die Riesenfete (= *großes Fest*)

## Die Ordinalzahlen

1. der / die / das erste
2. zweite
3. dritte
4. vierte
5. fünfte
6. sechste
7. siebte
8. achte
9. neunte
10. zehnte

usw.

-te

20. zwanzigste
21. einundzwanzigste
30. dreißigste

usw.

-ste

**!** Ordinalzahlen haben Adjektivendungen:
der fünfte Januar, am fünften Januar
Ordinalzahlen schreibt man mit einem Punkt:
der 15. Mai (der fünfzehnte Mai)

**Das sagt man oft:**
Ich bin in der fünften (Klasse).

**1** **Ergänzen Sie die Endungen.**

a. Wann haben Sie Geburtstag? – Am dreizehnt__en__ August.

b. Ist heute wirklich schon der achtundzwanzigst_____?

c. Den Wievielten haben wir heute? Den zweit_____ oder den dritt_____?

**2** **Welcher Tag? Ergänzen Sie Antworten.**

a. Der Wievielte ist heute? ⇨ Heute ist der...

b. Den Wievielten haben wir heute? ⇨ ____________________

c. Welcher Tag war gestern? ⇨ ____________________

d. Wann ist Johann Wolfgang Goethe geboren? ⇨ ____________________

e. Wann ist Weihnachten? ⇨ ____________________

f. Wann haben Sie Geburtstag? ⇨ ____________________

**3** **Wünsche und Träume: Ergänzen Sie die Begriffe. Achten Sie auf die Endungen.**

Kind Jugendliche Erwachsene Mädchen Junge

Als ich noch ein __Kind__ war, so mit 5 oder 6 Jahren, wollte ich immer Verkäuferin werden.

Aber das hat sich dann bald geändert. Mit 14 wollte ich am liebsten ein Popstar sein. Ich glaube, viele ____________________ 1 haben solche Träume.

Oft können die ____________________ 2 die Wünsche ihrer Kinder nicht verstehen. Sie tun dann so, als ob sie selbst nie ____________________ 3 gewesen wären.

Mit 15/16 Jahren haben ____________________ 4 oft ganz verschiedene Vorstellungen vom Leben als ____________________ 5.

Allen ____________________ 6 kann ich nur raten, sich ab und zu mal daran zu erinnern, wie sie sich als ____________________ 7 und ____________________ 8 gefühlt haben.

**4** **Hören Sie und ergänzen Sie die Lücken.**

Heute ist mein ____________________ 1, ich werde 18 ____________________ 2. Endlich ____________________ 3! Eigentlich fühle ich mich ____________________ 4 lange erwachsen, aber alle sagen, ich sehe ____________________ 5 aus, eher noch wie ein Teenager. Mein Bruder ruft: „Heute ist der vierzehnte ____________________ 6, da war doch etwas?" Sehr lustig. Er ärgert sich, weil er heute Abend nicht zu meiner ____________________ 7 kommen darf. Aber er ist ja auch ____________________ 8 erst ____________________ 9 geworden, also fast noch ein ____________________ 10.

**5** **Was und wie feiern Sie? Feiern Sie auch Geburtstag? Oder Namenstag? Was gehört zu diesem Fest? Machen Sie ein Assoziogramm. Vergleichen Sie mit einem Partner.**

# IM SUPERMARKT

BILLIG
„Entschuldigung, wo finde ich den Joghurt?"
„Im ersten Gang links, neben der Milch."

der Einkaufswagen

die Kasse / Kassa (A)

| | |
|---|---|
| 4 Flaschen O-Saft | 200 g Käse |
| 2 große Tüten Chips | 2 l Milch |
| 1 Packung Eier | 1 Paket Taschentücher |
| 1 Pfund Hackfleisch | 1 Glas Marmelade |
| | 1 Tafel Schokolade |

## Einkaufen im Supermarkt

etwas suchen → sich nach etwas erkundigen → etwas finden → etwas aussuchen → bezahlen

der Supermarkt, der Gang, das Regal
der Einkaufswagen, der Wagen
der Einkauf, die Liste, die Einkaufsliste
die Lebensmittel (meist Pl.), die Nahrungsmittel (meist Pl.), der Haushalt
die Auswahl, der Preis, das Sonderangebot, der Rabatt
billig ⇔ teuer
genügen (= *genug sein*)

die Flasche, die Tüte, das Paket
die Dose / die Büchse (CH)
der Kasten / die Kiste (A), die Schachtel
der Sack
g = Gramm
l = Liter
1 kg (Kilogramm) = 1000 g
1 Pfund = 500 g
100 Gramm = 10 Deka(gramm) = 10 dag (A)

etwas für einen Apfel und ein Ei kaufen
*‚etwas sehr billig kaufen'*

jemanden durch den Kakao ziehen
*‚sich über jemanden lustig machen'*

## Getränke

das Getränk
der Saft, der Apfelsaft
der Orangensaft / der O-Saft
die Limonade
das Mineralwasser, das Wasser
die / das Cola
der Kaffee
der Tee
der Kakao

## Wurst, Fleisch, Fisch

das Fleisch
das Hackfleisch / das Faschierte (A)
das Hähnchen / das Hendl (A) / das Poulet (CH)
das Schnitzel
das Steak
der Braten
die Wurst
der Schinken
der Fisch

## Nudeln, Reis, Chips

die Nudeln (Pl.), die Spaghetti (Pl.)
die Pasta (*ohne* Pl.)
der Reis
das Müsli / Müesli (CH)
das Mehl
die Kartoffelchips (Pl.)

## Milch, Käse, Eier

die Milch
die Butter
der / das (A, *süddt.*) Joghurt
das Ei
der Käse
die Margarine

## Gewürze, Marmelade

der Pfeffer
das Salz
das Öl
der Essig
der Zucker
die Marmelade, die Konfitüre

## Tiefkühlkost

das Eis,
die / das Glace / Glacé (CH)
das gefrorene Gemüse
das Tiefkühlgemüse
die Pizza

## Haushalt

die Seife
das Toilettenpapier
das Taschentuch
das Waschpulver
das Feuerzeug
das Streichholz / das Zündholz / der Zünder (A)

**1** Wo finde ich was? Ergänzen Sie.

Joghurt  Spaghetti  Mineralwasser  Schnitzel  Orangensaft  Pfeffer  Wurst
~~Butter~~  Tee  Basmatireis  Lasagne  Braten  ~~Salz~~  Getränke  Gewürze

| Milch, Eier, Käse | | | Fleisch, Fisch | Nudeln, Reis |
|---|---|---|---|---|
| Butter | | Salz | | |
| | | | | |
| | | | | |

**2** Was passt nicht in die Reihe? Streichen Sie durch.

a. Butter – Käse – Wurst – Joghurt – Milch
b. Mineralwasser – Cola – Saft – Öl – Limonade
c. Gramm – Regal – Liter – Pfund – Kilogramm

**3** Wissen Sie das? Ergänzen Sie.

a. In der Schweiz sagt man nicht „Eis", sondern ____________________ .

b. Mit einem ____________________ kann man sich die Nase putzen.

c. Spaghetti, Lasagne, Penne usw. haben auch einen deutschen Sammelnamen: ____________________ .

d. Butter, ____________ und ____________________ sind Milchprodukte.

e. Kemal ist Vegetarier. Er isst Reis, Gemüse und Eier, aber kein ____________, keine ____________ und keinen ____________ .

**4** Frau Andres schreibt einen Einkaufszettel und denkt laut. Hören und ergänzen Sie.

„Was brauche ich eigentlich? Was koche ich morgen? Nicht immer Kartoffeln, ich kaufe mal Reis. Und dazu Gulasch, also Rindfleisch, vielleicht ein halbes ____________ 1. Dazu einen Salat. Habe ich alles für die Salatsoße? Ja, Öl ist da, aber ____________ 2 fehlt. Für das Frühstück am Sonntag und für den Kuchen brauche ich noch sechs ____________ 3. Und natürlich ____________ 4 für die Kinder, für die Cornflakes und zum Trinken: Das ist gesund! Für die Schulbrote brauche ich noch Schinken, Salami und auch noch ____________ 5, vielleicht einen Camembert? Und für unseren Fernsehabend kaufe ich eine Packung ____________ 6 und eine Flasche ____________________ 7. So, das wär's."

**5** Maßeinheiten und Verpackungen. Ergänzen Sie.

ein Sack  1 Paket  1 Pfd.  2 l  1 Kasten  150 g / 15 dag  eine Tüte

a. ____________________ Schinken
b. ____________________ Milch
c. ____________________ Margarine
d. ____________________ Waschpulver
e. ____________________ Bier
f. ____________________ Kartoffel-Chips
g. ____________________ Kartoffeln

**6** Hören Sie den Dialog und ergänzen Sie.

Entschuldigung, ich suche ____________________ 1.

Ganz vorn, ____________________ 2.

Und wo ist bitte ____________________ 3.

Da hinten, gleich neben ____________________ 4.

Vielen Dank! Da war ich gerade, als ich ____________________ 5 gesucht habe.

# IN DER BÄCKEREI UND AUF DEM MARKT

„Guten Tag, was darf es sein?"
Gesundbrot VITAL
der Kuchen
die Kundin
die Verkäuferin
das Brötchen / die Semmel (A, süddt.) / das Brötli (CH)
das Croissant
die Brezel / die Brezen (A, süddt.) / die Breze (A, süddt.)
die Torte
das Baguette
„Ich hätte gerne drei Brötchen und ein Croissant!"
„Das macht zusammen zwei Euro sechzig."

der Verkäufer, die ~in
der Käufer, die ~in
der Kunde, die Kundin
die Bäckerei

| **Brotsorten** | **Kuchen** | **Torten** | **Gebäck** |
|---|---|---|---|
| das Weißbrot | der Apfelkuchen | die Obsttorte | in D: kleine süße Backwaren |
| das Roggenbrot | der Käsekuchen | die Sachertorte | in A: salzige Backwaren wie Semmeln und Brezeln |
| das Vollkornbrot | der Pflaumenkuchen | die Schokoladentorte | |

So kann Brot und Gebäck sein:
lecker, köstlich
süß ⇔ salzig
frisch ⇔ alt

ein halbes Brot
die Hälfte

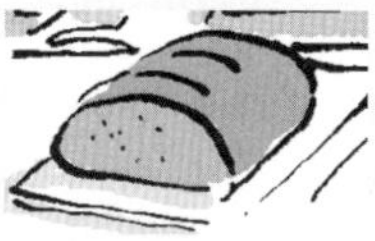

ein Stück Torte
ein Stück Kuchen

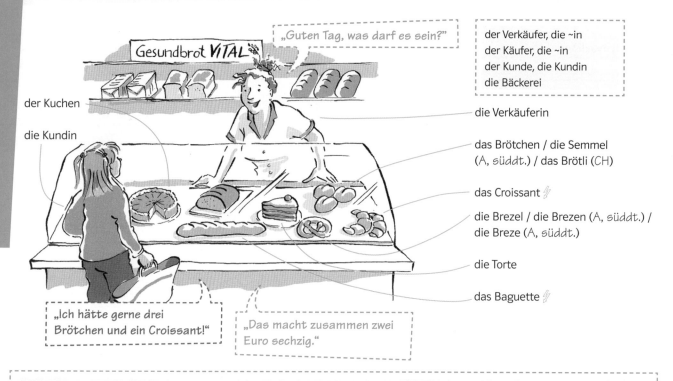

## Auf dem Markt gibt es Obst und Gemüse

**das Obst / die Früchte** (CH)
die Frucht
der Apfel
die Banane
die Orange / die Apfelsine
die Aprikose / die Marille (A)
die Birne
die Pflaume
die Zitrone

**das Gemüse**
die Kartoffel / der Erdapfel (A, süddt.)
die Tomate / der Paradeiser (A)
die (grüne) Bohne / die Fisole (A)
die Karotte / die Möhre / das Rüebli (CH)
der Pilz / das Schwammerl (A, süddt.)

So kann Obst und Gemüse sein:
süß ⇔ sauer
frisch ⇔ alt
billig ⇔ teuer
reif ⇔ unreif

Das gibt es auch:
Bio-Obst und Bio-Gemüse (= biologisch angebautes Obst und Gemüse)

**Frisch vom Bio-Bauern**
500 g Pflaumen
1,49 €

## Andere Fachgeschäfte

Für Fleisch: die Metzgerei / die Fleischerei / die Fleischhauerei (A)
Für Körperpflege: die Drogerie
Für Medikamente: die Apotheke
Für Zigaretten und Zeitschriften: der Zigarettenladen, der Zeitschriftenladen, die Trafik (A)

Der Apfel fällt nicht weit vom Stamm.
‚seinen Eltern sehr ähnlich sein'

In den sauren Apfel beißen.
‚etwas Unangenehmes akzeptieren'

## In der Metzgerei

Darf es etwas mehr sein? (z. B. 110 g statt 100 g)

Ja, bitte.

Ist das alles?

Ja, vielen Dank. / Nein, ich hätte gern noch …

Noch etwas?

Ja, bitte noch ein halbes Kilo … / Nein danke, das ist alles.

**1** Obst oder Gemüse? Ordnen Sie zu.

Apfel Apfelsine Salat Birne Blumenkohl Karotte Bohne Kartoffel ~~Zitrone~~ Fisole Marille

| Obst / Früchte | Gemüse |
|---|---|
| die Zitrone | |
| | |
| | |
| | |
| | |

**2** Süß oder Salzig? Ordnen Sie zu.

~~der Kuchen~~ Brötchen Torte Brezel Baguette Gebäck Semmel ~~das Brot~~

**Süß:** der Kuchen, ______________________

**Nicht süß / salzig:** das Brot, ______________________

**3** Was hätten Sie gern? Ergänzen Sie.

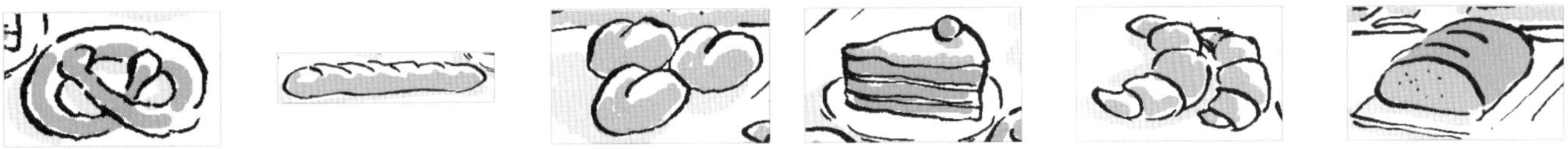

a. „Ich hätte gern eine Brezel, ______________________."

b. „Ich möchte bitte ______________________."

**4** Was passt nicht in die Reihe? Streichen Sie durch.

a. Semmel – Brötchen – Birne – Schokoladentorte – Roggenbrot
b. Apfelsine – Apfel – Brezel – Orange – Banane
c. Salat – Pilz – Bohne – Pflaume – Tomate

**5** Auf dem Markt: Hören und ergänzen Sie den Dialog.

Verkäufer: Guten Tag, was darf es sein? Schöne frische Pflaumen?

Kundin: Was kosten die?

Verkäufer: 2 Euro 60 das ______ 1.

Kundin: Gut, dann geben Sie mir ein Kilo. Und was kosten die ______ 2?

Verkäufer: Nur 3 Euro 40 das Kilo. Die sind heute ganz ______ 3!

Kundin: Dann nehme ich ein Kilo bitte. Haben Sie ______ 4?

Verkäufer: Ja, hier. Die kosten 1 Euro 50 das Kilo.

Kundin: Dann ______ 5 ein halbes Kilo.

Verkäufer: Ja, natürlich, bitte sehr. 75 Cent. ______ 6?

Kundin: Ja, ______ 7, das ist alles.

Verkäufer: Das ______ 8 zusammen 8 Euro 25.

Kundin: Hier sind 10 Euro.

Verkäufer: Und 1 Euro 75 zurück. Vielen Dank. ______ 9!

# KLEIDUNG / IM MODEGESCHÄFT

## Die Mode

„Willkommen zur jährlichen Modenschau des Hauses Bergefeld. Für die Dame eine modische Jacke, eine moderne Bluse, einen schicken Rock und elegante Schuhe. Der Mann von heute trägt eine klassische Krawatte, ein schickes Hemd, einen modernen Anzug und bequeme Schuhe. Mit dieser Kleidung sind Sie immer gut angezogen: im Büro, bei Einladungen, auf Reisen und wo immer Sie gut aussehen wollen."

**Aus der gleichen Kollektion:**
modisches Kleid
elegantes Kostüm
bequeme Freizeithose

**Für kältere Tage:**
langer Mantel
warmer Winterhut
dicke Socken
warme Winterstiefel

**Für den sportlichen Mann:**
T-Shirt
sportliche Hose
coole ⚡ Mütze
warmer Pullover

## Die Kleidung

die Bluse, der Rock / der Jupe ⚡ (CH), das Kleid, das Kostüm, die Strumpfhose
der Badeanzug, der Bikini
das Tuch, der Schmuck, die Kette, die Halskette
das T-Shirt, der Pullover
die Hose, die Jeans (Pl.) ⚡, die Freizeithose
die Jacke, der Mantel, die Mütze, der Hut

elegant, modisch, chic / schick, modern
bequem, knapp, eng ⇔ weit

aus Wolle, aus Baumwolle
der Fleck, das Loch, nähen, die Nadel

das Hemd, der Anzug, die Krawatte

die Badehose

das Unterhemd, die Socke, der Strumpf
der Schuh, der Stiefel, ein Paar Schuhe
hoch ⇔ flach, hohe / flache Schuhe

ein Kleid / eine Hose … anziehen
sich anziehen ⇔ sich ausziehen
sich umziehen
einen Rock / eine Jeans … tragen
gut / elegant … aussehen, gut angezogen sein

## Im Geschäft

„Ich suche ein schickes Kleid für eine Party."

„Welche Größe haben Sie?"

„Größe 38. Darf ich dieses Kleid bitte mal anprobieren?"

„Das Kleid steht Ihnen sehr gut."

„Ja, es passt ganz genau und ich sehe in dem Kleid sehr schlank aus."

„Suchen Sie auch noch Schmuck dazu, vielleicht eine Halskette?"

Er sieht aus wie aus dem Ei gepellt.
‚Er ist besonders elegant gekleidet.'

1 Schreiben Sie die Substantive mit dem richtigen Artikel in die Tabelle.

Kostüm Hose Schuh Rock Hemd Bluse Jacke ~~Anzug~~ Mantel Hut Socke Freizeithose Stiefel Pullover Mütze

| der Anzug | das | die |
|---|---|---|
| | | |
| | | |
| | | |
| | | |

2 Welche Kombinationen sind möglich? Schreiben Sie die Wortkombinationen mit dem richtigen Artikel auf.

Winter Sommer unter- Hut Hose Hemd Jacke Freizeit Stiefel Wolle Tuch Hals Mantel Strumpf

der Winterhut, die Wollhose,

3 Schreiben Sie die Kleidungsstücke von der linken Seite in die richtige Spalte.

| Das bedeckt ... | den Oberkörper | die Beine | die Füße | den Kopf |
|---|---|---|---|---|
| | die Bluse | | | |
| | | | | |
| | | | | |
| | | | | |

4 Schreiben Sie auf, welche Kleidungsstücke man anziehen kann, wenn es kalt ist.

dicke Socken,

5 Was sagen Sie in diesen Situationen?

| | |
|---|---|
| a. Ihr Freund hat einen schicken neuen Anzug an. | ⇨ Der Anzug steht ... |
| b. Sie wollen in einem Geschäft ein Kleid anziehen, um zu sehen, ob es passt. | ⇨ Darf ich ... ? |
| c. Eine Kollegin kommt heute in ihrem besten Kostüm zur Arbeit. | ⇨ ? |

6 Was ist normal, möglich, eher selten oder nicht akzeptabel? Kreuzen Sie an. Vergleichen Sie dann mit einem Partner.

| | normal | möglich | selten | nicht akzeptabel |
|---|---|---|---|---|
| a. Ein Bankbeamter trägt bei der Arbeit Jeans. | | | | |
| b. Lehrerinnen ziehen bei der Arbeit einen Rock oder ein Kleid an. | | | | |
| c. Bei einer Rede im Parlament trägt ein Minister keine Krawatte. | | | | |
| d. Man kann in Jeans in ein klassisches Konzert gehen. | | | | |
| e. Eine Frau geht in eleganter Hose und Bluse zur Hochzeit ihrer Freundin. | | | | |

7 Zwei Freundinnen unterhalten sich. Hören und ergänzen Sie den Dialog.

Guck mal hier, das habe ich mir gestern ____ 1.

Ein neues ____ 2? Die Farbe ist sehr ____ 3 und ____ 4 dir gut. Ist es denn auch ____ 5?

Ja, ziemlich. ____ 6 ist ein bisschen ____ 7, aber es geht schon. Und ____ 8 und ____ 9 passen perfekt. Und guck: diese süßen ____ 10! Die waren allerdings ____ 11.

Das glaube ich. Wirklich sehr ____ 12. Jetzt brauchst du nur noch ____ 13!

# AUF DER BANK UND AUF DER POST

## Auf der Bank

„Wir möchten gern ein Konto eröffnen."
KASSE
KASSE
„Möchten Sie ein Girokonto oder ein Sparkonto?"

**Das können Sie bei uns schnell und leicht machen:**

- ein Konto eröffnen
- ein Sparbuch anlegen
- schnell Bargeld am Automaten abheben
- Geld aufs Konto einzahlen / vom Konto abheben (direkt am Schalter)
- Geld wechseln – ohne Gebühr!

Wenn Sie einen Kredit aufnehmen wollen: Wir beraten Sie gerne!

**Wechselkurs von heute:**

1 britisches Pfund = 1,39 Euro
1 US-Dollar = 0,89 Euro

die Bank, der Schalter, das Konto, das Sparbuch
der Betrag, der Auftrag, die Gebühr, der Beleg / der Zahlungsbeleg
der Wechselkurs, Geld wechseln / Geld tauschen, der Umtausch
der Euro, der Cent (D, A) der Franken, der Rappen (CH)
das Bargeld, die Münze, der Schein
das Sparkonto: Geld anlegen, Geld sparen
das Girokonto : Geld einzahlen – die Einzahlung, überweisen – die Überweisung
die ec-Karte (auch: EC-Karte) / die Bankomat-Karte (A) / die Bancomat-Karte (CH)
die Kreditkarte, der Kredit, die Zinsen (Pl.)
das Online Banking, Electronic Banking

## Auf der Post

„Ein Paket nach Tokio? Per Luftpost?"
„Ja bitte. Und was kostet ein Brief innerhalb der EU?"
die Briefmarke (das Porto)
die Adresse
der Absender
das Paket
das Päckchen
die Postkarte
der Brief

**Das sagt man oft:**
Kann man an diesem Schalter auch Pakete aufgeben?
Ich möchte das Paket per Luftpost schicken.
(per Express / auf dem Seeweg / per Einschreiben / mit normaler Post)
Ich muss noch schnell den Brief einwerfen.
Ich muss heute noch auf die Post (gehen).

Geld zum Fenster hinauswerfen (ugs.)
*‚Geld verschwenden'*

etwas auf die hohe Kante legen
*‚Geld sparen'*

die Post, der Postschalter / der Schalter
der Briefträger, die ~in / der Pöstler, die ~in (CH)
die Postsendung, das Paket, das Päckchen,
die Postkarte, der Brief
der Briefumschlag /
das Kuvert / das Couvert (CH)
das Porto, die Briefmarke, die Sondermarke
die Adresse, der Absender
die Luftpost, der Seeweg, das Einschreiben

1 Geld, Geld, Geld: Ergänzen Sie die passenden Verben.

wechseln    aufnehmen    ~~abheben~~    überweisen

a. Guten Tag, ich möchte gern 200 Euro von meinem Konto abheben.
b. Wir wollen ein Auto kaufen und möchten einen Kredit ____________.
c. Wo kann ich hier Geld ____________? Ich brauche kanadische Dollar.
d. Kann mein Arbeitgeber das Gehalt direkt auf mein Girokonto ____________?

2 Silbenrätsel: Bilden Sie Wörter und ergänzen Sie den richtigen Artikel.

au • bar • be • brief • brief • ein • geld • geld • ger • ke • ket •
kon • leg • ~~luft~~ • lung • mar • mat • pa • ~~post~~ • to • to • trä • zah

die Luftpost, ____________

____________

____________

.1 Kombinieren Sie die Verben mit dem richtigen Präfix.

zahlen    legen    ~~heben~~    weisen    nehmen    öffnen

a. ab heben
b. ein ____________
c. über ____________
d. auf ____________
e. er ____________
f. an ____________

.2 Ordnen Sie den Nomen passende Verben zu.

Geld    Konto    Kredit

Geld abheben, ____________

____________

4 Sie wollen Firma Gereke 60 Euro für ein Zeitschriftenabonnement überweisen. Füllen Sie das Formular aus.

Firma Gereke
Bank für Wirtschaft
SWIFT-BIC: RAD UIF ZE769
IBAN: DE45 580911 28 123 498 765

| | |
|---|---|
| **Empfängerkonto** | **Summe** |
| Empfänger (Name, Vorname / Firma) | Betrag |
| ____________ | ____________ EUR |
| BIC / BLZ | Verwendungszweck |
| ____________ | ____________ |
| IBAN / Kontonummer | Ausführung |
| ____________ | ☐ sofort<br>☐ Termin: ____________ |

5 Auf der Post: Ordnen Sie den Dialog und schreiben Sie ihn auf. Kontrollieren Sie mit dem Hörtext.

„Luftpost eine Woche, Seeweg bis zu zwei Monaten."    „Das macht insgesamt 48 Euro 50."    „Guten Tag, was kostet ein Brief nach Spanien?"    „Per Luftpost oder auf dem Seeweg?"    „75 Cent."    „Dann hätte ich gerne fünf Briefmarken zu 75 Cent"    „Dann bitte per Luftpost."    „Wie lange dauert das?"    „Nein, danke. Und dann möchte ich dieses Paket aufgeben, nach Mexiko."    „Möchten Sie Sondermarken?"

# EINLADUNG ZUM ABENDESSEN

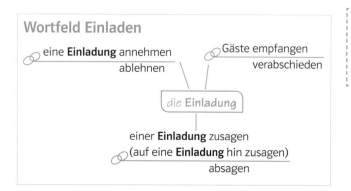

„Darf ich Sie morgen zum Abendessen einladen?"
„Ja, vielen Dank, ich komme gerne! Kann ich etwas mitbringen?"

„Guten Abend, kommen Sie doch herein!"
„Guten Abend, Frau Reich. Tut mir leid, wir sind leider etwas spät dran."

„Möchten Sie noch etwas?"
„Ja, gerne. Es schmeckt so gut!"
„Nein danke, ich bin wirklich satt. Das Essen war ausgezeichnet."

## „Darf ich Sie zum Essen einladen?"

zum Essen
zum Mittagessen
zum Abendessen
zum Kaffeetrinken
zur Feier / zur Party
zur Geburtstagsfeier
zur Grillparty, zum Grillen
zur Hochzeit

## „Ich kann leider nicht kommen."

„Ich kann leider nicht kommen, ich habe im Moment zu viel zu tun."
„Der Tag (die Uhrzeit) passt mir leider nicht, ich habe da einen wichtigen Termin."
„Ich muss leider absagen, wir haben keinen Babysitter."

**!** Die Einladung ist um 20 Uhr.
- um 20 Uhr ankommen: pünktlich sein
- um 20:30 Uhr ankommen: zu spät kommen / spät dran sein

**!** Zu einer Einladung bringt man oft etwas mit: Blumen, Schokolade, eine Flasche Wein, ein kleines Geschenk (z. B. ein Buch, eine CD oder eine Schachtel Pralinen).

## „Das Essen schmeckt wunderbar!"

| | |
|---|---|
| wunderbar | lecker |
| ausgezeichnet | sehr gut |
| fantastisch | interessant |

Reichst du mir bitte mal das Salz?

## „Vielen Dank für die Einladung. Der Abend war sehr schön!"

| | |
|---|---|
| schön | super (ugs.) |
| nett | toll (ugs.) |
| angenehm | klasse (ugs.) |
| lustig | prima (ugs.) |
| gemütlich | |

| | |
|---|---|
| der Grill | grillen / grillieren (CH) |
| der Geschmack | schmecken |
| die Feier | feiern |

| | | |
|---|---|---|
| der Gast | die Party | das Essen |
| der Gastgeber, die ~in | die Hochzeit | die Nachspeise / der Nachtisch / das Dessert |
| | das Geschenk | |

## Wortfeld Einladen

die Einladung

- eine **Einladung** annehmen / ablehnen
- Gäste empfangen / verabschieden
- einer **Einladung** zusagen (auf eine **Einladung** hin zusagen) / absagen

1 Was ist wann? Ordnen Sie zu.

a. das Kaffeetrinken — am Morgen
b. das Mittagessen — am Nachmittag
c. das Frühstück — am Abend
d. die Party — am Mittag

2 Ergänzen Sie die Substantive mit dem richtigen Artikel.

a. frühstücken das Frühstück
b. zu Mittag essen ____________
c. grillen ____________
d. zu Abend essen ____________
e. schmecken ____________
f. Geburtstag feiern ____________

3 Welche Wörter passen dazu? Ergänzen Sie.

lustig nett angenehm lecker langweilig gut interessant satt gemütlich köstlich

die Party: ____________ ____________ ____________ ____________ ____________ ____________

das Essen: ____________ ____________ ____________ ____________ ____________ ____________

4 Welche Kombinationen sind möglich? Schreiben Sie die Wortkombinationen mit dem richtigen Artikel auf.

Abschied(s) Party Garten Trinken Arbeit(s) Feier Fest Kaffee Garten
Essen Geburtstag(s)

die Gartenparty, ____________

____________

5 Small Talk: Ergänzen Sie.

angenehm ausgezeichnet gemütlich ~~lecker~~ pünktlich zu spät

a. Dieser Nachtisch ist wirklich lecker.
b. Und auch der Salat schmeckt ____________, ganz frisch.
c. Ihre Wohnung ist sehr ____________, ich fühle mich sehr wohl.
d. Die Musik ist nicht so laut, ich finde das sehr ____________.
e. Warum kommt Wolfgang immer ____________? Es ist schon halb zehn, und er ist immer noch nicht hier.
f. Ja, er ist fast nie ____________.

6 Wie kann man das sagen? Auf der linken Seite finden Sie verschiedene Möglichkeiten.

a. einer Einladung zusagen: ____________
b. einer Einladung absagen: ____________
c. das Essen loben: ____________
d. sich für eine Verspätung entschuldigen: ____________

7 Hören Sie die Dialoge und ergänzen Sie die fehlenden Wörter.

„Darf ich Sie am Freitag ____________ (1) Abendessen einladen?"

„Tut mir leid, da kann ich ____________ (2) nicht. Ich habe schon eine Verabredung."

„Guten Abend, entschuldigen Sie bitte, wir sind zu ____________ (3)!"

„Guten Abend. Das macht doch nichts, kommen Sie bitte ____________ (4)."

„Möchten Sie noch ____________ (5)?"

„Nein danke, ich bin wirklich ____________ (6). Das Essen war köstlich."

# RUND UM DIE KÜCHE

## Alles für Ihre Küche – modern, praktisch, schön!

**Die moderne Einbauküche**
Besser kochen auf dem Herd „Kochfix“
Kuchen backen und mehr: der Ofen „Exquisit“
Nie wieder Geschirr abwaschen: der Geschirrspüler „Blitzblank“ macht das für Sie!
Die funktionale Spüle und der exklusive Wasserhahn: beste Qualität!
Der Kühlschrank „Cool“ spart Energie!

Der Küchentisch „Praktisch“ und der Stuhl „Bequem“ aus Birkenholz

Der praktische Abfalleimer „Misty“

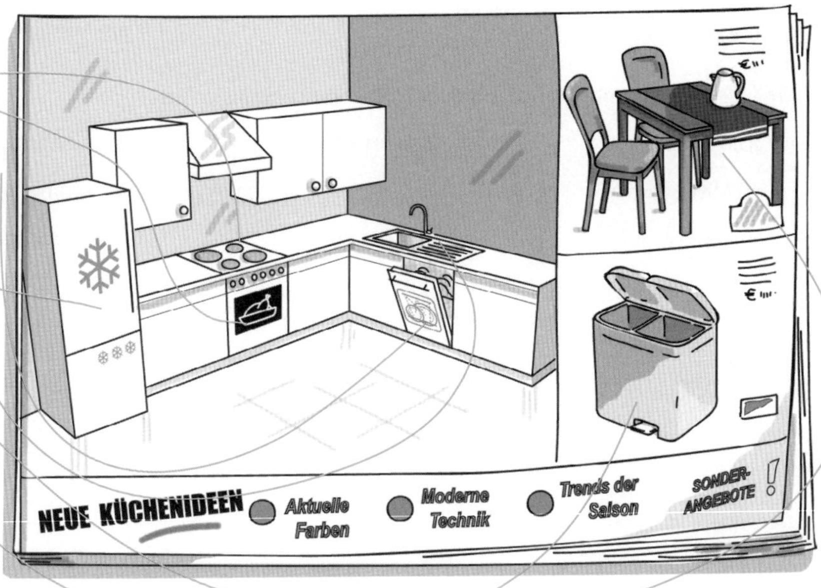


## Für Hobbyköche:

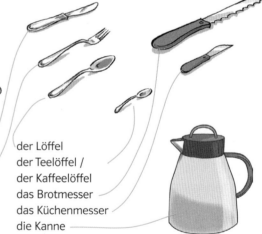

Der Kochtopf „Elegant“ macht Sie zum Profi!
Die Pfanne „Pikant“ für exzellentes Braten

## Passendes Geschirr und Besteck:

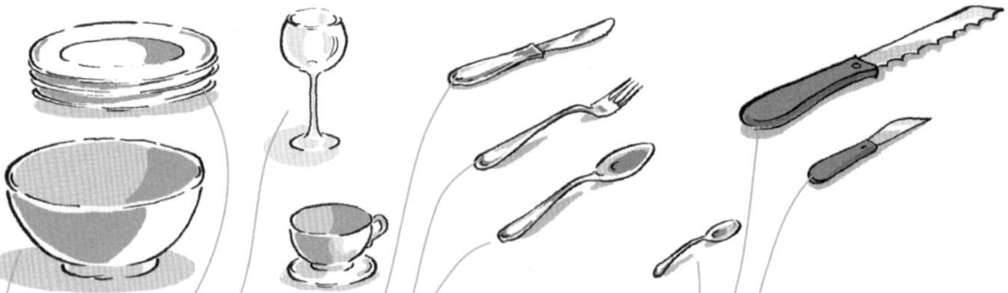

der Teller
das Glas
die Schüssel
die Tasse
das Messer
die Gabel

der Löffel
der Teelöffel / der Kaffeelöffel
das Brotmesser
das Küchenmesser
die Kanne

## Das passt zusammen:

mit dem Messer schneiden
im Kochtopf kochen
in der Pfanne braten
im Ofen backen
mit dem Löffel essen
mit Messer und Gabel essen
vom Teller essen
aus der Tasse trinken
aus dem Glas trinken
mit dem Kaffeelöffel den Kaffee umrühren
das Geschirr im Geschirrspüler spülen

| | |
|---|---|
| die Küche | der Herd, das Gas, der Gasherd, der Strom, der Elektroherd |
| der Koch, die Köchin | |
| der Topf / die Pfanne (CH) | der (Back-)Ofen / das Backrohr (A) |
| | die Spüle, der Geschirrspüler |
| | der Kühlschrank, der Wasserhahn |
| das Geschirr, das Besteck | der Tisch, der Stuhl / der Sessel (A) |

**1** Ordnen Sie die Wörter nach ihrem Artikel.

Küche Topf Tasse Ofen Löffel Spüle Messer Glas Tisch Kanne Stuhl Pfanne Geschirr Herd Teller Schrank Gabel

der Löffel, ______________________________

das ______________________________

die ______________________________

! Substantive mit einer Silbe sind meistens maskulin.

**2** Was gehört zusammen? Schreiben Sie die Wortkombinationen mit dem richtigen Artikel auf.

Spüler Koch- ~~Kaffee-~~ Geschirr- Brot- Topf Messer Schrank ~~Löffel~~ Kühl-

der Kaffeelöffel ______________________________

______________________________ ______________________________

______________________________ ______________________________

**3** Was passt nicht? Streichen Sie durch.

a. braten – backen – essen – kochen
b. Messer – Tasse – Gabel – Löffel
c. Herd – Spüle – Wasserhahn – Teelöffel
d. Tisch – Teller – Schüssel – Glas

**4** Womit oder worin macht man das? Bilden Sie Sätze.

Kochtopf ~~Messer~~ Teelöffel Geschirrspüler Besteck Ofen

a. schneiden: Mit dem Messer schneidet man.
b. essen: ______________________________
c. backen: ______________________________
d. kochen: ______________________________
e. abwaschen: ______________________________
f. den Tee umrühren: ______________________________

**5** Rund um die Küche: Ergänzen Sie das Rätsel.

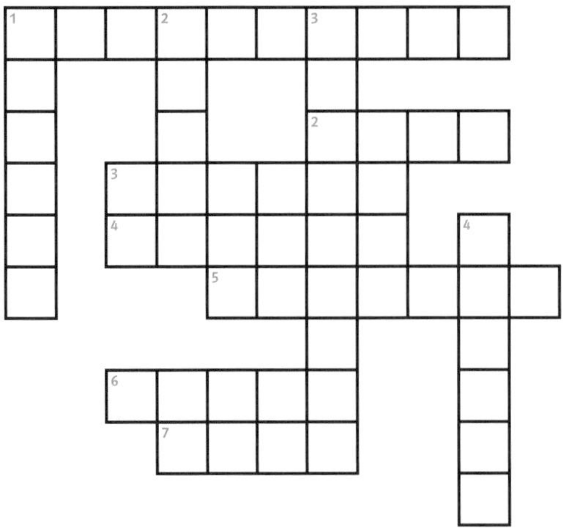

**Waagerecht**
1. Damit schneidet man das Brot.
2. Darauf kocht man.
3. Fleisch brät man in der …
4. So sagt man in Österreich für „Stuhl".
5. Zum … braucht man ein Glas.
6. Die … hat einen Wasserhahn.
7. Darin backt man den Kuchen.

**Senkrecht**
1. Das macht man in der Pfanne.
2. Das benutzt man zum Kochen (Plural).
3. Das Messer benutzt man zum …
4. Vom … isst man.

**6** Hans zeigt seiner Freundin Claudia seine neue Küche. Hören Sie und ergänzen Sie die Wörter.

„Hallo Claudia, komm rein. Du musst dir unbedingt meine neue ________ (1) ansehen. Hier, guck mal, der ________ (2)! Mit ________ (3) und neuen ________ (4). Endlich habe ich auch einen ________ (5)! Der braucht weniger Energie und ________ (6) trotzdem besser. Ich habe mir auch gleich noch ________ (7) und ________ (8) gekauft – das gab es im Sonderangebot. Wie findest du das ________ (9)?"

# KOCHEN UND ESSEN

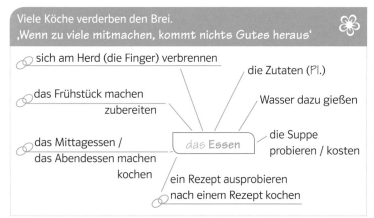

„Das sieht ja lecker aus! Ist das vegetarisch?“
„Ja, Klaus ist doch Vegetarier, darum gibt es heute eine Gemüsepfanne mit Reis.“

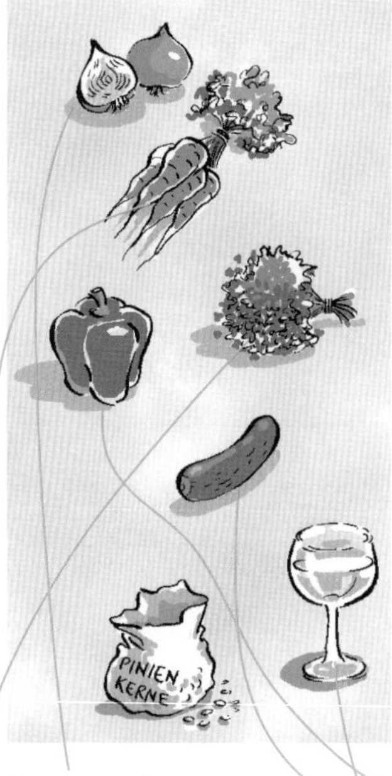


die Zwiebel
die Karotte / die Möhre (D) / das Rüebli ϟ (CH)
die Petersilie
der / die Paprika
die Zucchini ϟ / die Zucchetti ϟ (CH)
der Weißwein

**Gemüsepfanne**

Zwiebeln, Karotten, Paprika und Zucchini klein schneiden.

Pinienkerne anbraten, dann nach und nach das Gemüse hinzufügen.

Gleichzeitig Reis kochen.

Knoblauch klein schneiden und zum Gemüse geben.
Mit Pfeffer und Salz würzen, etwas Weißwein und saure Sahne dazugeben.

Gut umrühren.
Am Schluss den Reis hinzugeben und mit Petersilie bestreuen.

## Kochen und Braten

| | |
|---|---|
| das Gemüse | klein schneiden |
| Gemüse | anbraten |
| mit Pfeffer und Salz | würzen |
| Knoblauch | dazugeben |
| die Soße / Sauce ϟ | umrühren |
| mit Petersilie | bestreuen |
| das Steak ϟ | braten |

## Der Geschmack

**süß** ⇔ **sauer:** Kuchen und Pudding schmecken z. B. süß, Zitronen sind sauer.
**bitter:** Kaffee schmeckt etwas bitter.
**salzig:** mit Salz gekocht
**scharf** ⇔ **mild:** Möchtest du die scharfe Soße mit viel Pfeffer und Chili? Oder die milde Käsesoße?
**fett** ⇔ **mager:** mit viel Fett ⇔ ohne Fett / mit sehr wenig Fett
**roh** ⇔ **gekocht:** Gemüse kann man roh als Salat oder gekocht essen.

## Das sagt man oft:

Was gibt es denn heute zu essen?
Ich hab' einen Riesenhunger.

Sind Sie Vegetarier? Essen Sie Fleisch? Können Sie alles essen?
Ich esse alles gern! Ich esse kein Fleisch.

Ich habe Durst. Ich muss unbedingt etwas trinken.

Möchten Sie noch etwas?
Ja, ich nehme noch ein bisschen. Danke, das reicht (= *ist genug*).
Nein danke, ich bin schon satt.
Der Braten ist dir gut gelungen!

Jonas macht Diät, er will abnehmen (= *dünner werden*).

**Viele Köche verderben den Brei.**
*‚Wenn zu viele mitmachen, kommt nichts Gutes heraus'*

das Essen:
- sich am Herd (die Finger) verbrennen
- das Frühstück machen / zubereiten
- das Mittagessen / das Abendessen machen / kochen
- die Zutaten (Pl.)
- Wasser dazu gießen
- die Suppe probieren / kosten
- ein Rezept ausprobieren
- nach einem Rezept kochen

die Suppe, der Reis
der Kloß / der Knödel
der Pudding

der Hunger, Hunger haben
hungrig sein ⇔ satt sein
der Durst, Durst haben
durstig sein
betrunken sein (= *wenn man zu viel Alkohol getrunken hat*)

die Petersilie,
der Knoblauch
das Fett, das Öl,
der Essig
1 Esslöffel Öl
das Essen
das Rezept, benötigen (= *brauchen*)
die Kochsendung / die Kochshow ϟ
der Vegetarier, die ~in
die Diät

1 **Wie schreibt man das? Ergänzen Sie die Buchstaben.**

a. Das si__eh__t ja lecker aus!
b. I_____t du Fleisch, Marina?
c. Der Kuchen ist sehr sü_____.
d. Heute gibt es Fleisch mit Rei_____.
e. Herbert i_____t Vegetarier.
f. Ich mag kein sal_____iges Essen.
g. Was gibt es zum Mittage_____en?
h. Das Fleisch ist mir zu fe_____.
i. Ist das Fr_____stück schon fertig?

! In den deutschsprachigen Ländern isst man in den Familien oft eine warme Mahlzeit am Mittag und abends Brot mit Käse oder Wurst. Heutzutage essen viele Leute auch am Mittag nur ein belegtes Brötchen und abends warm.

2 **Was passt zusammen? Schreiben Sie Sätze.**

Kuchen Gemüse ~~Zitrone~~ Kaffee Soße Fleisch

salzig fett ~~sauer~~ bitter süß roh

Die Zitronen sind sauer. Der Kuchen ist ...

3 **Finden Sie Gegensätze. Manche Wörter haben mehr als einen Gegensatz.**

süß ⇔ sauer,

~~süß~~ fett salzig roh lecker mager scharf mild ~~sauer~~ schlecht bitter gekocht

4 **Wie kann man das noch sagen?**

a. Frau Baumeister isst kein Fleisch. Sie ist __________.
b. Markus Bolten will abnehmen. Er __________.
c. Walter Podiuk hat genug gegessen, er ist __________.

5 **Finden Sie die Bedeutung der unterstrichenen Adjektive. Hier werden sie bildlich gebraucht.**

a. Die Firma macht fette Gewinne. — groß
b. Paul ist wirklich süß.
c. Meine Freundin hat mich gestern nicht abgeholt – da war ich wirklich sauer.
d. Die Politikerin gab eine scharfe Antwort.
e. Das Ergebnis ist aber mager!

attraktiv
wütend
schlecht
groß
aggressiv

6 **Hören Sie die Kochsendung und ergänzen Sie die Wörter.**

„Guten Abend, meine Damen und Herren. Heute wollen wir einen leckeren Eiersalat ________ 1. Dazu ________ 2 Sie folgende ________ 3: vier hartgekochte ________ 4, zwei Esslöffel ________ 5, einen Esslöffel Essig, etwas Salz und ________ 6. Die Eier schälen und in Scheiben ________ 7, das Öl mit dem ________ 8 verrühren, Salz und Pfeffer nach ________ 9 dazu und das Ganze über die Eier gießen. Dazu passt ein ________ 10 Baguette. Guten Appetit!"

# 20 IM RESTAURANT

„Weißt du was? Heute Abend gehen wir essen!“
„Prima Idee! Am liebsten in ein türkisches Restaurant!“
„Gut, ich reserviere einen Tisch.“

**Das sagt man oft:**
Ist der Tisch noch frei? – Nein, der ist besetzt.

## Ein Restaurantbesuch

einen Tisch reservieren → sich an einen Tisch setzen → die Speisekarte lesen → Essen und Getränke bestellen → essen → bezahlen

„Entschuldigen Sie, können wir bitte bestellen? Ich hätte gerne ..."

„Darf es sonst noch etwas sein? Ein Dessert oder Kaffee?"

„Ich nehme ..."

„Ja, gerne. Geht das zusammen oder getrennt? Zahlen Sie bar oder mit Karte?"

„Entschuldigung, können wir bitte zahlen?"

SPEISEKARTE

**Vorspeisen**
die Suppe
der Salat

**Hauptspeisen**
das Schnitzel
das Würstchen (die Wurst)
der Hamburger
das / der Sandwich
die Pommes frites (Pl.) ⚡
eine Portion Ketchup ⚡

**Nachspeisen / Desserts**
der Kuchen
die Mehlspeise (A)
eine Portion Sahne (D)

**Getränke**
der Saft
die Cola
das Bier
der Wein

eine Tasse Kaffee
ein Kännchen Tee

! In den deutschsprachigen Ländern gibt man ca. 5–10 % Trinkgeld. Man addiert das Trinkgeld meistens direkt zu der Rechnung: „Das macht 28 Euro bitte.“ – „Machen Sie 30 Euro!“ (2 Euro sind das Trinkgeld.)

## Wohin gehen wir zum Essen?

| | |
|---|---|
| Ins Restaurant: | Die Atmosphäre ist eher formell. |
| Ins Gasthaus: | Auf dem Land heißen Restaurants meistens „Gasthaus“. Im Sommer sitzt man draußen im „Biergarten“. |
| Ins Café: | Hier gibt es Kaffee und vor allem Kuchen. |
| Ins Kaffeehaus (A): | Hier kann man auch richtig essen. Zum Nachtisch gibt es eine Mehlspeise (Kuchen, etwas Süßes). |
| In die Kneipe / Ins Beisl (A): | Hier trifft man Freunde und trinkt oft Bier oder Wein. |
| In die Mensa: | Die Mensa ist nur für Studierende. Das Essen ist günstig. |
| In die Kantine: | Viele Firmen haben eine Kantine. Dort können die Mitarbeiter zu Mittag essen. |
| Zur Imbissbude: | Hier isst man im Stehen, unter freiem Himmel. Oft gibt es Würstchen. |

das Restaurant ⚡, die Gaststätte, das Lokal, das Gasthaus
das Café, die Kneipe / das Beisl (A)
der Biergarten, die Imbissbude
der Tisch
die Mensa, die Kantine
der Kellner, die ~in / der Ober (D, A) / der Serviceangestellte ⚡ (CH)
die Aushilfe
die Speisekarte, die Getränkekarte, die Rechnung, die Kreditkarte
bar zahlen / bezahlen
die Speise, das Menü
das Getränk, der Alkohol
das Dessert ⚡ / die Nachspeise (D, A)
die (Schlag-)Sahne (D) / der, das (Schlag-)Obers (A) / der (Schlag-)Rahm (CH)

1 Die Speisekarte: Ordnen Sie zu und ergänzen Sie den richtigen Artikel.

| | |
|---|---|
| **Vorspeisen:** | |
| **Hauptspeisen:** | das Wiener Schnitzel, |
| **Nachspeisen:** | |
| **Getränke:** | |

~~Wiener Schnitzel~~ Suppe Bier Pommes frites Saft Zitroneneis Würstchen Schokoladencreme Mineralwasser Hamburger Rotwein Kaffee Obstsalat Kaffee mit Schlagobers kleiner Salat Pizza Mehlspeise

2 Wohin gehen die Personen? Oft gibt es mehrere Möglichkeiten.

das Café „Mozart" ~~die Kneipe „Kreuzberg"~~ die Uni-Mensa die Imbissbude „Bei Hilda" das Restaurant „Aubergine"

a. Paula und Bernd wollen abends ein Bier trinken und sich unterhalten.

⇨ Sie gehen in die Kneipe „Kreuzberg".

b. Frau Sikowski hat Lust auf eine Currywurst.

⇨ ______________________________.

c. Herr Höfels lädt wichtige Geschäftsleute zum Essen ein.

⇨ ______________________________.

d. Frau Merz und Frau Kiebold wollen am Nachmittag gemütlich Kaffee trinken und Kuchen essen.

⇨ ______________________________.

e. Peter Wolters ist Student. Nach der Vorlesung hat er großen Hunger.

⇨ ______________________________.

3 Hier fehlt etwas: Ergänzen Sie die fehlenden Wörter und schreiben Sie die Sätze auf.

a. Ich möchte für heute Abend um 20 Uhr einen Tisch.
b. Haben Sie außer Salat und Suppe auch andere?
c. Hans isst mit Senf und Pommes frites.
d. Darf ich Ihnen noch ein Glas anbieten?
e. Geht das zusammen oder?
f. Zahlen Sie oder mit Kreditkarte?

4 Wie kann man das höflicher sagen? Hören Sie die erste Version und schreiben Sie es höflicher. Kontrollieren Sie mit dem Hörtext.

a. „Bestellen bitte!" Entschuldigung, können wir bitte bestellen?".
b. „Die Speisekarte bitte!" ______________________________.
c. „Frau Ober, noch ein Bier!" ______________________________.
d. „Die Rechnung bitte!" ______________________________.

5 Restaurantbesuch: Schreiben Sie einen Dialog. Verwenden Sie die Ausdrücke in den Sprechblasen und die Speisen und Getränke aus Übung 1.

„Guten Abend."

„Guten Abend. Bringen Sie mir bitte die Speisekarte?"

„... sonst noch etwas ...?"

„Und zum Trinken?"

„Ja ... / Nein danke ..."

„Möchten Sie bestellen?"

„Ja, ich hätte gern ... / ich nehme..."

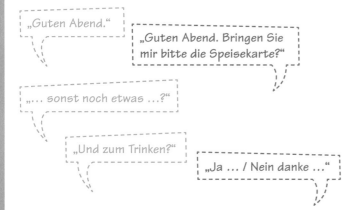

# FREIZEIT UND UNTERHALTUNG

„Guten Abend, ich habe zwei Karten reserviert, für den Film ‚Das Boot' um 20 Uhr."
APOLLO
KASSA
„Auf welchen Namen denn?"
„Albert."

**das Kino** · **die Karte / die Eintrittskarte, die (Kino-)Kasse, die Kassa (A)** · **der Film, die (Film-)Vorstellung**

eine Karte (auf den Namen …) reservieren ➜ zum Kino gehen / fahren ➜ die Karte abholen und bezahlen ➜ den Film ansehen / anschauen

↙ nach Hause gehen / fahren
↘ in eine Kneipe / eine Bar gehen

## Das sagt man oft:

Im Apollo läuft ein toller Film! Hast du Lust? Gehen wir hin?
Wann geht der Film los? – Um neun. / Der Film läuft um 21:00 Uhr.
Ich fand den Film / das Konzert … gut ⇔ schlecht
interessant, spannend ⇔ langweilig
unheimlich

## Ins Konzert, ins Theater oder ins Museum gehen

**das Konzert**
das klassische Konzert (z. B. J. S. Bach)
das Orchester
der Dirigent, die ~in
die Oper (z. B. „Die Zauberflöte" von Mozart)
der Opernsänger, die ~in
das Popkonzert, die Popmusik
das Rockkonzert, die Rockmusik
das Jazzkonzert ⚡, der Jazz ⚡
die Band ⚡
der Song ⚡ / das Lied
der Sänger, die ~in
der Musiker, die ~in

**das Theater**
das Theaterstück
der Schauspieler, die ~in
ein Theaterstück aufführen, die Aufführung
auftreten (ein Schauspieler / Sänger … tritt auf), der Auftritt
die Bühne

**das Museum**
die Ausstellung, in eine Ausstellung gehen
sich eine Ausstellung ansehen / anschauen
die (Museums-)Führung
die Galerie
die (Ausstellungs-)Eröffnung

**Das sagt man oft:**
Heute spielt eine gute Band in der „Fabrik" – da müssen wir hin!
Die Band kam erst sehr spät auf die Bühne!
Die Aufführung gestern war wirklich gut!
Die Führung beginnt um 17 Uhr.
Der Eintritt ist frei / gratis (= kostet nichts).
Ich bleibe heute lieber zu Hause und sehe fern.

Das Fotomuseum Husum lädt ein
zur Eröffnung der Ausstellung

**Bilder aus Afrika**

Sonntag, 22.11.2015, 18:00 Uhr

1 **Was passt? Ergänzen Sie die Verben.**

| reservieren |
|---|
| auftreten |
| ~~anschauen~~ |
| spielen |
| ansehen |

a. einen Film *anschauen*

b. sich eine Ausstellung ______

c. Eine Ballettgruppe ______ im „Deutschen Theater" ______.

d. Karten fürs Kino ______

e. Heute ______ eine deutsche Hip-Hop-Band in der Uni-Mensa.

2 **Ordnen Sie zu. Manche Wörter passen mehrmals.**

die Filmvorstellung — die Band — der Schauspieler — die Aufführung — die Fotos — die Sängerin — die Eintrittskarte — die Ausstellung — die Eröffnung — die Bilder

| Theater | Museum | Kino | Konzerthalle |
|---|---|---|---|
| | | | |
| | | | |
| | | | |

3 **Wo macht man was? Ergänzen Sie.**

a. die Karte abholen ⇨ *an der Kasse*

b. fernsehen ⇨ ______

c. einen Film ansehen ⇨ ______

d. sich eine Ausstellung ansehen ⇨ ______

4 **Hier stimmt etwas nicht. Bringen Sie die Erzählung in die richtige Reihenfolge.**

Am Schluss waren alle allein. Ich habe angerufen und zwei Karten reserviert. Darum musste ich mir den Film allein ansehen. Das nächste Mal schaue ich mir einen lustigeren Film an! ~~Gestern wollte ich mit einem Freund ins Kino gehen.~~ Es war eine tragische Liebesgeschichte. Der Mann liebte eine Frau, die einen Mann liebte, der eine andere Frau liebte. Ich war ganz traurig und bin gleich nach Hause gegangen. Ich war pünktlich beim Kino, aber mein Freund kam nicht. Sehr kompliziert.

*Gestern wollte ich mit einem Freund ins Kino gehen.*

5 **Hören Sie die Sätze und ergänzen Sie die Wörter.**

a. Hast du den Film „Mephisto" schon *gesehen*? – Ja, den kenne ich schon.

b. Im „Filmstudio" ______ 1 gerade der Film „Das Boot". Den würde ich gerne mal ______ 2, den hab ich noch nie gesehen.

c. Am Freitag ______ 3 viele Leute ins Kino, wir müssen unbedingt Karten ______ 4.
– Alles klar, ich mach das!

d. Morgen ______ 5 die Rockband „Die Toten Hosen". Die ______ 6 hier sonst nie ______ 7, da müssen wir unbedingt ______ 8!

e. Ich ______ 9 lieber zu Hause und lese ein spannendes Buch.

f. Am Sonntag sollten wir unbedingt in die Kunsthalle gehen – da ist der ______ 10 nämlich ______ 11.

6 **Sprechen Sie mit einem Partner. Fragen Sie, wann er / sie zuletzt im Kino / Theater / Konzert … war. Wie hat es ihm / ihr gefallen?**

Wann warst du zuletzt im Kino?

Wie war der Film?

Letzte Woche.

hervorragend

gut

nicht so gut

schlecht

# 22 SPORT UND FITNESS

„Können Sie denn mit dem Wagen joggen?"
„Ja, das geht ganz prima. Und Sie? Treiben Sie auch Sport?"
„Nein, ich gehe lieber gemütlich spazieren. Das hält auch fit!"

## Sport treiben

| **die Sportart** | **der Sportler, die ~in** | **das Sportgerät** | **der Ort** |
|---|---|---|---|
| schwimmen | der Schwimmer, die ~in | Arme, Beine, Wasser | das Schwimmbad |
| Fußball spielen | der Fußballspieler, die ~in<br>die Fußballmannschaft | der Ball, der Fußball | der Fußballplatz<br>das (Fußball-)Stadion |
| Basketball spielen | der Basketballspieler, die ~in<br>die Basketballmannschaft | der Basketball | die Sporthalle<br>der Freiplatz |
| Ski ⚡ fahren | der Skifahrer, die ~in | der Ski ⚡ | die Berge |

**So kann man sich auch fit halten:**

| | | | |
|---|---|---|---|
| Tennis spielen<br>Volleyball ⚡ spielen | ins Fitnessstudio gehen<br>Gymnastik ⚡ machen | wandern<br>joggen ⚡<br>reiten | Rad / Mountainbike ⚡ fahren |

## Das sagt man oft:

Machst du Sport? Ist er / sie sportlich?
Laufen / Schwimmen … hält mich fit / gesund.
Bewegung ist wichtig!
Komm, wir gehen schwimmen / Fußball spielen!

Er / Sie hat eine sportliche Figur.
Er trainiert dreimal die Woche im Verein!
Guckst du gerne Sport im Fernsehen? – Ja, ich bin ein Fußballfan.
Er ist ein berühmter Fußballspieler. Er ist sehr beliebt!
Bitte spielt fair ⚡!

Morgen holt der 1. FC Köln den Titel! – Glaubst du? Wer ist denn der Gegner?
Wer hat gewonnen? – Keiner, das Spiel endete unentschieden.

## Sport

der Sport
- Sport treiben (= *Sport machen*)
- eine Runde laufen / spielen (= *eine bestimmte Strecke laufen / ein Spiel machen*)
- ein Tor schießen (z. B. beim Fußball)
- den Titel holen (= *den Titel gewinnen, z. B. den Pokal, die Meisterschaft*)

am Ball bleiben
*‚eine Sache weitermachen'*

Sport ist Mord! (*ugs.*)
*‚beim Sport verletzt man sich leicht'*

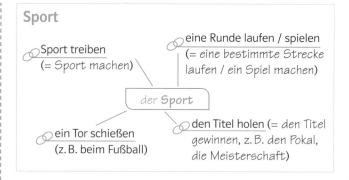

„Ich? Sport treiben? Wirklich nicht! Sport ist Mord."

der Sport, sportlich
der Sportler / Profisportler, die ~in
der Sportplatz, die Sporthalle

die Gymnastik
die Bewegung, sich bewegen
sich fit / gesund halten, die Fitness
die Gesundheit
die Figur
sich verletzen

trainieren ⚡, das Training ⚡
der Trainer / die ~in
der Verein

der Fan / der Fußballfan ⚡
berühmt / beliebt (sein)

der Titel, der Gegner, die ~in
das Tor, ein Tor schießen
gewinnen ⇔ verlieren, unentschieden
fair ⚡

**1** **Ergänzen Sie die Sätze mit Wörtern von der linken Seite.**

a. Treiben Sie gerne Sport? Ja, klar, ich will ja ____________ bleiben.

b. Ich ____________ selbst nicht Fußball, aber ich ____________ gern Fußballspiele im Fernsehen an.

c. Morgens vor dem Frühstück geht der Minister immer im Wald ____________ .

d. Wenn richtig viel Schnee liegt, macht es Spaß, Ski zu ____________ .

e. Schluss mit dem faulen Leben, komm, lass uns eine ____________ laufen!

f. Und wie ____________ du dich gesund? – Ich ____________ lieber meinen Geist als meinen Körper!

**2** **Wie sagt man dazu? Ergänzen Sie die Substantive mit dem richtigen Artikel.**

a. Frau, die schwimmt: ____________

b. damit fährt man auf zwei Rädern: ____________

c. Hier spielt man Basketball und Volleyball: ____________

d. Mann, der Fußball spielt: ____________

e. Damit fährt man auf dem Schnee: ____________

f. Mann, der Fußball sehr gerne mag: ____________

**3** **Hier sind noch neun Wörter versteckt. Markieren Sie die Wörter und schreiben Sie sie auf (Substantive mit Artikel).**

| | | | | | | | | | | | | | | | | | | |
|---|---|---|---|---|---|---|---|---|---|---|---|---|---|---|---|---|---|---|
| T | E | N | N | I | S | P | L | A | T | Z | Y | D | W | Z | U | I | O | D |
| D | S | C | E | C | S | K | I | F | A | H | R | E | N | E | R | S | C | V |
| W | Q | V | D | Ü | A | N | Z | T | R | E | D | S | M | I | O | P | P | E |
| E | R | K | O | P | W | A | N | D | E | R | N | W | E | F | F | F | D | X |
| A | S | T | R | A | I | N | I | N | G | X | V | B | B | I | X | S | M | K |
| Q | S | R | Z | O | M | A | N | N | S | C | H | A | F | T | S | D | E | B |
| M | E | Q | Y | C | O | B | U | J | K | L | Ö | L | E | N | W | P | M | C |
| W | M | C | K | R | E | I | T | E | N | E | L | W | E | E | Q | Ü | O | Ä |
| J | O | G | G | E | N | R | K | L | M | F | D | W | E | S | P | O | R | T |
| Y | Ü | B | R | T | Z | J | K | D | E | A | O | B | D | S | W | S | D | X |
| A | D | F | J | X | L | R | M | Y | Z | B | C | N | O | T | H | Q | R | S |

wandern ____________ ____________

____________ ____________

____________ ____________

____________ ____________

____________ ____________

**4** **Sport ist Mord: Ergänzen Sie die fehlenden Wörter. Kontrollieren Sie dann mit dem Hörtext.**

Ich und ____________ 1? Du lieber Himmel. Schrecklich! In der Mittagshitze ____________ 2? Bei minus 20 Grad mit verrückten ____________ 3 den Berg hinunter ____________ 4? Mit 100 anderen Leuten im lauwarmen Wasser ____________ 5? Meine Arme und Beine bei der ____________ 6 verknoten? Und das soll ____________ 7? Diese Leute ____________ 8 sich doch alle irgendwann oder sie bekommen einen Herzinfarkt. Ich ____________ 9 mir den Sport lieber im Fernsehen an. Die ____________ 10 ist mir egal, Sport ist Mord!

# SPIELEN

## Spiele für Kinder

| | |
|---|---|
| das Spielzeug / die Spielsachen | die Puppe, die Puppenkleider, der Puppenwagen<br>das Spielzeugauto, die (Spielzeug-)Eisenbahn, … |

Versteck spielen, das Versteck, sich verstecken

**Das sagen Kinder oft:**
Spielen wir Verstecken?
Spielen wir mit der Eisenbahn?
Spielen wir im Garten?
Darf ich anfangen?

## Andere Spiele

das Kartenspiel:

die Karten mischen → die Karten austeilen ↓ eine Karte hinlegen / eine Karte ausspielen → das Spiel gewinnen / das Spiel verlieren

Wer zuletzt lacht, lacht am besten!
‚Erst am Ende entscheidet sich, wie es ausgeht.‘

| | |
|---|---|
| das Würfelspiel: | der Würfel, würfeln |
| das Brettspiel: | das (Spiel-)Brett, die (Spiel-)Figur |

das Puzzle

das Computerspiel, das Videospiel, online spielen

**Das sagt man oft:**
Wer fängt an? Wer ist dran? Wer teilt aus?
Sie hat eine Sechs gewürfelt. Er liegt in Führung.
Beinahe hätte ich gewonnen! Ich muss gewinnen – egal wie!
Ich habe schon wieder verloren, diesmal hatte ich keine Chance! Sie hat alle geschlagen (= *gegen alle gewonnen*).
Er gewinnt jedes Mal (= *immer*)!
Bei Schach stelle ich mich immer dumm an!
Das Spiel ist mir zu kompliziert, da muss ich zu lange nachdenken!
Kennst du die Spielregeln?
Hast du dir schon das neue Computerspiel heruntergeladen?

**Spielen**
- Glück / Pech haben
- etwas macht mir (keinen) Spaß
- das Spiel
- der Spieler, die ~in
- in Führung gehen / liegen
- die Spielregel, die (Spiel-)Anleitung (*erklärt die Spielregeln*)
- sich dumm / sich geschickt anstellen

führen, die Führung
gewinnen, der Gewinner, die ~in, jemanden schlagen
verlieren, der Verlierer, die ~in
der Spaß, etwas macht Spaß
das Glück, das Pech, die Chance
kompliziert, egal, (zu) lang / lange, beinahe (= *fast*)

**1** Wie heißt das? Schreiben Sie die Substantive mit Artikel auf.

a. Alles, womit Kinder spielen: *das Spielzeug* ____________________

b. Damit würfelt man: ____________________

c. Die mischt man, bevor man anfängt: ____________________

d. Nicht nur Mädchen spielen gerne damit: ____________________

e. Hier werden die Regeln erklärt: ____________________

**2** Kombinieren Sie Wörter. Es gibt mehrere Möglichkeiten. Schreiben Sie die Wörter mit Artikel auf.

Spielzeug   Spiel   Wagen   Puppe(n)   Auto   Eisenbahn   Würfel   Video   Regel   Brett

*das Spielzeugauto,* ____________________

____________________

____________________

**3** Wie sagt man das? Ergänzen Sie.

a. Oh, prima ich habe *eine Sechs gewürfelt.* (Sechs, würfeln)

b. So, jetzt ____________________. (du, dran sein)

c. So, ein neues Spiel. ____________________? (wer, austeilen)

d. Jetzt ____________________. (du, mal anfangen, dürfen)

**4** Was passt nicht? Streichen Sie die Wörter durch, die nicht passen. Manchmal passt mehr als ein Wort.

a. Bevor man mit dem Spiel anfängt, muss man erst einmal die Karten ~~wischen~~ – mischen – ~~tischen~~.
b. Ich habe aber schlechte Karten – wer hat denn da angegeben – ausgegeben – vergeben – ausgeteilt?
c. Pech gehabt! Jetzt musst du wieder von vorn anmachen – gehen – anfangen – spielen!
d. Du hast aber Glück! Jetzt hast du schon wieder gewinnt – gewannt – gewinnen – gewonnen.

**5** Die folgenden Sprichwörter gibt es im Deutschen. Was bedeuten sie? Ordnen Sie zu.

a. Glück im Spiel, Pech in der Liebe! | Man verliert oft genauso schnell, wie man etwas gewinnt.
b. Wer wagt, gewinnt. | Wer im Spiel viel Erfolg hat, hat nicht immer Erfolg im Privatleben.
c. Wie gewonnen, so zerronnen. | Mut wird belohnt.

**6** Kennen Sie ähnliche Sprichwörter? Erklären Sie sie einem Partner.

**7** In verschiedenen Ländern spielt man verschiedene Spiele. Beschreiben Sie einem Partner ein relativ einfaches Spiel, das Sie kennen. Vergessen Sie nicht, folgende Dinge zu sagen

- Ist das Spiel für Kinder oder Erwachsene?
- Würfelspiel? Kartenspiel?
- Wie viele Leute können spielen?
- Braucht man vor allem Glück oder ist es ein „intelligentes" Spiel?
- …

# 24 HOBBYS UND AKTIVITÄTEN

## Weitere Hobbys und Aktivitäten:

| | |
|---|---|
| etwas unternehmen, aktiv sein | das Hobby, die Aktivität |
| sich entspannen, faulenzen | |
| wandern | die Wanderung |
| schwimmen | das Schwimmbad, der See |
| Mountainbike fahren | das Mountainbike, der Park |
| Flöte spielen | die Flöte |
| Klavier spielen | das Klavier |
| Gitarre spielen | die Gitarre |
| basteln (kleben, malen, schneiden) | kreativ sein |
| kochen | |
| lesen | |
| etwas erfinden, Geschichten erfinden | die Geschichte |
| Geschichten erzählen | |
| Bienen züchten | die Biene |
| tanzen | der Tanz, der Auftritt, |
| tanzen gehen | die Show, live |
| Ballett tanzen | der Hit |
| | das Ballett |
| auf Partys gehen | die Party |
| sich auf Partys vergnügen | sich vergnügen, das Vergnügen |

**Wer mag das nicht?**
Morgens lange ausschlafen,
sich einfach nur ausruhen,
gute Musik hören,
lange die Zeitung lesen,
im Internet surfen,
soziale Netzwerke nutzen und
sich abends mit Freunden treffen!

| | |
|---|---|
| etwas / jemanden mögen | die Musik |
| etwas / jemanden lieben | die Zeitung |
| etwas gerne tun | der Freund, die ~in |
| jemanden gern haben | die Katze |

das Internet, surfen
das (soziale) Netzwerk

der Kontakt
die Anfrage beantworten
etwas über jemanden herausfinden
sich treffen, der Treffpunkt
jederzeit (= *immer*)

**1** Was gehört zusammen? Ergänzen Sie. Manchmal gibt es mehr als eine Lösung.

treffen gehen ~~faulenzen~~ surfen lesen beantworten hören fahren

a. im Park faulenzen

b. Zeitung ____________

c. Mountainbike ____________

d. auf Partys ____________

e. im Internet ____________

f. sich mit Freunden ____________

g. Anfragen ____________

h. Musik ____________

i. tanzen ____________

**2** Ordnen Sie die Substantive von der linken Seite dem richtigen Artikel zu.

**der** ____________

**das** Hobby, ____________

**die** ____________

**3** Welche Hobbys mögen Sie persönlich, welche mögen Sie nicht?

Ich mag: ____________

Ich mag nicht: ____________

**4** Was machen Sie am liebsten allein, was mit Freunden?

Allein: ____________

Mit Freunden: ____________

**5** Was passt? Ergänzen Sie die Wortigel.

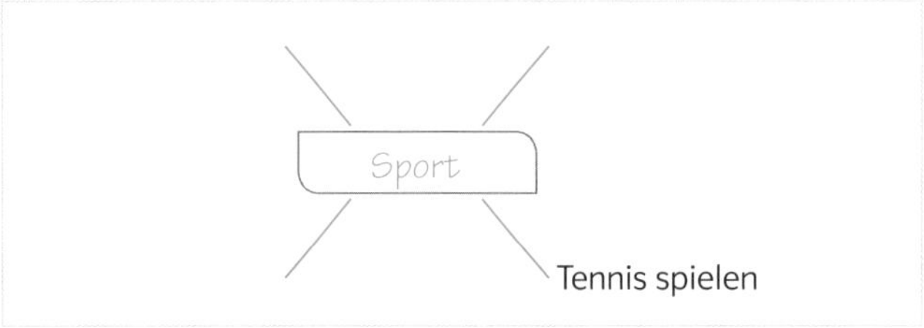


**6** Ich mag ... Was kann man sagen, wenn man etwas gerne tut? Suchen Sie die Ausdrücke auf der linken Seite und schreiben Sie sie mit einem Beispiel auf. Vielleicht kennen Sie auch noch mehr Ausdrücke?

Ich mag Krimis / Liebesromane.

____________

**7** Vorschläge: Hören und ergänzen Sie den Dialog. Ordnen Sie die passenden Antworten zu.

a. Geh doch ____________, das macht Spaß und ist ____________!

b. Schlaf doch mal morgens länger ______, dann ____________ du besser!

c. Willst du nicht ____________? Das hält auch fit!

d. Du solltest mal wieder ein ____________ lesen und schöne Musik hören, das tut gut!

Nein, nein, ich bin morgens immer unruhig, ich muss früh ____________!

Ich ____________ mir lieber Musikvideos im Internet ______ und lese Online-Nachrichten!

____________ ist gar nichts für mich, lieber gehe ich ____________!

Gute Idee, ich war schon lang nicht mehr im ____________!

# BESUCH IM ZOO

ZOO
„Vielleicht fangen wir mit den Bären an, die sind gleich dort drüben?“
„Also, wo wollt ihr zuerst hingehen?“
„Zu den Hasen, die sind sooooo süß!“
„Nein, zu den Krokodilen, die sind richtig gefährlich!“

## Tiere im Zoo

| | | | |
|---|---|---|---|
| der Bär | der Affe | der Papagei | der Delfin |
| der Elefant | die Giraffe | der Pinguin | das Krokodil |
| der Löwe | der Hase | | die Schildkröte |
| der Tiger | | | die Schlange |

**Das sagt man oft:**

Gehen wir heute in den Zoo? – Das hängt vom Wetter ab.
Nur, wenn es schön ist!
Schau mal, die Affen tun so, als ob sie mit uns spielen wollen!
Oh, hier stinkt es aber!
Die Schlange versteckt sich unter dem Stein.
Wie toll die Delfine springen – ich bin total begeistert!
Die Papageien sind aber frech!
Beruhige dich bitte, die Tiere werden ganz nervös!
Hier geht es zum Insektenhaus.
Die Papageien kommen / sind aus Südamerika.
Die Braunbären wohnen in Nordamerika.
Schildkröten ernähren sich vegetarisch.

der Besuch (im Zoo / bei Freunden)
Nordamerika, Südamerika

etwas hängt von einer Sache / jemandem ab
etwas ist von einer Sache / jemandem abhängig
so tun, als ob ..., er tut so, als ob ...

süß, komisch (= *merkwürdig*), frech
gefährlich, giftig, wild
begeistert

hingehen, springen, (sich) beruhigen
stinken, es stinkt
aus ... kommen / sein
sich (vegetarisch) ernähren, die (vegetarische) Ernährung

## Zoo-Ordnung

Bitte nehmen Sie Rücksicht auf die Tiere!
Halten Sie Abstand von den Mauern und von den Tieren!
Manche Tiere beißen.
Ärgern Sie die Tiere nicht!
Füttern Sie die Bären nicht! Die Fütterung findet im Sommer gegen 15 h statt.
Respektieren Sie die Arbeit der Tierpfleger!

Wir wünschen Ihnen einen angenehmen Aufenthalt in unserem Tierpark.

der Zoo, der Tierpark
der (Tier-)Pfleger, die ~in
die Fütterung, füttern
die Mauer
die Rücksicht (auf die Tiere), Rücksicht nehmen

hier ⇔ dort / dort drüben
hierher ⇔ dorthin
das wilde Tier ⇔ das Haustier

gegen drei Uhr (= *ungefähr um drei Uhr*)

**1** Welche Tiere sind das? Ergänzen Sie mit dem Artikel.

a. Welche Tiere können gut klettern?

die Affen, ______________________________

b. Welche Tiere haben eine laute Stimme?

______________________________

c. Welche Tiere haben vier Beine, welche haben zwei Beine, welche haben keine Beine?

______________________________

d. Welche Tiere sind gefährlich, welche nicht?

______________________________

e. Welche Tiere ernähren sich vegetarisch?

______________________________

**2** Wie heißen die Substantive? Schreiben Sie sie mit dem Artikel auf.

a. (sich) beruhigen ⇨ die Beruhigung

b. (sich) ernähren ⇨ ______________

c. besuchen ⇨ ______________

d. füttern ⇨ ______________

**3** Formulieren Sie Antworten mit passenden Verben von der linken Seite und den Ausdrücken in Klammern.

a. Gehen wir morgen in den Zoo? ⇨ Das hängt vom Wetter ab. (VERB, vom Wetter)

b. Fressen die Giraffen eigentlich Fleisch? ⇨ Nein, ______________. (VERB, sie, vegetarisch)

c. Gibt es in Deutschland Elefanten? ⇨ Nein, ______________. (VERB, sie, Afrika und Indien)

d. Dort drüben sind die Krokodile! ⇨ Super, ______________. (VERB, ich, wollen, da)

e. Ich bin so aufgeregt, schau mal da, die Affen! ⇨ Die Tiere sind schon nervös, ______________. (VERB, bitte)

**4** Ordnen Sie zu.

| | |
|---|---|
| a. Die Affen tun so, | wie die kleinen Giraffen laufen. |
| b. Es hängt von eurer Zeit ab, | als ob sie Fische wären. |
| c. Ich finde es sooo süß | sie sehen sehr gefährlich aus. |
| d. Die Pinguine schwimmen, | ob wir noch zu den Hasen gehen können. |
| e. Vor den Tigern habe ich Angst, | als ob sie sich streiten würden. |

**5** Eine Tierfütterung: Der Tierpfleger erklärt. Hören Sie und ergänzen Sie die fehlenden Ausdrücke.

So, jetzt wollen wir die Delfine mal ______________ (1), die sind jetzt sicher sehr ______________ (2). Schauen Sie mal, sie ______________ (3) schon ganz aufgeregt. Die Delfine ______________ (4) nicht vegetarisch, sie sind Fleischfresser. Aber keine Sorge, sie sind für Menschen nicht ______________ (5), sie fressen meist ______________ (6). Schauen Sie mal ______________ (7), wie der ______________ (8) schon hoch ______________ (9) kann! Gleich schwimmt er ______________ (10) zu uns. Delfine sehen ja ______________ (11) aus, manchmal auch ______________ (12), aber sie sind sehr intelligent und frech. So, das war's. Viel Spaß noch bei Ihrem ______________ (13) im Zoo!

# LITERATUR, FILM, KUNST

„Das Buch hier ist wirklich spannend und sehr gut geschrieben."
„Ja? Meins ist ziemlich langweilig."

**Ein Buch / ein Roman / ein Film ist:**

spannend ⇔ langweilig
lustig ⇔ ernst
gut geschrieben ⇔ schlecht geschrieben
populär
sehr / wirklich / ziemlich unterhaltsam
wunderbar, zauberhaft
brutal

## Literatur

der Autor die ~in / der Dichter die ~in / der Schriftsteller, die ~in → schreibt / veröffentlicht → **ein Buch / einen Roman / ein Gedicht / ein Theaterstück** ← liest ← der Leser, die ~in

## Film

der Regisseur, die ~in ↯ / der Kameramann, die ~frau → dreht / macht → **einen Film** ← sieht / schaut … an ← das Publikum / der Zuschauer, die ~in

## Bücher und Filme

die Handlung (des Buches / des Films)
die Geschichte
die Person, der Held, die Heldin (z. B. Romeo, Julia)
die Hauptrolle, die Nebenrolle (Film)
der Kriminalfilm, der Krimi
der Western, der Actionfilm ↯
der Zeichentrickfilm

der Roman (der Liebesroman, Kriminalroman)
die Komödie ⇔ die Tragödie
der / das Comic ↯
das E-Book ↯
der Verlag, veröffentlichen
die Ausgabe

## Bildende Kunst

malen, der Maler, die ~in
der Künstler, die ~in
das Bild, die Skulptur, die Zeichnung
die Fotografie, fotografieren, die Kamera, der Fotoapparat

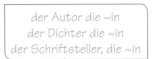

„Also mir sagt das gar nichts!"
„Aber diese Formen! Mir gefällt's!"

**Das sagt man oft:**
Der Roman / Film handelt von …
Das Thema des Buches / Films ist …
Wir wünschen Ihnen gute Unterhaltung / viel Vergnügen!
Das Bild sagt mir gar nichts. (= Ich finde es uninteressant.)

1 **Buchwerbung: Ergänzen Sie.**

lustig · spannend · ~~zauberhaft~~ · unterhaltsam · brutal · gut

a. Dieser Liebesroman ist einfach zauberhaft!

b. Ein Krimi, wie man ihn sich wünscht: ________ 1 und ________ 2 geschrieben, aber nie ________ 3.

c. Sie werden sich sehr amüsieren: Dieser Roman ist ________ 4 und ________ 5.

2 **Ergänzen Sie.**

| | | | |
|---|---|---|---|
| a. | | das Buch | |
| b. | der Regisseur, die Regisseurin | | |
| c. | | das Bild | der Bildbetrachter, die Bildbetrachterin |

3 **Was tun die Personen? Ergänzen Sie die richtigen Verben.**

a. Ein Regisseur dreht einen Film.

b. Das Publikum ________ einen Film an.

c. Der Künstler ________ ein Bild.

d. Der Autor ________ ein Buch.

e. Der Leser ________ einen Roman.

4 **Wovon handeln diese Filme und Bücher? Schreiben Sie Sätze und verwenden Sie „handeln von" oder „Das Thema … ist".**

a. Film: „Vom Winde verweht", Thema: Amerikanischer Bürgerkrieg

Der Film „Vom Winde verweht" handelt vom Amerikanischen Bürgerkrieg. /

Das Thema von „Vom Winde verweht" ist der Amerikanische Bürgerkrieg.

b. Buch: „Die Blechtrommel", Thema: Ein kleiner Junge in Nazi-Deutschland

________

________

c. Film: „Jerichow", Thema: Zwei Männer und eine Frau in einer Kleinstadt im Nordosten von Deutschland

________

________

5 **Welche Kategorien passen zu diesen Filmtiteln?**

Western · Liebesfilm · Kriminalfilm, Krimi · Actionfilm · Komödie · Zeichentrickfilm · Science-Fiction-Film

a. Mord im Orientexpress: Kriminalfilm, Krimi

b. Das Gold der Sierra Madre: ________

c. Stirb langsam: ________

d. Krieg der Sterne: ________

e. Drei Männer und ein Baby: ________

f. Shrek: ________

g. Sherlock Holmes: ________

h. Notting Hill: ________

6 **Eine Nachricht auf dem Anrufbeantworter. Ergänzen Sie die Wörter.**

„Hallo Clara! Wie geht es dir? Du, ich habe gestern Abend einen ________ 1 guten deutschen Film ________ 2. Der Film heißt „Jerichow" und er ist von dem ________ 3 Christian Petzold. Der Film handelt von einer kleinen Stadt im Osten von Deutschland, und die ________ 4 im Film sind ein junger Mann, eine sehr schöne Frau und deren Mann, Ali. Der junge Mann in der ________ 5 arbeitet für Ali und dann gibt es jede Menge Komplikationen. Halb ________ 6 und halb ________ 7, aber eigentlich auch ein ________ 8. Es war ________ 9 bis zum Ende! Den Film musst du dir unbedingt ________ 10, er läuft aber nur noch heute Abend!"

# FESTE UND FEIERN

„Prost Neujahr, Julia!“
„Prost Neujahr, Ernst!“

Liebe Sandra,
dir und deiner Familie
wünschen wir ein frohes
Weihnachtsfest und ein
glückliches neues Jahr!
Herzliche Grüße
Karin & Familie

! An gesetzlichen (offiziellen) Feiertagen wird nicht gearbeitet, die Geschäfte sind geschlossen, viele Restaurants sind aber geöffnet.

## An diesen Feiertagen ist meist arbeits- und schulfrei:

**Staatliche Feiertage:**
1. Januar: Neujahr
1. Mai: Tag der Arbeit
1. August: Schweizer Nationalfeiertag
3. Oktober: Tag der Deutschen Einheit
26. Oktober: Österreichischer Nationalfeiertag

der Feiertag, die Feier, feiern
der gesetzliche Feiertag, das Gesetz, gesetzlich
gründen, die Gründung
der Empfang

**Religiöse (christliche) Feiertage:**
Weihnachten (*immer Plural*: „Frohe Weihnachten!“)
Heilig Abend: 24. Dezember abends
Erster Weihnachtsfeiertag: 25. Dezember
Zweiter Weihnachtsfeiertag: 26. Dezember
Silvester: 31. Dezember
Heilige Drei Könige: 6. Januar
Ostern (*immer Plural*): Karfreitag, Ostersonntag, Ostermontag
Pfingsten

die Weihnachtsferien, die Osterferien
die Weihnachtskarte

## Das sagt man oft:

Frohe / Fröhliche Weihnachten und ein schönes neues Jahr!
Ein glückliches und erfolgreiches neues Jahr!
Wie feiert man bei euch Weihnachten?
Was schenkst du deiner Freundin / deinem Mann / … zu Weihnachten?
Was macht ihr zu Karneval / Geht ihr auf eine Veranstaltung?
Frohe Ostern!

Herzlichen Glückwunsch zum Geburtstag / zum Namenstag!
Wir gratulieren ganz herzlich zum Geburtstag / zur Hochzeit!
Ich wünsche dir alles Gute zum Geburtstag!
Prost! / Gesundheit! (CH) (*wenn man mit einem Getränk anstößt*)
Mein (herzliches) Beileid! (*bei einer Beerdigung*)

## Private Feste und Feiern

der Geburtstag
die Hochzeit, der Hochzeitstag
die Beerdigung

„Und jetzt stoßen wir auf das Geburtstagskind an! Prost!“

auf allen Hochzeiten tanzen
*‚überall dabei sein wollen‘*

## Kulturelle Feste

das Stadtteilfest (*Nachbarn feiern miteinander*)
das Festival (das Filmfestival, Kulturfestival, …)
der Fasching (D, A) / die Fastnacht (CH) / der Karneval (D)

der Stadtteil
stattfinden (ein Fest findet statt)
die Kultur, kulturell, interkulturell
miteinander

1 **Welche Feste und Feiern sind in den deutschsprachigen Ländern offiziell, welche sind privat?**

| offiziell | privat / persönlich |
|---|---|
| Weihnachten, | |
| | |
| | |

2 **Besondere Tage: Sammeln Sie alle Wörter auf der linken Seite, die auf „-tag“ enden.**

der Hochzeitstag, ______

3 **Wie sagt man das? Unterstreichen Sie das passende Verb.**

a. Ich möchte dir ganz herzlich zum Geburtstag — wünschen – anstoßen – gratulieren – freuen.
b. Wir wollten euch zu Weihnachten alles Gute — wünschen – gratulieren – schicken – sagen.
c. Du hast heute Geburtstag? Da müssen wir auf dich — feiern – gratulieren – zustoßen – anstoßen.
d. Nächstes Jahr werden wir unseren 25. Hochzeitstag — machen – wünschen – gratulieren – feiern.

4 **Ergänzen Sie.**

a. Herzlichen Glückwunsch zum Geburtstag!
b. Ein ______ und erfolgreiches neues Jahr!
c. ______ Ostern!
d. ______ Neujahr!

5 **Was wird gefeiert? Ordnen Sie zu.**

1 Am dritten Oktober
2 Am ersten Mai
3 Am ersten August
4 An Weihnachten
5 Am sechsundzwanzigsten Oktober

a. feiern die Christen die Geburt von Jesus Christus.
b. feiert die Schweiz ihre Gründung im Jahr 1291.
c. feiert Österreich seinen Staatsvertrag aus dem Jahr 1955.
d. demonstrieren viele Menschen für die Rechte der Arbeiter.
e. feiert Deutschland seine Vereinigung im Jahr 1990.

6 **Geschenke und Gratulationen: Ergänzen Sie.**

a. Was schenken wir ihr zu Weihnachten?
b. Was schenken wir Ihnen ______ Hochzeit?
c. Was hast du ______ Geburtstag bekommen?
d. Ich wollte dir herzlich ______ Geburtstag gratulieren.

7 **Was feiert man bei Ihnen? Welche gesetzlichen und privaten Feiertage gibt es in Ihrem Land? An welchen Tagen wird nicht gearbeitet? Vergleichen Sie mit einem Partner.**

Bei uns …

8 **Was sagt man in diesen Situationen? Hören Sie und ergänzen Sie.**

a. Herzlichen ______ zum Geburtstag!
b. Fröhliche Weihnachten und ein ______ Jahr!
c. Frohe ______!
d. Wir ______ ganz herzlich zum Hochzeitstag!
e. Mein herzliches ______!

# KIRCHEN UND RELIGIONEN

die Kirche

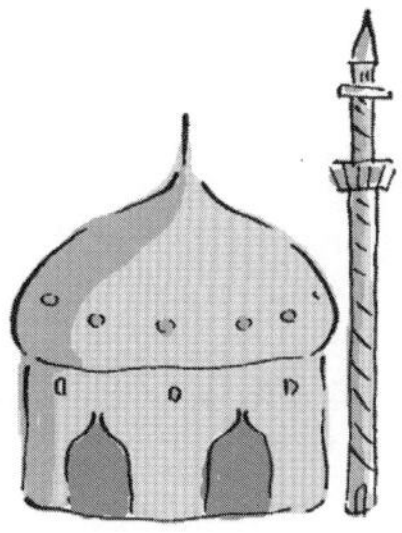

die Moschee

die Synagoge

der Tempel

## Religionen

In Deutschland, Österreich und der Schweiz gibt es verschiedene Glaubensgemeinschaften.

die Religion, religiös
glauben an jemanden / an etwas, der Glaube
die Gemeinschaft, die Glaubensgemeinschaft
verschieden

## Das Christentum

Die Christen (die katholische und die evangelische Kirche) sind die größte religiöse Gruppe in Deutschland.

Am Sonntag gehen viele Christen in die Kirche und beten zu Gott. Die Bibel ist die wichtigste religiöse Schrift des Christentums.

der Christ, die ~in
die Kirche, katholisch, evangelisch (protestantisch)
die Bevölkerung, die Gruppe

der Gott, zu Gott beten, das Gebet
die Bibel, die Schrift
heilig, der / die Heilige

## Der Islam

Der Islam ist die zweitgrößte Glaubensgemeinschaft in Deutschland. Das religiöse Buch ist der Koran.

der Moslem, die ~in / der Muslim, die ~in (auch: die Muslima), islamisch
die Moschee

## Das Judentum

Das Judentum ist eine der ältesten Weltreligionen. Das religiöse Buch ist die Thora.

der Jude, die Jüdin, jüdisch
die Synagoge

## Der Hinduismus

Der Hinduismus ist die wichtigste Religion in Indien.

der / die Hindu, hinduistisch
der Tempel

## Der Buddhismus

Der Buddhismus ist vor allem in Ostasien verbreitet.

der Buddhist, die ~in, buddhistisch
der Tempel

## Sekten

Neben den offiziell anerkannten Kirchen gibt es auch zahlreiche Sekten.

die Sekte
anerkennen, anerkannt

## Andere Weltanschauungen

„Ich bin nicht religiös, aber ich habe eine humanistische Weltanschauung."

die Weltanschauung

die Kirche im Dorf lassen (ugs.)
‚etwas vernünftig betrachten, nicht übertreiben'

**Das sagt man oft:**
Glaubst du an Gott?
Gott sei Dank ist ihm nichts passiert. (= zum Glück)
Grüß Gott! (Begrüßung in Österreich und Süddeutschland)

**1** Wie heißen die Substantive? Ergänzen Sie.

a. religiös ⇨ die Religion

b. christlich ⇨ das ______

c. islamisch ⇨ ______

d. beten ⇨ ______

e. glauben ⇨ ______

**2** Wie schreibt man das? Ergänzen Sie die fehlenden Buchstaben.

a. In Bayern sind die meisten Menschen ka__th__olisch.

b. Das jüdische Gebetshaus heißt S______goge.

c. Das islamische Gebetshaus heißt Mosch_____.

d. Wann ist eigentlich der Bu______ismus entstanden?

**3** Orden Sie zu. Manche Wörter passen mehrfach.

die Kirche — der Moslem — ~~die Bibel~~ — die Synagoge — der Glaube — der Koran — die Moschee — die Thora — der Gott — das Gebet

| Christentum | Islam | Judentum |
|---|---|---|
| die Bibel | | |
| | | |
| | | |
| | | |
| | | |

**4** Was passt nicht in die Reihe? Streichen Sie durch.

a. Islam – Hinduismus – Humanismus – Buddhismus
b. die Kirche – die Synagoge – das Rathaus – der Tempel
c. islamisch – protestantisch – jüdisch – romanisch

**5** Religionen in Deutschland: Hören Sie und ergänzen Sie die fehlenden Wörter.

a. Im Jahr 2011 waren 62 % der Bevölkerung in Deutschland ______.

b. In den letzten Jahrzehnten sind viele Leute aus der ______ ausgetreten.

c. Neben den offiziellen Kirchen gibt es auch zahlreiche ______.

d. Der ______ ist in klassischem Arabisch geschrieben.

e. Durch die Zuwanderer aus Osteuropa ist die Glaubensgemeinschaft des ______ in Deutschland wieder gewachsen.

f. Der ______ ist in Indien entstanden, und ist nun aber vor allem in anderen Ländern Ostasiens verbreitet.

# 29 WEGBESCHREIBUNG IM GEBÄUDE

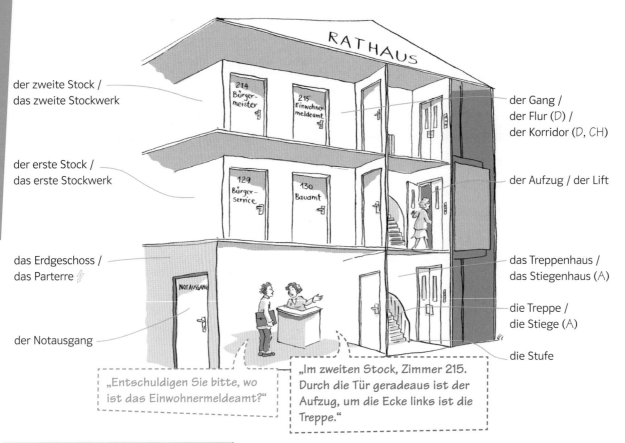

**Das sagt man oft:**
Wo ist bitte der Ausgang? – Geradeaus und dann links.
Wo ist bitte das Bauamt? – Das weiß ich leider nicht.
Können Sie mir bitte sagen, wo ich mich anmelden kann? – Im Einwohnermeldeamt, erster Stock.
Gibt es hier eine Cafeteria? – Ja, im Erdgeschoss, gegenüber vom / gegenüber dem Eingang.

das Gebäude
der Eingang ⇔ der Ausgang
der Notausgang

im Erdgeschoss / Erdgeschoß (A, süddt.) (kurz: EG) / im Parterre
im Obergeschoss / Obergeschoß (A, süddt.) (kurz: OG)
im Untergeschoss / Untergeschoß (A, süddt.) (kurz: UG)
im zweiten Stock / im zweiten Stockwerk / auf der zweiten Etage (D, CH)

das Zimmer, Zimmer 215
der Gang / der Flur (D) / der Korridor (D, CH)
auf dem Gang, den Gang entlang gehen
die Ecke / das Eck (A), um die Ecke gehen
geradeaus, gegenüber
links ⇔ rechts

der Lift / der Aufzug (D, A)
die Treppe / die Stiege (A), die Stufe
das Treppenhaus / das Stiegenhaus (A)
hinaufgehen ⇔ hinuntergehen
raufgehen ⇔ runtergehen (ugs.)
nach oben ⇔ nach unten

das WC, die Toilette, D = Damentoilette, H = Herrentoilette

1 Sortieren Sie die Wörter nach ihrem Artikel.

~~Aufzug~~ Zimmer Gang Treppe Stufe Toilette Eingang Gebäude Stock
Erdgeschoss Etage Stockwerk Parterre Ecke Eck Lift EG WC

**der** Aufzug ____________________

**das** ____________________

**die** ____________________

2 Wie heißt das Gegenteil?

a. nach unten ⇔ ____________________

b. oben links ⇔ ____________________

c. der Eingang ⇔ ____________________

d. die Treppe hinaufgehen ⇔ ____________________

e. das Obergeschoss ⇔ ____________________

3 Schreiben Sie einen Dialog.

A: (Bauamt?) Entschuldigen Sie, wo ist bitte das Bauamt?

B: (dritter Stock, Zi 311) ____________________

A: (Lift?) ____________________

B: (Gang hinten rechts, gegenüber Treppe) ____________________

____________________

A: (Dank) ____________________

4 In einem Gebäude kann man ... Wählen Sie die passenden Verben aus. Nicht alle Verben passen.

nehmen runterfahren ~~entlang gehen~~ gehen hinaufgehen abbiegen biegen warten

a. den Gang entlang gehen

b. den Lift ____________________

c. die Treppe ____________________

d. auf dem Gang ____________________

e. um die Ecke ____________________

5.1 Sie sind zum ersten Mal in Ihrem Sprachinstitut. Was sagen Sie in folgenden Situationen? Antworten Sie und kontrollieren Sie die Antworten mit dem Hörtext.

a. Sie möchten wissen, wo die Information ist.

⇨ ____________________

b. Sie möchten sich zu einem Deutschkurs anmelden.

⇨ ____________________

c. Sie wissen nicht, ob es einen Aufzug gibt.

⇨ ____________________

d. Sie suchen die Toilette.

⇨ ____________________

e. Jemand hat Sie nach einer Auskunft gefragt, aber Sie wissen es nicht.

⇨ ____________________

5.2 Spielen Sie die Situation nun mit einem Partner: Stellen Sie sich gegenseitig Fragen und antworten Sie.

# 30 WOHNUNGSUCHE

„Guten Tag, mein Name ist Turgat. Ich rufe wegen Ihrer Wohnungsanzeige in der Neuen Presse an. Ist die Wohnung noch frei?"

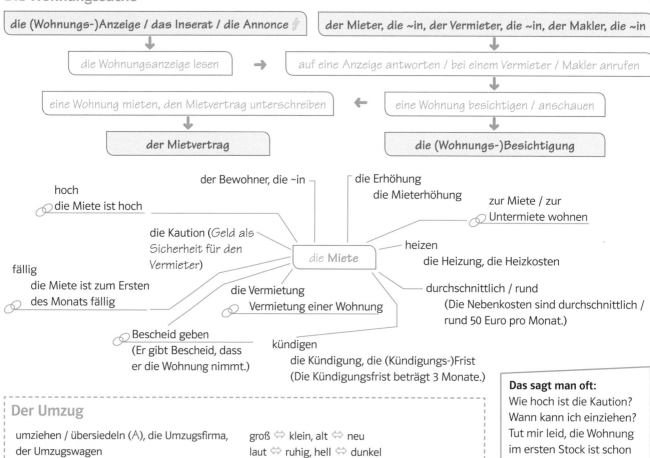

**!** 2-Zimmer-Wohnung = 1 Wohnzimmer und 1 Schlafzimmer

**Wohnungsmarkt**
**Uni-Nähe** Zimmer (20 qm), Garten, eig. Dusche/WC, Küchenbenutzung, 300 Euro warm, Tel. 0131/679 20 33
**Innenstadt**, 2 Zi-Whg., Küche, WC, Bad, Gasheizung, 500,- Euro kalt. Chiffre 12/443 37 65
**WG in Rotdorf** sucht nette/n Stud. für helles Zi., 12 qm, Benutzung von gemeinschaftl. Arbeitsraum, € 270,- warm. Tel. 0127 558 80 73

qm = Quadratmeter, eig. = eigene, WC = die Toilette, warm = mit Nebenkosten wie Heizung und Wasser, Tel. = das Telefon, Zi = das Zimmer, Whg. = die Wohnung, kalt = ohne Nebenkosten, die Chiffre = Man schreibt unter dieser Kennnummer an die Zeitung, WG = die Wohngemeinschaft (mehrere Personen teilen sich eine Wohnung), Stud. = Studentin / Studenten, gemeinschaftl. = gemeinschaftlich, € 270,- = 270 Euro

## Die Wohnungssuche

die (Wohnungs-)Anzeige / das Inserat / die Annonce ↯ | der Mieter, die ~in, der Vermieter, die ~in, der Makler, die ~in

die Wohnungsanzeige lesen → auf eine Anzeige antworten / bei einem Vermieter / Makler anrufen → eine Wohnung besichtigen / anschauen → die (Wohnungs-)Besichtigung

eine Wohnung besichtigen / anschauen → eine Wohnung mieten, den Mietvertrag unterschreiben → der Mietvertrag

**die Miete**

- der Bewohner, die ~in
- die Erhöhung
  die Mieterhöhung
- hoch
  die Miete ist hoch
- zur Miete / zur Untermiete wohnen
- die Kaution (Geld als Sicherheit für den Vermieter)
- heizen
  die Heizung, die Heizkosten
- fällig
  die Miete ist zum Ersten des Monats fällig
- die Vermietung
  Vermietung einer Wohnung
- durchschnittlich / rund
  (Die Nebenkosten sind durchschnittlich / rund 50 Euro pro Monat.)
- Bescheid geben
  (Er gibt Bescheid, dass er die Wohnung nimmt.)
- kündigen
  die Kündigung, die (Kündigungs-)Frist
  (Die Kündigungsfrist beträgt 3 Monate.)

**Das sagt man oft:**
Wie hoch ist die Kaution?
Wann kann ich einziehen?
Tut mir leid, die Wohnung im ersten Stock ist schon vermietet.
Wir haben die Wohnung gemietet / gekauft.

## Der Umzug

umziehen / übersiedeln (A), die Umzugsfirma, der Umzugswagen
in eine Wohnung einziehen ⇔ aus einer Wohnung ausziehen
einpacken ⇔ auspacken
sich einrichten / eine Wohnung einrichten

groß ⇔ klein, alt ⇔ neu
laut ⇔ ruhig, hell ⇔ dunkel
das Apartment, das Mietshaus
das Wohnhaus, der Wohnblock
ein möbliertes Zimmer, die Möbel (Pl.)

## Die Lage der Wohnung

Die Wohnung liegt in einer guten Gegend / zentral.
Wir wohnen direkt im Zentrum / in der Innenstadt / in der City.
Wir wohnen in einem Vorort ⇔ mitten in der Stadt.
Die Wohnung liegt im Ortsteil … / im Viertel …
Wir wohnen weit entfernt vom Zentrum.

die Gegend; liegen
das Zentrum, die Innenstadt, die City ↯
der Vorort
der Ortsteil, der Stadtteil, das Viertel / das Quartier (CH)
entfernen, die Entfernung / die Distanz

1 **Wie heißen die Substantive?**

a. mieten ⇨ die Miete, der Mieter, die Mieterin
b. kündigen ⇨ ______
c. besichtigen ⇨ ______
d. entfernt ⇨ ______
e. erhöhen ⇨ ______
f. bewohnen ⇨ ______

2 **Welches Verb passt?**

wohnen | kündigen | ~~mieten~~ | einziehen | umziehen | ausziehen | antworten | einrichten

a. ein möbliertes Zimmer mieten
b. den Mietvertrag ______
c. zur Untermiete ______
d. auf eine Wohnungsanzeige ______
e. aus einer Wohnung ______
f. in eine neue Wohnung ______
g. in eine andere Stadt ______
h. eine Wohnung ______

3 **Ergänzen Sie die Wörter in der richtigen Form.**

An: e.wahlmann@newmail.de
Betreff: Neue Wohnung!

Hallo Elke,
hier in München geht alles gut. Endlich habe ich nun auch eine Wohnung gefunden, das war aber nicht so leicht! Zuerst habe ich im Internet und in der Zeitung die ______ 1 angesehen. Es gab alles Mögliche, möblierte ______ 2, 1- oder 2-Zimmer-______ 3 oder auch ______ 4.
Bei manchen Anzeigen ist eine ______ 5 angegeben, man kann dann an die Zeitung schreiben und auf die Anzeige antworten. Ich habe aber lieber die ______ 6 direkt angerufen und habe mir einige kleine Wohnungen ______ 7. Die Mieten sind recht hoch, und man muss außerdem ein bis zwei Monatsmieten ______ 8 bezahlen. Eine Wohnung hat mir besonders gut gefallen, und sie kostet nur 410 Euro, inklusive Nebenkosten (enthalten sind die Kosten für ______ 9, ______ 10 und ______ 11). Da habe ich gleich den ______ 12 unterschrieben! Und ich kann schon am 1. Mai ______ 13! Toll, was?
Liebe Grüße, deine Emilia

4 **Hören Sie die folgenden Wörter und schreiben Sie.**

a. ______
b. ______
c. ______
d. ______
e. ______

5 **Ergänzen Sie die Fragen eines Wohnungssuchenden. Kontrollieren Sie mit dem Hörtext.**

a. Wohnungssuchender: ______
Vermieter: Ja, Sie haben Glück, die Wohnung ist noch nicht vermietet.

b. Wohnungssuchender: ______
Vermieter: 500 Euro kalt.

c. Wohnungssuchender: ______
Vermieter: Natürlich, die üblichen zwei Monatsmieten.

d. Wohnungssuchender: ______
Vermieter: Sehr zentral, direkt in der Innenstadt.

e. Wohnungssuchender: ______
Vermieter: Ja, heute Nachmittag um 15 Uhr können Sie vorbeikommen.

# BESCHREIBUNG VON HAUS UND WOHNUNG

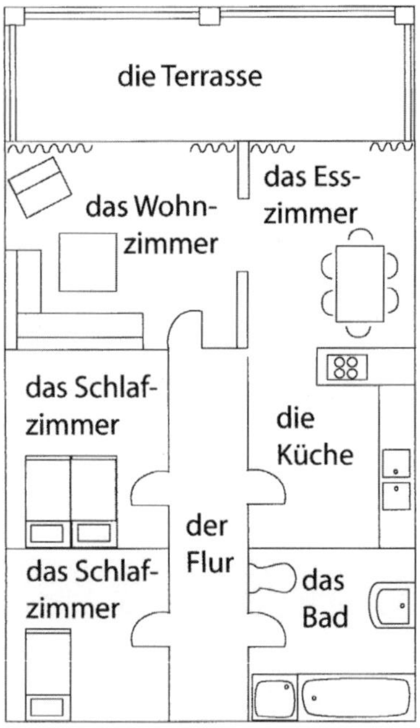


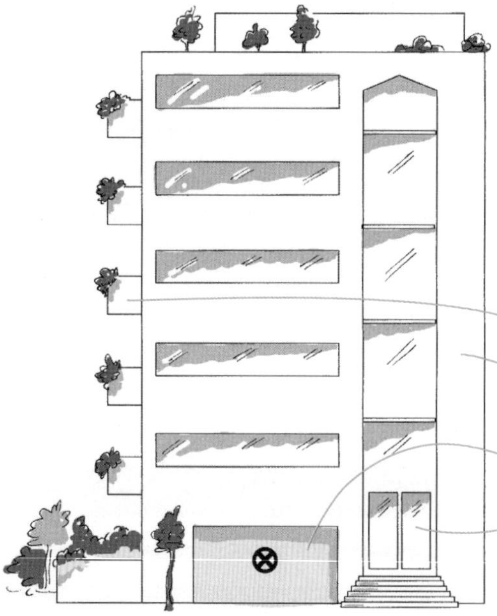


## *Wohnen im Grünen*

***Eigentumswohnungen in der Nähe des Stadtparks***
***120 qm Luxus und Eleganz***

***2 Schlafzimmer, Bad,***
***geräumiger Wohn- und Essbereich,***
***Terrasse oder Balkon,***
***Keller, Tiefgarage***

Hausverwaltung
Reichmann Immobilien
66699 Frankfurt
Tel. 069/9 37 54 98

### Haus und Wohnung

der Bau, die Bauten
der Altbau ⇔ der Neubau
das Grundstück, die Wohnfläche
der Quadratmeter (kurz: qm oder m²)
die Eigentumswohnung (man besitzt die Wohnung)
der Luxus, die Eleganz, die Aussicht

das Dach, der Keller, die Garage
die Terasse, der Garten, der Hof, der Spielplatz

die Klingel / die Glocke (A, süddt.)
klingeln / läuten (A, CH, süddt.)

die Hausverwaltung, die Hausordnung, der Hausmeister, die ~in (D, A) / der Abwart, die ~in (CH)

Zimmer:
das Kinderzimmer
das Arbeitszimmer
das Esszimmer (essen)
das Bad
das Wohnzimmer (wohnen)
die Küche
das Schlafzimmer (schlafen, der Schlaf)

etwas unter Dach und Fach bringen
‚etwas erledigen / etwas abschließen'

**Das sagt man oft:**
Wir wohnen auf dem Land / in der Stadt. Wir wohnen zur Miete / im eigenen Haus. Wir bauen gerade ein Haus.
Bitte klingeln Sie bei „Meier". Bitte 2x klingeln (2x = zweimal). Es hat geklingelt!
Die Wohnungen im Dachgeschoss sind schon verkauft.
Von unserem Balkon haben wir eine herrliche Aussicht auf die Berge.
Unser neues Haus hat einen großen Garten mit Apfelbäumen.
In der Nähe der Wohnung ist ein neuer Spielplatz. Das Spielen im Hof ist verboten.

**1** **Wie schreibt man das? Ergänzen Sie die fehlenden Buchstaben.**

a. Die Wohnung hat ein großes E__ss__zimmer.

b. Guck mal Hermann, die herrliche Au____icht!

c. Können wir das Auto in die Tiefgara____e stellen?

d. Hast du gehört? Es hat gekling____t.

**2** **Wohnung oder Haus? Ordnen Sie die Wörter zu. Manche Wörter passen zweimal.**

Garten   Terrasse   ~~Balkon~~   Keller   Dachgeschoss   Garage   Aufzug   Tor   Wohnungstür
Haustür   Hausordnung   Einfahrt   Klingel   Hof

a. Eine Wohnung hat oft / manchmal: __einen Balkon,__________________

____________________________________

b. Ein Haus hat oft / manchmal: ____________________________________

____________________________________

**3** **Welche Wörter haben eine besondere Aussprache? Kreuzen Sie an.**

a. die Garage ☐
b. der Balkon ☐
c. die Terrasse ☐
d. der Luxus ☐
e. die Eleganz ☐

**4** **In welchem Gebäude kann man übernachten? Streichen Sie die falschen Begriffe durch.**

Hochhaus – Ferienhaus – Bungalow – Villa – Opernhaus – Hotel –
Reihenhaus – Einfamilienhaus – Rathaus – Jugendzentrum – Museum

**5** **Wie sagt man das? Sie finden die passenden Wörter auf der linken Seite.**

a. Früher haben wir eine Wohnung gemietet, jetzt haben wir eine ____________________.

b. Die ____________________ in unserem Gebäude hat zu viele Regeln.

c. Die Kinder dürfen nicht im ________ spielen.

d. Ich möchte gern zu Frau Stolz im 3. Stock. Wo muss ich da ________________?

**6** **Unsere neue Wohnung: Hören Sie und ergänzen Sie die fehlenden Wörter.**

Komm, Angelika, ich zeig dir mal unsere neue Wohnung. Also, hier vorn rechts ist erst mal die Küche, das ist Uwes Reich, er kocht so gern. Von da kann man gleich ____________________ 1 gehen, das ist praktisch, wenn wir Gäste eingeladen haben. Wochentags essen wir aber einfach ____________________ 2. Das nächste Zimmer ist ____________________ 3, da lesen und spielen wir oder sehen zusammen fern. Von hier geht es raus ____________________ 4. Uwe und ich sitzen so gern draußen, zum Beispiel zum Kaffeetrinken. Leider haben wir ja keinen ____________ 5, weil die ____________ 6 im 4. Stock ist. So, und das sind ____________________ 7! Emma und Leon haben jetzt endlich ihre eigenen Zimmer. Aber oft spielen sie einfach ____________ 8, der ist so herrlich lang, da können sie herumtoben. Ist doch eine schöne Wohnung, oder?

# WOHNUNGSEINRICHTUNG

## Studio mit Wohn- / Arbeitszimmer und Schlafzimmer

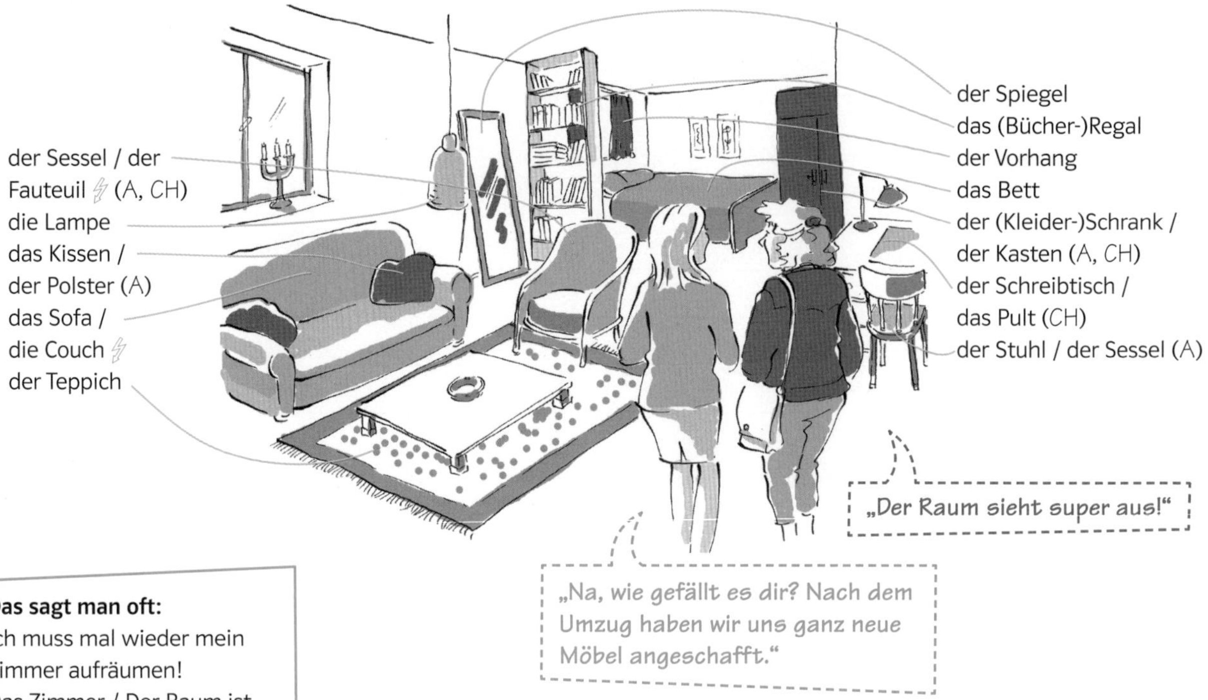


**Das sagt man oft:**
Ich muss mal wieder mein Zimmer aufräumen!
Das Zimmer / Der Raum ist modern / gemütlich.
Mach bitte mal das Licht aus!
Das Licht ist an / aus.

## Küche, Flur und Garderobe

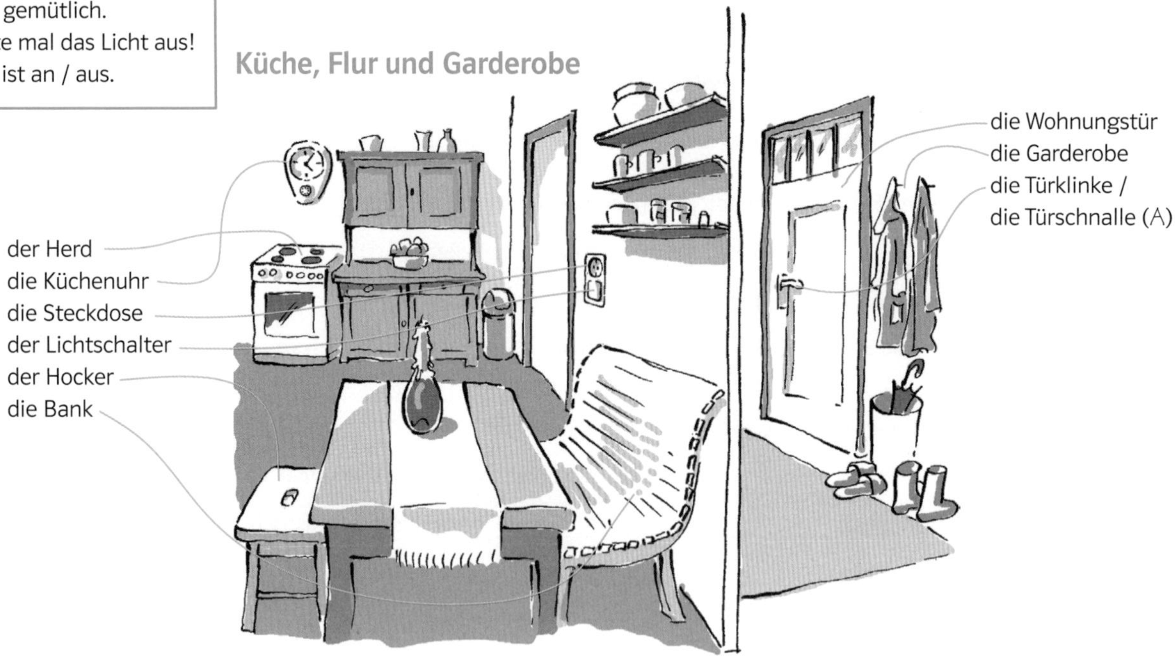


das Möbel, die Möbel (meist im Plural)
die (Wohnungs-)Einrichtung (= Möbel, Teppiche, Bilder usw.)
die Klimaanlage

das Licht, der (Licht-)Schalter, die (Glüh-)Birne
das Licht einschalten ⇔ ausschalten
das Licht anmachen ⇔ ausmachen (ugs.)

das Bad, die Dusche, die Badewanne

(sich) Möbel kaufen / anschaffen, besitzen
die Wohnung einrichten, renovieren, dekorieren
weiß ⇔ farbig
das Zimmer (gründlich) putzen, aufräumen
Staub wischen

die Tür öffnen ⇔ schließen
aufmachen ⇔ zumachen
offen / zu sein (Die Tür ist offen / zu.)

1 Welche Gegenstände passen in welchen Raum? Sortieren Sie und schreiben Sie die Wörter mit Artikel in die Tabelle. Manche Wörter passen mehrfach.

Garderobe Polster Esstisch Mülleimer ~~Computer~~ Kasten Spiegel Bett Sessel Teppich Schreibtisch Sofa Fernseher Bücherregal Fauteuil Couch Kleiderschrank Vorhang Hocker Stuhl

| Wohnzimmer | Flur, Küche | Arbeitszimmer | Schlafzimmer |
|---|---|---|---|
| | | der Computer | |
| | | | |
| | | | |
| | | | |
| | | | |

2 Welche Verben passen zu den Substantiven? Ordnen Sie zu. Achtung: Manche Verben passen gar nicht.

putzen einrichten anmachen ~~kaufen~~ aufräumen einschalten ausmachen ausdrücken heizen anschaffen einziehen

a. Möbel kann man kaufen

b. Das Licht kann man ______

c. Ein Zimmer kann man ______

3 Kombinieren Sie Wörter. Ergänzen Sie auch den Artikel.

-regal -uhr -heizung -dose ~~-zimmer~~ -tür -schrank -zimmer

| | |
|---|---|
| a. das Esszimmer | e. Kinder |
| b. Bücher | f. Küchen |
| c. Steck | g. Elektro |
| d. Kleider | h. Wohnungs |

4 Live aus der neuen Wohnung meines Freundes: Hören Sie und ergänzen Sie die fehlenden Wörter.

Wenn ich in die Wohnung komme, stehe ich erst mal im Flur. Die ______ 1 ist voll mit Mänteln, Hüten und Jacken. Vom Flur aus gehe ich ins Wohnzimmer. Ich setze mich auf die gemütliche ______ 2 mit den ______ 3. Nun kommt das Esszimmer. Ich probiere die ______ 4 rund um den ______ 5 aus: sehr bequem! Dann gehe ich ins Schlafzimmer. Der ______ 6 ist ja riesig! Das Bad ist direkt neben dem Schlafzimmer. Darin ist eine ______ 7, aber keine ______ 8. Als letztes sehe ich mir das Arbeitszimmer an. An allen Wänden ______ 9 mit technischer Literatur!

# DIE STADT UND IHRE GEBÄUDE

## Eine Stadtrundfahrt

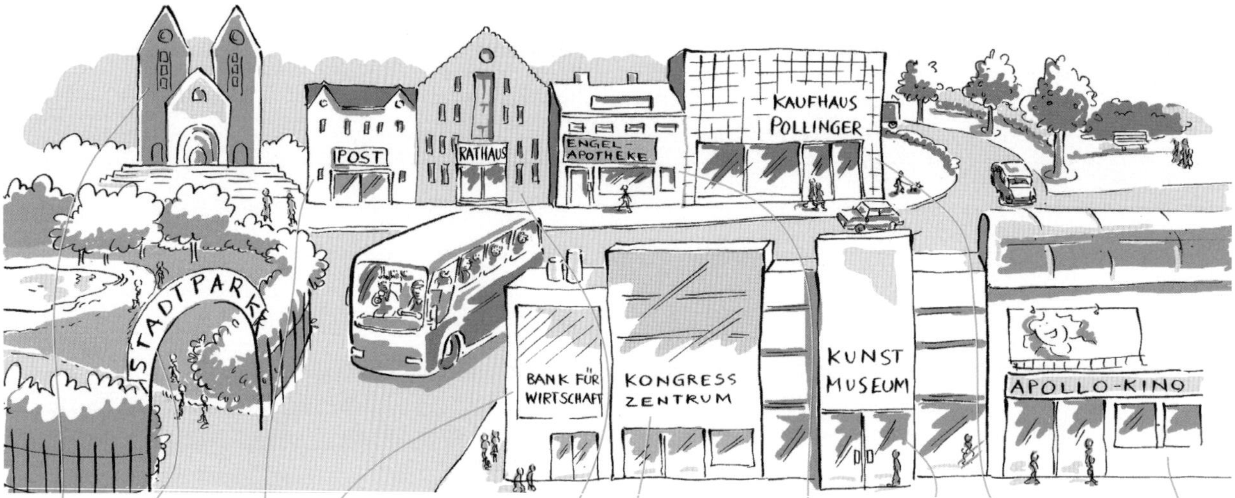


der Dom
der Stadtpark

die Post
die Bank

das Rathaus
das Kongresszentrum

die Apotheke
das Museum

das Kaufhaus
das Kino

„Wir kommen nun in die Innenstadt. Rechts sehen Sie unser Wahrzeichen, den Dom. Gleich daneben die Post und das Rathaus aus dem 19. Jahrhundert. Auf der linken Seite ist unser Kunstmuseum und das neue Kongresszentrum."

„Entschuldigung, wo kann man hier Briefmarken bekommen?"

„Bei der Post, gleich neben dem Rathaus."

„Verzeihung, wie komme ich zum Kunstmuseum?"

„Da nehmen Sie am besten die U-Bahn, Linie 14. Steigen Sie am Neumarkt aus."

| | | |
|---|---|---|
| Bei der Post | | Briefmarken kaufen und Briefe und Pakete versenden. |
| Bei der Bank / Sparkasse | | Geld wechseln oder ein Konto eröffnen. (die Bank – die Banken, die Sparkasse) |
| Im Kunstmuseum | | Bilder ansehen / eine Ausstellung besuchen. (das Bild, die Ausstellung) |
| Im Theater | | Theaterstücke ansehen / anschauen. (das Theater) |
| In der Touristeninformation | | Stadtpläne und Informationen über die Stadt bekommen. (die Touristeninformation) |
| In der Stadtbücherei | kann man | Bücher lesen und ausleihen. (die Stadtbücherei) |
| In der Buchhandlung | | Bücher und Zeitschriften kaufen. (die Buchhandlung) |
| Im Stadtpark | | spazieren gehen. (der Stadtpark) |
| Im Kaufhaus | | fast alles kaufen. (das Kaufhaus) |
| In der Fußgängerzone | | einen Schaufensterbummel machen. (die Fußgängerzone) |
| Auf dem Parkplatz | | parken / parkieren (CH). (der Parkplatz) |

**!** Ich gehe zur Post / zur Bank / zur Sparkasse. (Man meint eher die Institution.)
Ich gehe ins Museum / in die Buchhandlung / ins Kaufhaus / ins Hallenbad. (Man meint ins Gebäude hineingehen.)

## Andere Gebäude in der Stadt:

das Krankenhaus / die Klinik / das Spital (A)
die Feuerwehr (das Feuer)
das Schwimmbad, das Hallenbad

der Hauptbahnhof
die Halle
das Kraftwerk
die Burg
das Denkmal
das Wahrzeichen (= Symbol für eine Stadt, z. B. Eiffelturm für Paris)

1 Sie sind Tourist / Touristin in einer fremden Stadt und haben einige Pläne für den Tag. Wo finden Sie was? Ergänzen Sie.

a. Zuerst möchten Sie in die Stadt fahren und Ihr Auto parken. Sie suchen einen Parkplatz.

b. Dann möchten Sie Geld wechseln. Sie suchen ______________.

c. Sie möchten sich über die Stadt informieren. Sie gehen in die ______________.

d. Anschließend möchten Sie sich eine Kunstausstellung ansehen. Sie suchen das ______________.

e. Im Café möchten Sie etwas Spannendes lesen. Sie gehen deshalb in eine ______________ und kaufen sich einen guten Krimi.

f. Am Ende des Tages möchten Sie einen Schaufensterbummel machen. Sie gehen am besten in die ______________.

2 Wo sind Sie und wohin wollen Sie noch? Ergänzen Sie.

| Wo? | Wohin? |
|---|---|
| Ich bin gerade im Café | und dann gehe ich noch ins Museum. |
| | |
| | |
| | |
| | |

~~Café / Museum~~
Kaufhaus / Sparkasse
Rathaus / Post
Krankenhaus / Apotheke
Theater / Bar

3 Silbenrätsel: Bilden Sie Wörter aus diesen Silben. Ergänzen Sie auch den Artikel.

das Kaufhaus, ______________

apo • bib • buch • hand • haus • haus • ~~haus~~ • kas • ~~kauf~~ • ken • kran • lio • lung • rat • se • spar • thek • theke

4 Eine E-Mail nach Hause: Ergänzen Sie.

An: henri2090@mail.de
Betreff: Erste Eindrücke von Köln

Hallo Henri,
jetzt bin ich schon eine Woche hier in Köln, nächste Woche beginnt das Semester an der Uni. Köln ist eine tolle Stadt! Der Dom ist beeindruckend. In der Bibliothek kann ich mir Bücher über die Geschichte der Stadt ______ 1, da muss ich nicht alles kaufen.

Gestern habe ich ein Konto bei der Bank ______ 2, jetzt kann ich hier auch eine Kreditkarte bekommen. Stell dir vor, die Briefmarken gibt es hier nur bei der ______ 3, nicht im Tabakladen wie bei uns. Morgen schaue ich mir im Museum die ______ 4 „Die Römer in Köln" an. Wie geht es dir? Ich hoffe, gut.

Liebe Grüße
deine Isabelle

5 Henri telefoniert mit Isabelle: Hören Sie und ergänzen Sie die fehlenden Wörter.

„Hallo Isabelle, hier ist Henri! Wie geht's?"

„Danke, gut, Henri. Ich lerne so viele tolle Sachen kennen hier. Heute bin ich im ______ 1 gegangen und nachher will ich noch schwimmen gehen ins ______ 2. Das ist ganz in der Nähe der ______ 3. Wie geht es dir?"

„Mir geht es auch gut, aber mein Leben ist nicht so ______ 4 wie deins. Jetzt muss ich allein ______ 5 und ______ 6 gehen, das ist langweilig. Und jeden Nachmittag sitze ich ______ 7 an der Uni und lerne."

„Ach, du Armer. Komm doch einfach nach Köln. Am Wochenende könnten wir uns ein paar ______ 8 am Rhein anschauen!"

# STADTVERKEHR

„Kommen Sie, ich helfe Ihnen über die Straße!“
„Vielen Dank! Heute ist so viel Verkehr!“
TAXI
P
das Taxi
der Bus
der Parkplatz
der Fahrradweg
der Zebrastreifen
das Auto
die Ampel
die Kreuzung
die Straße
der Bürgersteig / der Gehsteig (A, süddt.) / das Trottoir ⚡ (CH)
das Fahrrad / das Rad / das Velo (CH) / das E-Bike ⚡

## Straßenverkehr

der Fußgänger, die ~in
der Radfahrer, die ~in = der Radler, die ~in
der Fahrer, die ~in, der Autofahrer, die ~in
über die Straße gehen
im Stau stehen
der Verkehr, den Verkehr regeln, das Verkehrsmittel

zu Fuß gehen
Fahrrad fahren / Rad fahren, radeln (ugs.)
Auto fahren
an der Ampel stehen
die Baustelle, die Umleitung
die Fahrbahn, die Einbahnstraße, entgegenkommen

| | | |
|---|---|---|
| mit dem Bus<br>mit dem Fahrrad<br>mit dem Auto<br>mit der U-Bahn<br>mit dem Zug | nach Hause<br>zur Arbeit<br>… | fahren |

**!** Im Deutschen sagt man hier „fahren“, nicht „gehen“.

## Mit der U-Bahn fahren

„Achtung auf Gleis 2, bitte einsteigen, die Türen schließen automatisch!“
die U-Bahn-Haltestelle
die Gleise (Pl.)
der Bahnsteig / der Perron ⚡ (CH)
die Rolltreppe

öffentlich, der öffentliche Verkehr
die U-Bahn (die Linie U 5)
die S-Bahn (die Linie S 3)
das Gleis
die Fahrkarte / das Billett ⚡ (CH), der Fahrkartenautomat
die Ermäßigung
der Bahnhof, die Haltestelle
die Straßenbahn / die Tram (süddt.) / das Tram (CH)
die Straßenbahn nehmen,
einsteigen ⇔ aussteigen
automatisch

### Zu Fuß gehen

**schnell**

rennen, laufen, joggen ⚡

gehen, spazieren gehen

bummeln, schlendern

**langsam**

**1** **Was passt wohin? Ergänzen Sie die Tabelle. Manche Wörter passen mehrfach.**

Einbahnstraße · Fahrkarte · Fahrbahn · Ampel · Bahnhof · Parkplatz · im Stau stehen · Bahnsteig · fahren · radeln · Rolltreppe · Zebrastreifen · Umleitung · Haltestelle · gehen · Verkehr

| U-Bahn | zu Fuß | Bus | Auto | Fahrrad |
|---|---|---|---|---|
| fahren | | | | |
| | | | | |
| | | | | |
| | | | | |
| | | | | |

**2** **Was passt nicht? Streichen Sie durch.**

a. rennen – laufen – joggen – stehen – bummeln
b. Fahrradweg – Straße – Rolltreppe – Bürgersteig – Gleise
c. Radfahrerin – Autofahrer – Lehrer – Fußgängerin

**3** **Silbenrätsel: Bilden Sie Wörter aus den Silben. Manche Silben passen mehrfach. Ergänzen Sie auch den Artikel.**

am • au • bahn • bra • fahr • fen • ~~hal~~ • hof • kar • ~~le~~ • mat • park • pel • platz • rad • ~~stel~~ • stra • strei • ~~te~~ • te • to • weg • ze • ße

die Haltestelle, ______________________________

______________________________

______________________________

**4** **Öffentlicher Verkehr. Ergänzen Sie die Lücken mit Wörtern von der linken Seite.**

Morgens fahren wir jetzt immer mit der U-Bahn zur Arbeit. Mit dem Auto __________ 1 man immer im Stau! U-Bahn-Fahren ist auch billiger, man kann eine __________ 2 für den ganzen Monat kaufen – die Monatskarte. Am Wochenende __________ 3 wir mit der __________ 4 an den Starnberger See. In der S-Bahn kann man sogar das __________ 5 mitnehmen! Dann __________ 6 wir auf dem __________ 7 am Ufer entlang. Am Nachmittag __________ 8 wir durch Starnberg. Katrin findet das langweilig – sie __________ 9 lieber.

**5** **Monika spricht auf den Anrufbeantworter und erzählt vom Wochenende. Hören und ergänzen Sie.**

„Hallo Mama! Ich wollte mich nur mal schnell aus München melden. Stell dir vor, wir brauchen __________ 1 mehr hier in der Stadt! Morgens fahren wir jetzt immer __________ 2 zur Arbeit. Da stehen wir auch nicht mehr immer __________ 3 und es ist __________ 4. Wenn man eine __________ 5 kauft, bekommt man nochmal eine __________ 6. Die __________ 7 fahren sehr oft und auch am Wochenende. Wir können sogar die __________ 8 im Zug mitnehmen. So kann man die schönen __________ 9 in der Umgebung ausprobieren. Du musst unbedingt mal mitkommen! Tschüss!"

# RUND UMS AUTO

## Auto fahren

das Auto, der Wagen, der Pkw (der Personenkraftwagen; *man spricht Pe-Ka-We*), das Fahrzeug, das Kfz (das Kraftfahrzeug)
der Lkw (der Lastkraftwagen; *man spricht El-Ka-We*) / der Camion (CH), der Laster (*ugs.*)
das Motorrad, das Mofa (*ugs.*)

der Führerschein / der Führerausweis (CH) (= *Erlaubnis zum Auto oder Motorrad fahren*)

die Marke, die Automarke (z. B. Volkswagen)
das (Auto-)Kennzeichen

die Autobahn ⇔ die Landstraße
die (Autobahn-)Ausfahrt ⇔ die Auffahrt / Einfahrt
rausfahren ⇔ reinfahren (*ugs.*)

die Vorfahrt / der Vortritt (CH) / der Vorrang (A)
Vorfahrt haben (*Man darf zuerst fahren.*)
Vorfahrt beachten

das Benzin, kaum noch (= *sehr wenig*)
die Tankstelle, tanken, unbedingt (= *auf jeden Fall*)
Abgase (*Pl.*)

das Tempo, aufpassen
die Bremse, bremsen
überholen, hupen

das Verkehrszeichen / das Schild
die (Verkehrs-)Kontrolle
den Verkehr behindern

## Die Autowerkstatt

eine Panne haben (*etwas am Auto geht kaputt*)
der Alarm, die Alarmanlage, defekt
beschädigt, beschädigen

die Werkstatt, überprüfen / checken
reparieren, die Reparatur
der Ersatz, das Teil, das Ersatzteil (*neues Teil für die Reparatur*)
den Reifen wechseln, der (Reifen-)Druck

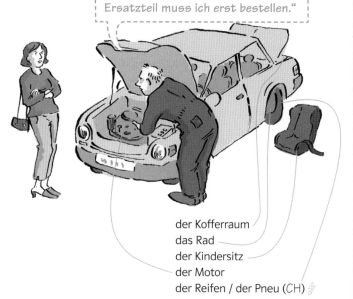

das fünfte Rad am Wagen sein (*ugs.*)
*‚in einer Gruppe überflüssig sein'*

**Das sagt man oft:**
Seid ihr alle angeschnallt?
Pass auf, da läuft ein Kind über die Straße!
Die Bremsen sind defekt.
Im Radio: „Autobahn Richtung München: 2 Kilometer Stau."
Das Benzin soll wieder teurer werden.
Sie macht bald den Führerschein.

1 **Wie heißen die Nomen? Ergänzen Sie.**

a. reparieren: die Reparatur ____

b. bremsen: ____

c. rausfahren ____

d. fahren ____

2 **Gespräch im Auto: Ergänzen Sie.**

a. „Vorige Woche musste ich mein Auto zur Reparatur bringen. Die Benzinleitung war defekt."

b. „Wir müssen tanken! Der Benzintank ist fast ____."

c. „Bei meinem kleinen Unfall letzte Woche wurde das hintere Licht ____."

d. „Hast du die Reifen ____?"

e. „Jetzt müssen wir aber wirklich tanken! Wir haben ____ Benzin."

f. „Fahr bitte ____!"

leer
beschädigt
kaum noch
~~defekt~~
vorsichtig
überprüft

3 **Welche Verben passen zu Wagen, welche zu Wohnung? Manche Verben passen gar nicht, manche bei beiden Nomen.**

~~fahren~~ reparieren einrichten lenken beschädigen aufräumen bremsen renovieren funktionieren lieben tanken überholen besichtigen mieten

Man kann einen Wagen fahren, ____

____

Man kann eine Wohnung ____

____

4 **Was sagt der Fahrlehrer? Ergänzen Sie auch die Satzzeichen (. ! ?).**

a. Sollen wir heute mal Autobahn — die Vorfahrt beachten
b. Bei der Einfahrt in die Autobahn müssen Sie — fahren?
c. Rechts fahren und links — rausfahren
d. An der Ausfahrt Köln-Ost bitte — bremsen und anhalten
e. Bei einem Stoppschild müssen Sie — überholen

5 **In der Autowerkstatt: Sechs Wörter im Text gibt es im Deutschen nicht. Unterstreichen Sie diese „Unsinn-Wörter" und notieren Sie die richtigen Wörter. Kontrollieren Sie danach mit dem Hörtext.**

a. Guten Tag, ich möchte gern meinen Wagen zur Inspektion geben. Ich glaube, die Bschillsten funktionieren nicht mehr richtig, es dauert immer so lange, bis der Wagen ganz steht.
b. Außerdem scheint das Laakiir defekt zu sein, es wackelt immer ein bisschen, wenn ich lenke.
c. Auch mit der Benzinleitung ist etwas nicht in Ordnung, ich fahre so langsam auf der Autobahn, ich kann noch nicht mal die schweren LRRSO überholen.
d. Und checken Sie doch bitte auch den Katalysator, ich will mit den Appkors ja nicht die Luft verschmutzen.
e. Wenn Sie neue Epckirs einsetzen müssen, rufen Sie mich doch bitte vorher an, wegen des Preises.
f. Kann ich den Wribble morgen Nachmittag abholen? Ich muss morgen Abend damit nach Frankfurt fahren.

a. Bremsen ____

b. ____

c. ____

d. ____

e. ____

f. ____

# WEGBESCHREIBUNG IN DER STADT

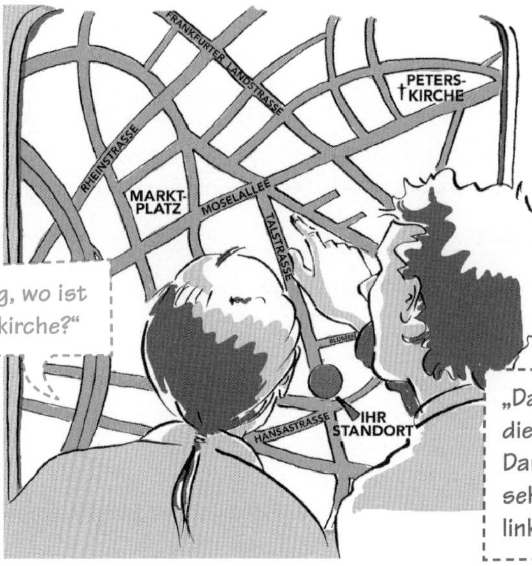


„Entschuldigung, wo ist bitte die Peterskirche?“

„Da gehen Sie am besten hier geradeaus, die Talstraße entlang bis zur Moselallee. Dann nach rechts, und etwa 100 m weiter sehen Sie schon die Peterskirche auf der linken Seite. Es ist gar nicht weit.“

geradeaus gehen / fahren ↑
nach links abbiegen, auf der linken Seite
nach rechts abbiegen, auf der rechten Seite

die Blumengasse
die Moselallee
den Fluss / den Kanal
entlang

bis zur Ampel
bis zur Brücke

über die Straße
über die Kreuzung

rüber (ugs.) (= hinüber)

runter (ugs.) (= hinunter) ↓

rauf (ugs.) (= hinauf) ↑

(steil) abwärts ⇔ aufwärts

Die Straße führt steil abwärts.
vorwärts ⇔ rückwärts

nah ⇔ weit / fern
sich nähern
Wir nähern uns dem Ziel.

die Straße runterfahren (ugs.) = in dieser Richtung weiterfahren

die Straße
die Gasse (kleine Straße)
die Allee (Straße mit Bäumen)

die Kreuzung
die Ampel

der Fluss
der Kanal
die Brücke

„Entschuldigung, ich suche die Mozartstraße.“

„Fahren Sie die Rheinstraße hier runter bis zur nächsten Ampel, dann links auf die Frankfurter Landstraße. Nach etwa 500 m kommen Sie zu einer großen Kreuzung. Fahren Sie über die Kreuzung rüber, kurz danach geht rechts die Mozartstraße ab.“

„Okay, vielen Dank!“

**Das sagt man oft:**
Wie komme ich zum Marktplatz? – Das ist ganz nah. / Das ist ganz in der Nähe. / Das ist nur ein paar Schritte von hier.
Die Mozartstraße geht von der Pappelallee ab. (= *Die Mozartstraße ist eine Nebenstraße von der Pappelallee.*)
Die Rheinstraße verläuft parallel zur Moselallee.
Ich weiß nicht mehr, wo ich bin. Ich habe mich verlaufen.
okay / o.k. / O.K. (ugs.) = in Ordnung / alles klar

**1** Sortieren Sie die Wörter nach ihrem Artikel.

| |
|---|
| Kanal Nähe |
| ~~Kirche~~ Straße |
| Allee Fluss |
| Gasse Ampel |
| Kreuzung |
| Marktplatz Seite |

**der** ______________________

**das** ______________________

**die** Kirche, ______________________

**2** Wie heißt das Gegenteil?

a. nah ⇔ fern / ______________________

b. auf der linken Seite ⇔ ______________________

c. die Straße rauffahren (hinauffahren) ⇔ ______________________

d. abwärts ⇔ ______________________

**3** Ordnen Sie die Wegbeschreibung.

Rechts von der Tankstelle geht die Sylvia-Straße ab.
Gehen Sie zuerst hier die Opernallee entlang.
~~Zum Elisabeth-Krankenhaus? Da können Sie leicht zu Fuß gehen.~~
Dort biegen Sie nach links ab.
Danach immer geradeaus, bis Sie an eine Tankstelle kommen.
Das Krankenhaus ist auf der linken Seite, ein kleines Stück weiter.
Nach etwa 150 m kommen Sie an eine Kreuzung.

Zum Elisabeth-Krankenhaus? Da können Sie leicht zu Fuß gehen.

______________________

______________________

______________________

______________________

______________________

**4** Welche Verben passen? Ergänzen Sie.

| |
|---|
| abbiegen |
| ~~entlang fahren~~ |
| fahren gehen |
| nehmen |

a. mit dem Auto die Straße entlang fahren

b. zu Fuß über die Kreuzung ______________________

c. mit dem Fahrrad zur nächsten Kreuzung ______________________

d. den Bus ______________________

e. nach links ______________________

**5** Hören Sie und ergänzen Sie die fehlenden Wörter.

„Entschuldigung, wo ist bitte die Post?“

„Die ist ganz __________ 1. Gehen Sie hier die Schillerstraße __________ 2 bis zur nächsten __________ 3. Dort biegen Sie __________ 4 ab und gehen weiter, __________ 5 zur nächsten __________ 6. Gehen Sie über die Hansestraße, und 50 m weiter auf der __________ 7 Seite sehen Sie schon die Post, ein rotes Gebäude.“

„__________ 8, vielen Dank.“

**6** Wie kommt man zu Ihrer Wohnung?

Sie möchten jemanden zu einem Kaffee zu sich nach Hause einladen. Zeichnen Sie einen kleinen Stadtplan und beschreiben Sie den Weg.

# AUTO, ZUG, SCHIFF, FLUGZEUG

„Ich fahre nur mit dem Auto in den Urlaub. Ich bin doch Individualist!“

## Auto fahren

einsteigen → losfahren → tanken → fahren → ankommen → aussteigen

der Fahrer, die ~in
der Beifahrer, die ~in
die Tour ⚡, die Autotour
die Autobahn, die Tankstelle, die Raststätte
die Pause, eine Pause machen

„Wir fahren mit dem Zug – das ist ökologisch und bequem.“

## Mit dem Zug fahren

einsteigen → abfahren → umsteigen → ankommen → aussteigen

der Zug / die Bahn, der ICE ⚡ (Inter City Express)
die Fahrkarte, der Fahrplan
der ICE-Zuschlag, die Fahrkartenkontrolle
die Hinfahrt ⇔ die Rückfahrt
die Rückkehr
einfach, zurück, hin- und zurückfahren
der Schaffner, die ~in / der Zugbegleiter, die ~in
das Bordrestaurant ⚡ / der Speisewagen
der Bahnhof, die Durchsage
die Abfahrt ⇔ die Ankunft

„Ach, eine Kreuzfahrt, wie romantisch!“

## Mit dem Schiff fahren

an Bord gehen / einsteigen → ablegen / abfahren → anlegen / ankommen → von Bord gehen / aussteigen

das Schiff, die Fähre
der Hafen, die Kreuzfahrt

„Ich fliege sehr viel – zu viel.“

## Fliegen

einsteigen → abfliegen → landen → aussteigen

der Flug, das Flugzeug
der Flughafen, das Ticket
der Passagier, die ~in ⚡
der Flugbegleiter, die ~in / der Steward, die Stewardess ⚡

Er ist ständig auf Achse.
‚Er ist ständig unterwegs.‘

die Reise, eine Reise planen
eine Reise / eine Kreuzfahrt / einen Flug reservieren / buchen
das Reisebüro, die Buchung / die Reservierung
verreisen, unterwegs sein = auf einer Reise sein
der Tourist ⚡, die -in

transportieren, der Transport, das Transportmittel (Auto, Zug, …)
maximal (Maximal 10 kg Handgepäck sind erlaubt.)

1 **Wie bewegen sie sich? Ergänzen Sie.**

a. Das Auto _fährt._ ____________
b. Der Fußgänger ____________
c. Das Schiff ____________
d. Die U-Bahn ____________
e. Das Flugzeug ____________
f. Der Sportler ____________

2 **Mit welcher Bahn kann man nicht fahren? Streichen Sie durch.**

Eisenbahn – Autobahn – Kegelbahn – U-Bahn – Seilbahn – Fahrbahn

3 **Was macht man da?**

a. der Speisewagen _essen_ ____________
b. der Fahrplan ____________
c. die Tankstelle ____________
d. das Reisebüro ____________
e. der Bahnhof ____________
f. die Raststätte ____________

Benzin tanken
Pause machen ~~essen~~
umsteigen
sich orientieren
einen Flug buchen

4.1 **Anfang und Ende. Was ist die richtige Reihenfolge?**

a. **Fliegen**

_im Internet nachschauen_ → ____________ → ____________ ↙
____________ ← ____________

landen abfliegen
~~im Internet nachschauen~~
einen Flug buchen
einsteigen

b. **Mit dem Zug fahren**

_auf den Fahrplan schauen_ → ____________ → ____________ ↙
____________ ← ____________

ankommen
~~auf den Fahrplan schauen~~ einsteigen
umsteigen
eine Fahrkarte kaufen

.2 **Wie ist die Reihenfolge bei einer Schifffahrt / einer Autofahrt?**
**Benutzen Sie die Wörter von der linken Seite und schreiben Sie einen kleinen Text.**

5 **Was machen diese Leute?**

a. Der Beifahrer _fährt im Auto mit_ ____________
b. Der Zugbegleiter ____________
c. Der Tourist ____________
d. Die Stewardess ____________

die Fahrkarten kontrollieren
die Passagiere im Flugzeug bedienen
~~im Auto mitfahren~~
eine Reise machen ins Reisebüro gehen

6 **Womit fahren Sie gern / nicht gern und warum? Unterhalten Sie sich mit einem Partner.**

a. _Ich fahre gern / nicht gern mit der Bahn. Das ist so bequem … / anstrengend …_
b. _Ich fliege …_
c. ____________
d. ____________

7 **Eine Durchsage am Bahnhof: Hören Sie und ergänzen Sie.**

„Achtung auf Gleis 7. Der ____________ (1) aus Hamburg ____________ (2) in wenigen Minuten ein. Das ____________ (3) befindet sich in der Mitte ____________ (4). Vorsicht bei der ____________ (5) des Zuges am Bahnsteig. Der ICE fährt weiter nach Basel. Planmäßige ____________ (6) um 16:12 Uhr."

# FERIENREISEN

Mit der Seilbahn hinauf zu den schönsten Skipisten!
Möchten Sie...
... Ski laufen?
... Schlittschuh fahren?
... lange erholsame Spaziergänge im Schnee machen?
... gemütliche Abende in unseren Chalets genießen?
... Ausflüge nach Wien oder Salzburg machen?

Aktivurlaub am Meer und Faulenzen unter Palmen
Buchen Sie schnell!
Was würden Sie gern in Ihrem Urlaub machen? ...
... Motorboot und Wasserski fahren? Segeln?
... vielleicht auch fischen oder angeln?
... aufregende Tauch-Abenteuer erleben?
... am Strand liegen und einfach mal nichts tun?
... am Abend heiße Rhythmen in der Disko hören?
Dann auf in die Karibik!
Preiswerte Fernreisen in exotische Länder: Mit unseren gut informierten Reiseleitern fühlen Sie sich auch in der Ferne wie zu Hause!

**So kann Urlaub sein:**
erholsam, gemütlich, exotisch
entspannend ⇔ aufregend
abenteuerlich, das Abenteuer
preiswert / billig ⇔ teuer
entweder in fernen Ländern ⇔ oder zu Hause

**Das kann man im Urlaub machen:**
sich erholen, die Erholung
sich entspannen, die Entspannung
faulenzen (*d. h. nichts tun*)
etwas Neues entdecken / erleben, das Erlebnis
Sport treiben, tauchen, surfen
Sehenswürdigkeiten ansehen
reisen, Land und Leute kennenlernen

**Das sagt man oft:**
„Welche Reisezeit ist am besten für Sie? Die Schulferien oder die Nebensaison?"

der Ski (*auch*: Schi) — Ski laufen / fahren
der Schlittschuh — Schlittschuh laufen / fahren

Das gibt es wie Sand am Meer.
*‚Davon gibt es sehr, sehr viel.'*

der Urlaub / die Ferien (*CH*), Urlaub haben / machen, in Urlaub fahren, der Winterurlaub, der Sommerurlaub
die Ferien (*Pl.*), Ferien haben
reisen, die Fernreise, die Pauschalreise (*Flug, Transfer, Hotel sind inklusive*), buchen, die Buchung
der Tourismus, das Reisebüro, der Anbieter, der Reiseanbieter, der Reiseleiter, die ~in, begleiten
die Reisezeit, die Saison, die Hauptsaison ⇔ die Nebensaison
der Koffer, der Rucksack, (den Koffer) packen
die Sehenswürdigkeit, der Spaziergang, der Ausflug, die Disko, der Club
das Meer, die Insel, der Strand, der Sand, die Palme, das Motorboot
das Souvenir
das Heimweh, Heimweh haben

1 **Wie heißen die Verben?**

a. die Buchung ⇨ buchen
b. der Spaziergang ⇨ ______
c. die Reise ⇨ ______
d. der Schlittschuh ⇨ ______

2 **Unterstreichen Sie das passende Wort.**

a. Im letzten Urlaub habe ich mich mal richtig gefaulenzt – erholt – gespannt.
b. Wir waren dieses Jahr in Jamaica und haben dort Land und Leute gekannt – kennengelernt – erkannt.
c. Nur 580 Euro für die ganze Reise? Das ist aber gemütlich – leicht – preiswert.

3 **Wie schreibt man das? Ergänzen Sie.**

a. Können Sie eigentlich Ski / Schi laufen?
b. Heiße R___thmen in unserem Club!
c. Das ist genau das __ichtige für Sie!
d. Der Himalaya? Das ist mir zu aben__euerlich.

4 **Was passt? Verbinden Sie.**

| | |
|---|---|
| a. einen Spaziergang | fahren |
| b. Motorboot | gehen |
| c. in der Disko im Club bis spät in die Nacht | machen |
| d. früh am Abend schlafen | tanzen |
| e. im Meer | spielen |
| f. Schlittschuh | tauchen |
| g. Golf | tun |
| h. faulenzen und oft nichts | laufen |

5 **Frau Zett macht gern aktiven Urlaub, Herr Ypsilon hat es lieber ruhig. Ordnen Sie die Aktivitäten aus Übung 4 den Personen zu.**

| Frau Zett | Herr Ypsilon |
|---|---|
| fährt Motorboot, | |
| | |
| | |
| | |

6 **Ergänzen Sie den Dialog. Die Wörter in den Klammern sind Vorschläge.**

Angestellte: Sie möchten eine preiswerte Reise buchen? Wann möchten Sie denn gern fahren?
Kundin: (Nebensaison / Hauptsaison / Schulferien / …) ______ 1
Angestellte: Welche Art von Urlaub haben Sie sich denn vorgestellt?
Kundin: (etwas erleben / aktiv sein / exotisch/ erholsam / …) ______ 2
Angestellte: Darf es auch eine Fernreise oder eine Pauschalreise sein?
Kundin: (nicht gern fliegen / mit der Bahn / lieber allein organisieren / …) ______ 3
Angestellte: Dann wäre ______ 4 genau das Richtige für Sie!

7 **Reisewerbung im Radio: Hören Sie und ergänzen Sie.**

„Wandern Sie gern? Wollen Sie im Urlaub ______ 1 und sich gleichzeitig ______ 2? Dann machen Sie doch mal einen Wanderurlaub. Dabei können Sie ______ 3 und gleichzeitig Land und Leute ______ 4. Unser ______ 5 bietet Ihnen ______ 6 zu herrlichen Wanderzielen in Deutschland an. Interessante ______ 7 zu vielen ______ 8 finden Sie auch in unserem Angebot. Wenn Sie in der ______ 9 fahren können, wird es noch günstiger! Rufen Sie uns an (Reisebüro Müller ______ 10) oder ______ 11 Sie gleich auf unserer Webseite."

# IM HOTEL

**Hotel „ZUR POST"**

- zentrale, aber ruhige Lage
- gute Verkehrsverbindung
- freundlicher Service
- großer Komfort
- alle Zimmer mit Bad, Fernseher und Telefon
- vernünftige Preise
- familiäre Atmosphäre

| **Preise (pro Nacht)** | **mit Frühstück** | **mit Halbpension** | **mit Vollpension** |
|---|---|---|---|
| Einzelzimmer | € 60,- | € 80,- | € 90,- |
| Doppelzimmer | € 90,- | € 110,- | € 120,- |

Rufen Sie uns an oder reservieren Sie Ihr Zimmer über das Internet.

Tel. 089 / 11 22 33 44 Homepage: www.zurpostmuenchen.de E-Mail: HotelPost@münchen.de

das Hotel, die Hotelkette
die Lage, die Verkehrsverbindung
der Service ⚡, der Komfort ⚡, die Atmosphäre
die Rezeption
das Zimmer, das Einzelzimmer, das Doppelzimmer, das Bad (= das Badezimmer)
ein Zimmer reservieren, die Zimmerreservierung

ruhig ⇔ laut
familiär ⇔ anonym
freundlich ⇔ unfreundlich
billig, günstig ⇔ teuer

übernachten, die Übernachtung
die Halbpension ⚡ (= Übernachtung mit zwei Mahlzeiten)
die Vollpension (= drei Mahlzeiten inklusive)
vernünftige Preise (= nicht zu teuer)
berechnen, extra berechnen (Das Frühstück wird extra berechnet.)

die (Zimmer-)Vermittlung
online buchen, das Hotelportal
WLAN ⚡ (Wireless Local Area Network)

„Guten Tag. Wir suchen ein Zimmer für zwei Nächte – nicht zu teuer, wenn es geht!"
„Ein Doppelzimmer mit Bad?"
„Ja, bitte."
„In der Pension ‚Martin' ist noch ein Doppelzimmer frei – für 50 Euro pro Nacht."
„Ist das Frühstück inklusive?"
„Ja, es gibt ein Frühstücksbuffet."
„Prima, das Zimmer nehmen wir."
ZIMMER VERMITTLUNG

die Pension ⚡ (= kleines Hotel)
die Jugendherberge
die Unterkunft
das Buffet / das Büffet, das Frühstücksbuffet ⚡
das Bad, die Dusche (ein Zimmer mit Dusche oder Bad)
der Swimmingpool ⚡

**Das sagt man oft:**
Haben Sie schon eine Unterkunft?
Wie lange bleiben Sie? Wie viele Nächte bleiben Sie?
Ich bleibe nur eine Nacht. Ich bleibe drei Nächte.
Gibt es hier WLAN?
Um wie viel Uhr muss ich das Zimmer verlassen / muss ich auschecken?
Kann ich mein Gepäck unterstellen? Gibt es einen Hotelparkplatz?

1 Sortieren Sie die Wörter nach dem Artikel.

Lage ~~Komfort~~ Preis Fernseher Hotel Pension Zimmer Atmosphäre
Service Bad Frühstücksbuffet Verkehrsverbindung Frühstück Zimmervermittlung

**der** Komfort ______

**das** ______

**die** ______

2 Wie sagt man das? Schreiben Sie die Wörter mit dem Artikel.

a. ein Zimmer für zwei Leute ⇨ das Doppelzimmer
b. zwei Mahlzeiten pro Tag sind inklusive ⇨ ______
c. ein kleines Hotel ⇨ ______
d. ein Zimmer für eine Person ⇨ ______
e. Hier kann man ein Zimmer reservieren. ⇨ ______
f. Man kann das Frühstück individuell auswählen. ⇨ ______
g. eine Hotelgesellschaft mit vielen Hotels ⇨ ______

3 Hier stimmt etwas nicht: Schreiben Sie die Nomen mit den passenden Adjektiven neu. Manchmal gibt es mehrere Möglichkeiten.

- ~~familiäre~~ Lage ⇨ zentrale Lage
- zentraler Komfort ⇨ ______
- vernünftige Atmosphäre ⇨ ______
- freundliche Verkehrsanbindung ⇨ ______
- große Unterkunft ⇨ ______
- preisgünstige Preise ⇨ ______

4 Schreiben Sie die Gegensätze.

a. laut ⇔ ______
b. familiär ⇔ ______
c. unfreundlich ⇔ ______
d. teuer ⇔ ______

5 Ergänzen Sie die Fragen in dem Dialog. Kontrollieren Sie mit dem Hörtext. (T = Tourist; R = Rezeption)

T: Sind bei Ihnen noch Zimmer frei?
R: Ja. Möchten Sei ein Einzel- oder ein Doppelzimmer?
T: Ein Einzelzimmer mit Dusche bitte.
R: Gut. ______ ?[1]
T: Ich bleibe nur eine Nacht. ______ ?[2]
R: 40 Euro pro Nacht, inklusive Frühstücksbuffet.
T: ______ ?[3]
R: Nein, wir haben leider keinen Parkplatz. Aber es gibt ein Parkhaus ganz in der Nähe.
T: ______ ?[4]
R: Ja, das Hotel ist am Stadtpark, alle Zimmer sind sehr ruhig.
T: ______ ?[5]
R: Um 11 Uhr sollten Sie Ihr Zimmer verlassen. Aber Sie können Ihr Gepäck gerne noch bei uns an der Rezeption unterstellen.

# MENSCHEN UND TIERE AUF DEM LAND

## Berge, Seen, Flüsse ...: die Landschaft

der Berg
das Gebirge (viele Berge zusammen)
der See
die Wiese
der Bauernhof

der Hügel (kleiner Berg)
der Baum
der Wald (viele Bäume zusammen)
das Dorf
der Fluss
das Feld

! Menschen essen, Tiere fressen.

Liebe Gisela! Schöndorf, den 23.7.2015
Dieses Jahr machen wir mal Ferien auf dem Land. Stell dir vor, wir wohnen auf einem richtigen Bauernhof! Da können wir die Schweine und Pferde mal ganz aus der Nähe betrachten. Die Kinder dürfen auf den Ponys reiten und zusehen, wenn der Bauer das Vieh füttert. Heute haben wir eine Wanderung in die Berge gemacht und sitzen gerade in einem wunderschönen alten Gasthaus. Das Leben auf dem Land ist für uns sehr erholsam, aber ich weiß natürlich, dass es die Landwirte heutzutage nicht so leicht haben. Gestern zum Beispiel ...

## Ferien auf dem Land

auf dem Land / am Land (A)
der Bauer, die Bäuerin / der Landwirt, die ~in
der Hof, der Bauernhof
das Feld, der Feldweg
pflanzen, die Pflanze, ernten, die Ernte

das Tier, Tiere füttern
der Hund, die Katze, die Ente

campen ϟ, das Camp ϟ, das Feriencamp
zelten, das Zelt
reiten, schwimmen, wandern, klettern
Golf spielen, das Golfspiel, das Golf

die Hütte, die Berghütte
das Picknick, ein Picknick machen
im Freien ⇔ innen / im Haus
das Gasthaus (Restaurant auf dem Land)

Auf dem Land ist das Leben oft ...
- ruhig.
- gesund.
- erholsam.
- einfach.
- anstrengend.
- natürlich.
- langweilig.

Hahn im Korb sein
‚ein Mann allein unter Frauen sein'

hundemüde sein
‚sehr müde sein'

wie Hund und Katze sein
‚sich immer streiten'

## Tiere in der Landwirtschaft

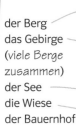

| | | | | |
|---|---|---|---|---|
| das Schwein | die Kuh<br>das Rind | das Pferd | das Schaf | das Huhn<br>das Geflügel |

## Landwirtschaftsprodukte

| | | | | |
|---|---|---|---|---|
| das Schweinefleisch<br><br>das Leder | das Rindfleisch<br>die Milch, der Käse<br>das Leder | das Pferdefleisch | das Lammfleisch<br>der Schafskäse<br>die Wolle | das Hühnerfleisch<br>das Ei |

**1** **Was kann man hier machen? Verbinden Sie.**

| | |
|---|---|
| a. in den Bergen | essen |
| b. auf dem Land | wandern |
| c. im See | schwimmen |
| d. im Gasthaus | die Ferien verbringen |
| e. auf der Wiese | zelten / campen |
| f. auf dem Pferd | spazieren gehen |
| g. auf dem Fluss | reiten |
| h. im Dorf | wohnen |
| i. auf dem Bauernhof | Boot fahren |

**2** **Was passt nicht? Streichen Sie durch.**

a. Fleisch – Frühstück – Wolle – Milch – Eier
b. Hund – Kuh – Pferd – Huhn – Papagei
c. Lehrerin – Schülerin – Landwirtin – Ärztin – Verkäuferin

**3** **Ergänzen Sie die Sätze mit den Adjektiven von der linken Seite.**

a. Im Dorf gibt es kaum Autoverkehr. Deshalb ist es immer sehr ruhig.

b. Ein Urlauber-Ehepaar sitzt auf der Wiese und liest. Sie findet das sehr ____________, er findet es ziemlich ____________.

c. „Die frische Landluft ist gut für Ihren Husten, Sie werden sicher schnell wieder ____________", hat der Arzt gesagt.

d. Jeden Morgen steht die Bäuerin um 4 Uhr auf und melkt die Kühe. Ihr Leben ist sehr ____________.

e. Viele Menschen meinen, das Leben in der Stadt ist kompliziert und das Leben auf dem Land ist ____________. Was denken Sie?

**4** **Ordnen Sie die Wörter in drei Gruppen.**

der Berg ~~schwimmen~~ ~~der Wald~~ das Schwein sich ausruhen der Feldweg Picknick machen
das Rind der Hund der See wandern das Feld das Pferd der Fluss Golf spielen
das Huhn Tiere Aktivitäten

| | | Teile der Landschaft |
|---|---|---|
| schwimmen | | der Wald |
| | | |
| | | |
| | | |
| | | |
| | | |

**5** **Erkennen Sie diese Tiere?**

a. ____________ b. ____________ c. ____________
d. ____________ e. ____________ f. ____________

# DAS WETTER

„Hier in Calgary ist es herrlich warm. Wie ist das Wetter denn bei euch?“
„Ach, hier in Köln regnet es mal wieder.“
Calgary
Köln

## Wettervorhersage

„Am Dienstag kommt sehr warme Luft mit bis zu 30 Grad bis in die Landesmitte voran. Dort kann es nur anfangs noch regnen, örtlich auch gewittern. Zwischen Main und Alpen folgt ein Gebiet mit starkem Regen, der sich langsam nach Süden zurückzieht. Unter den Wolken liegen die Höchsttemperaturen nur um 20 Grad. Am Mittwoch bilden sich bei viel Sonne nur hier und da Wärmegewitter.“

## Das Wetter

! Es schneit, es regnet.
• Wetterverben immer mit es.

Die Sonne scheint. Keine Wolke am Himmel!

Es regnet. Es hagelt.
Nach dem Regen ist die Luft feucht.

Es schneit.

Der Wind weht.

Es gibt einen Sturm.

Es gibt ein Gewitter. Es blitzt, es donnert.

## Temperaturen (in Celsius):

| | |
|---|---|
| 30 Grad | Es ist heiß.<br>Es ist sehr / schrecklich heiß. |
| 20 Grad | Es ist warm.<br>Es ist ganz / herrlich warm. |
| 8 Grad | Es ist (ziemlich) kühl. |
| 0 Grad | Es friert. Es ist kalt. |
| –22 Grad | Es ist minus 22 Grad. Es ist sehr kalt. |

Das Eis ist gebrochen.
‚Man ist sich nähergekommen.‘

## Das sagt man oft:

Was sagt der Wetterbericht? Wie wird das Wetter morgen?
Es bleibt schön. Es soll schön werden.
Laut Wetterbericht wird es morgen regnen. Morgen soll es Regen geben.
Heute ist es sonnig / heiter. Es sind gefühlte 20 Grad (= *es ist kälter, aber es fühlt sich an wie 20 Grad*).
Heute ist es sehr heiß. Wir haben 30 Grad im Schatten.
Gestern war es windig und regnerisch. Die Luftfeuchtigkeit ist sehr hoch.
In den Bergen liegt noch hoher Schnee.

das Wetter, der Bericht, der Wetterbericht
die Wettervorhersage
das (Online-) Wetterportal im Internet
örtlich, der Ort
teils heiter, teils bewölkt
anfangs

der Regen, regnen
der Schnee, schneien
der Hagel, hageln
das Gewitter, gewittern
der Blitz, blitzen
der Donner, donnern

der Schauer
das Eis
der Wind
der Sturm
der Nebel
die Wolke

Die Luft ist trocken ⇔ feucht.
Der Boden ist trocken ⇔ nass.
Der Himmel ist bedeckt / bewölkt ⇔ wolkenlos.
Das Tal liegt im Nebel. Es ist neblig draußen.

das Thermometer
die Temperatur
der Grad
die Wärme ⇔ die Kälte

**1** Welches Wort passt? Kreuzen Sie an.

a. Am Abend eines heißen Tages gibt es oft ein
- ☐ Wetter.
- ☐ Gewitter.
- ☐ Wasser.

b. So viele Wolken! Der Himmel ist
- ☐ entdeckt.
- ☐ verdeckt.
- ☐ bedeckt.

c. Hoffentlich … es kein Gewitter!
- ☐ gibt
- ☐ ist
- ☐ passiert

**2** Was passt nicht in die Reihe? Streichen Sie durch.

a. warm – kalt – kühl – nass – heiß
b. Erde – Mauer – Wasser – Luft – Wolke
c. bedeckt – feucht – bewölkt – wolkenlos

**3** Finden Sie die Fehler? Korrigieren Sie die Sätze.

a. Die Sonne schneit.
b. Die Straße ist immer noch nass, aber jetzt regnet nicht mehr.
c. Wenn die Temperatur unter null Grad sinkt, friert.
d. Es blitzt und donnt, ein sehr starkes Gewitter.

**4** Lösen Sie das Kreuzworträtsel.

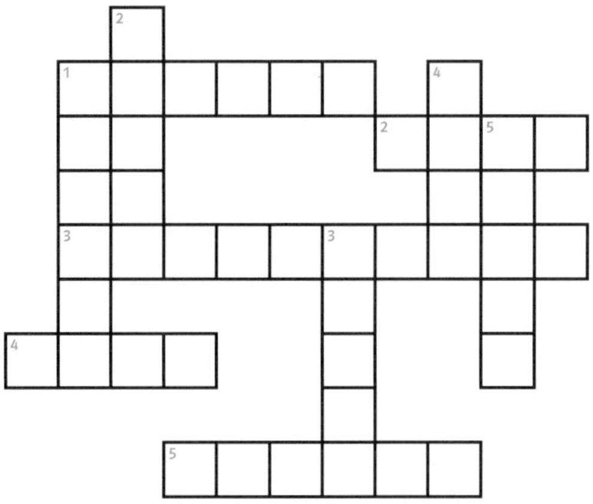


**Waagerecht**
1. Heute gibt es viele … am Himmel.
2. Das Gegenteil von trocken:
3. Die … misst man in Grad.
4. Die Temperaturen steigen auf 15 … Celsius.
5. Im Winter wird Regen zu …

**Senkrecht**
1. Wie wird morgen das …? Es regnet.
2. In Mexiko scheint fast immer die …
3. Wenn die Wolken zu schwer sind, gibt es …
4. Das Gegenteil von warm:
5. Ein sehr starker Wind:

**5** Ordnen Sie zu.

teils heiter, teils bewölkt  sonnig  etwas Regen  bewölkt

a.

______________

b.

______________

c.

______________

d.

______________

**6** Hören Sie den Wetterbericht und ergänzen Sie die fehlenden Wörter.

„Und nun die ______________ (1) für morgen. Freundliches und ______________ (2) ist für Berlin angesagt. Am Mittwoch kann es vereinzelt zu ______________ (3) kommen, ______________ (4) kann es auch ______________ (5). Die ______________ (6) liegen für Berlin bei etwa 30 Grad, wegen der Luftfeuchtigkeit ______________ (7) 35 Grad. Es weht ein teilweise böig auffrischender ______________ (8) aus nordöstlicher Richtung."

# KÖRPER UND AUSSEHEN

die Haare, das Haar
die Nase
der Bart
die Brille
das Auge, die Augen
das Ohr, die Ohren
der Mund
die Lippe, die Lippen
die Schulter
der Rücken

der Kopf
das Kinn
der Arm, die Arme
die Hand, die Hände
der Daumen, die Daumen
der Finger, die Finger
das Knie, die Knie
das Bein, die Beine
der Muskel, die Muskeln

der Zahn, die Zähne
der Hals
die Brust
das Herz
der Magen
der Bauch
der Fuß, die Füße

## Das macht man mit den Körperteilen:

| | |
|---|---|
| Mit dem Kopf: | denken, nicken, … |
| Mit den Augen: | sehen, schauen, beobachten, … |
| Mit der Nase: | riechen |
| Mit dem Mund: | sprechen, küssen, singen, … |
| Mit den Zähnen: | beißen, kauen |
| Mit den Ohren: | hören, zuhören, … |
| Mit dem Herzen: | fühlen, lieben, … |
| Mit der Hand: | greifen, fassen, (sich) festhalten, … |
| Mit dem Finger: | zeigen, klopfen, … |
| Mit den Beinen: | gehen, laufen, tanzen, … |

**Das sagt man oft:**
Du siehst heute aber gut aus!
Du siehst schlecht aus. Was ist los?
Sie haben sich gar nicht verändert!

## Das Aussehen

Manche Menschen sind groß,
und manche sind klein.
Einige Menschen sind dick,
andere sind dünn / schlank.
Manche Menschen findet man hässlich
und andere schön / attraktiv.

**Haarlänge / Haarstruktur:**
lange Haare
glatte Haare
lockige Haare
kurze Haare

**Haarfarbe:**
blonde Haare
braune Haare
dunkle Haare
schwarze Haare

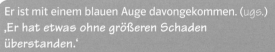

Er ist mit einem blauen Auge davongekommen. (ugs.)
*‚Er hat etwas ohne größeren Schaden überstanden.'*

Das müssen wir unter vier Augen besprechen.
*‚Das müssen wir zu zweit / ohne Zeugen besprechen.'*

**1** Ordnen Sie zu.

~~die Augen~~ das Knie das Kinn die Finger der Mund die Ohren der Daumen

| der Kopf | die Hand | das Bein |
|---|---|---|
| die Augen | | |
| | | |

**2** Ein Kreuzworträtsel.

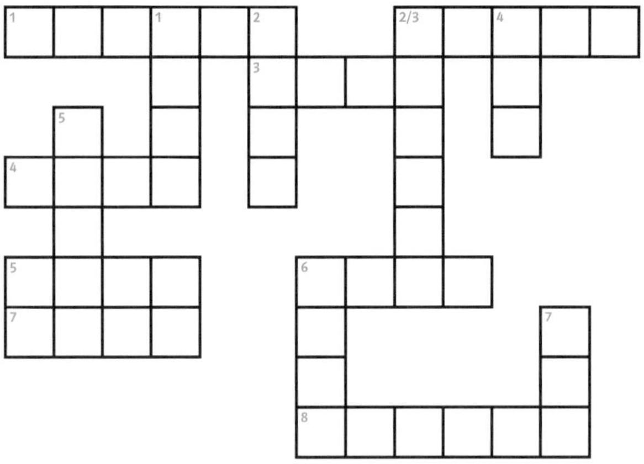

**Waagerecht:**
1. Jede Hand hat einen …
2. blonde oder braune …
3. Damit sieht man:
4. Gib mir mal deine …
5. braucht man zum Gehen
6. Manchmal hängt ein Bart dran.
7. Teil vom Bein
8. Damit zeigt man auf etwas:

**Senkrecht:**
1. zum Sprechen und Küssen
2. Damit riecht man:
3. Mit dem … liebt man.
4. Ein kleines Baby hält man im …
5. Körperteil, reimt sich auf „Wagen"
6. Damit denkt man:
7. braucht man zum Hören

**3** Suchen Sie die Gegensätze.

a. dick ⇔ ________
b. schön ⇔ ________
c. ________ ⇔ kurz
d. ________ ⇔ klein
e. dunkle ⇔ ________ Haare
f. glatte Haare ⇔ ________

**4** Ordnen Sie den Verben die Körperteile zu. Bei manchen Verben sind mehrere Begriffe möglich.

~~mit dem Mund~~ mit den Füßen mit dem Finger mit dem Kopf mit der Hand mit den Händen mit den Beinen auf den Beinen

a. küssen: mit dem Mund
b. winken: ________
c. denken: ________
d. singen: ________
e. zeigen: ________
f. laufen: ________
g. festhalten: ________
h. stehen: ________

**5** Hören Sie ein Gespräch zwischen zwei Freundinnen und ergänzen Sie die fehlenden Wörter.

Hi, Susanne. Ich muss dir was erzählen. Ich habe gestern auf der Party bei Helga einen tollen Typen kennengelernt. Der hat so wunderschöne ________ (1)!

Wirklich? Und sicher auch eine ________ (2) und einen ________ (3).

Ja, woher wusstest du das? Der sieht insgesamt unheimlich ________ (4) aus. Auch perfekte ________ (5) und so ein intensives ________ (6).

Was für ________ (7) hat er denn?

Oh, daran kann ich mich gar nicht erinnern. Ich glaube, eher ________ (8) und ________ (9). Auf jeden Fall ________ (10).

Na, da bin ich ja gespannt, ihn kennenzulernen.

# KÖRPERPFLEGE

der Spiegel
das Handtuch
das Waschbecken
das WC
das Badezimmer / das Bad
die Dusche
die Badewanne
der Kamm
die Bürste
die Zahnbürste
die Seife
die Zahncreme /
die Zahnpasta
„Vergiss nicht, dir die Ohren zu waschen, Thomas! Und trockne dich nachher gut ab!"

## Das macht Thomas jeden Morgen:

Er geht auf die Toilette. ➜ Er duscht sich: Er wäscht sich das Gesicht und den Körper. ➜ Er trocknet sich ab. ➜ Nach dem Frühstück putzt er sich die Zähne. ➜ Er kämmt sich die Haare.

## Das macht man noch im Badezimmer

sich (die Hände / das Gesicht) waschen
Ich wasche mich. Ich wasche mir das Gesicht.
ein Bad nehmen, baden
(sich) duschen
trocknen, (sich) abtrocknen
(sich) die Zähne putzen
(sich) rasieren
(sich) kämmen
(sich) schminken
(sich) die Fingernägel schneiden
(sich) wiegen, das Gewicht
auf die Toilette gehen, die Toilette spülen

die Creme ⚡
die Zahncreme ⚡ / Zahnpasta
der Fingernagel
die Schere
das Parfüm
pflegen, die (Körper-)Pflege
die Toilette ⚡/ das WC / das Klo (ugs.)
sauber ⇔ schmutzig / dreckig (ugs.), der Schmutz,
der Dreck (ugs.)

um ein Haar
*‚beinahe, fast'*

## Beim Friseur

sich die Haare schneiden lassen
der Friseur, die Friseurin ⚡ / der Frisör, die Frisörin / der Coiffeur, die Coiffeuse ⚡ (CH)
die Frisur
der Friseursalon / der Frisörsalon

**Das sagt man oft:**
Vor dem Essen immer die Hände waschen!
Kann ich ins Bad? Ich muss dringend aufs Klo!
Hast du ein Pflaster? Ich habe mich geschnitten.
Beim Friseur: Bitte nicht zu kurz schneiden!

**1** Was passt? Verbinden Sie.

| | | | | | |
|---|---|---|---|---|---|
| a. | die Zähne | nehmen | e. | den Bart | schneiden lassen |
| b. | ein Bad | kämmen | f. | die Haare | auftragen |
| c. | aufs Klo | putzen | g. | die Fingernägel | schneiden |
| d. | sich die Haare | gehen | h. | eine Creme | rasieren |

**2** Welche Wörter haben eine besondere Aussprache? Kreuzen Sie an. Die genaue Aussprache können Sie sich anhören.

a. ☒ die Toilette  
b. ☐ das Bad  
c. ☐ das WC  
d. ☐ der Friseur  
e. ☐ die Coiffeuse  
f. ☐ die Zahnpasta  
g. ☐ die Drogerie  
h. ☐ das Pflaster

**3** Was kann man schneiden, waschen, putzen? Achtung: Nicht alle Wörter passen.

das Badezimmer | das Handtuch | der Bart | die Creme | die Fingernägel | ~~die Haare~~ | die Hände | die Ohren | das WC | das Waschmittel | das Vollbad | die Zähne

| schneiden | waschen | putzen |
|---|---|---|
| die Haare | | |
| | | |
| | | |
| | | |

**4** Womit macht man das?

a. sich die Hände abtrocknen ⇨ mit dem Handtuch

b. sich die Zähne putzen ⇨ ____________

c. sich die Hände waschen ⇨ ____________

d. sich die Fußnägel schneiden ⇨ ____________

**5** Ihre Freundin wird Sie besuchen und Sie beschreiben ihr einen typischen Morgen. Ergänzen Sie.

duschen | (sich) die Zähne putzen | (sich) kämmen | (sich) schminken | ein Bad (nehmen) | die Haare waschen | ~~das Badezimmer~~ | die Bürste | der Kamm

Liebe Iris,
ich freue mich sehr, dass du kommst. Ich muss dich warnen, manchmal geht es bei uns recht wild zu. Am Morgen wollen immer alle gleichzeitig ins Badezimmer. Ich stehe etwas früher auf, damit ich in Ruhe ____________ 1 kann. Meistens habe ich am Morgen keine Zeit, mich ____________ 2. Am Sonntag nehme ich morgens ____________ 3, da schlafen mein Mann und meine Kinder etwas länger. Weil Katharina lange Haare hat, braucht sie sehr lange zum ____________ 4. Dazu hat sie eine ganze Sammlung von ____________ 5 und ____________ 6. Nach dem Frühstück wollen dann noch mal alle ins Bad, um ____________ 7. Aber irgendwie schaffen wir immer alles, bevor wir in die Schule und zur Arbeit fahren!

**6** Wie ist es bei Ihnen morgens im Bad? Sprechen Sie mit einem Partner.

**7** 7 Uhr 45 bei Familie Saubermann. Hören Sie und ergänzen Sie.

Vater: „Kannst du bitte schneller machen? Ich muss ____________ 1 noch ____________ 2."

Mutter: „Bin gleich fertig. Ein bisschen ____________ 3 muss sein."

Rosa (15): „Ich habe mir noch nicht ____________ 4, mach schnell!"

Thomas (7): „Ich muss zuerst rein, ich muss ganz ____________ 5!"

# ARZTBESUCH

## Die (Arzt-)Praxis

### Das sagt der Arzt / die Ärztin

Na, was fehlt Ihnen? / Wie geht es Ihnen heute?
Haben Sie Schmerzen? / Was tut Ihnen weh?
Spüren Sie das? Machen Sie bitte den Oberkörper frei.
Sie haben eine starke Grippe.
Solange Sie Fieber haben, müssen Sie im Bett bleiben.
Ich schreibe Ihnen ein Rezept.
Die Tabletten in Wasser auflösen und dreimal am Tag jeweils zu den Mahlzeiten einnehmen.
Sie sollten nicht mehr rauchen.

### Das sagt der Patient / die Patientin

Es geht mir schon besser, danke.
Hier tut mir der Bauch weh.

Können Sie mich bitte krankschreiben?

Wie oft muss ich die Tabletten / die Tropfen nehmen?

### Das macht der Arzt / die Ärztin

(den Patienten / den Bauch, …) untersuchen
ein Rezept schreiben, das Rezept
ein Medikament verschreiben, das Medikament
einen Ratschlag geben, der Ratschlag
den Patienten krankschreiben

der Hausarzt, die ~ärztin ⇔ der Facharzt, die ~ärztin
der Doktor, die ~in
die Tablette, die Pille
das Schmerzmittel, die Tropfen (Pl.),
auflösen, die Flüssigkeit
die Packung, die Salbe , äußerlich anwenden

### Das macht der Patient / die Patientin

in die Sprechstunde / in die Ordination (A) / in die (Arzt-) Praxis gehen
atmen, einatmen ⇔ ausatmen, der Atem
sich frei machen ⇔ sich (wieder) anziehen
Schnupfen / Husten haben, husten, der Husten
etwas spüren
Schmerzen / eine Grippe / Fieber / eine Erkältung haben
sich erkälten, erkältet sein

die Infektion
der Schmerz, der / das Virus
das Fieber, Fieber messen, das Fieberthermometer
rauchen, der Raucher, die ~in, die Zigarette
die Droge, die Sucht , süchtig, das Suchtmittel

Er ist krank ⇔ gesund.
die Krankheit ⇔ die Gesundheit
aussehen: Er sieht schlecht aus.
wehtun: Ihm tut der Hals / der Bauch weh.
an etwas leiden: Der Patient leidet an starkem Husten.

Sie kommen sicher schnell wieder auf die Beine.
*‚Sie werden schnell wieder gesund.'*

**Das sagt man oft:**
Ich muss heute zum Arzt. Ich habe einen Arzttermin.
Er hat die ganze Nacht gehustet. Er hat keinen Appetit.
Haben Sie schon Fieber gemessen? Das Ergebnis der Untersuchung bekommen Sie nächste Woche. Du siehst blass aus! Fühlst du dich nicht wohl?

1 **Wie heißt das Gegenteil?**

a. die Krankheit ⇔ *die Gesundheit*

b. einatmen ⇔ ______

c. der Hausarzt ⇔ ______

d. sich frei machen ⇔ ______

2 **Unterstreichen Sie den passenden Ausdruck.**

a. Der Arzt hat mich für 5 Tage verschrieben – ein Rezept geschrieben – krankgeschrieben.
b. Würden Sie bitte den Oberkörper befreien – ausziehen – frei machen?
c. Gestern hat Elvira den ganzen Tag erkältet – gehustet – wehgetan.

3 **Ergänzen Sie die passenden Wörter.**

a. Der linke Arm tut mir immer noch *weh* .

b. Gestern Abend habe ich Fieber ______, 39,5 Grad!

c. Herr Doktor, können Sie mir bitte etwas gegen den Husten ______? Aber keine Antibiotika, bitte.

d. Nehmen Sie bitte dreimal am Tag 24 ______ in etwas Flüssigkeit.

e. Alle Medikamente erhalten Sie in der ______.

4 **Was sagt der Arzt? Ergänzen Sie.**

Fieber haben | sich frei machen | Schmerzen haben | untersuchen | ~~fehlen~~

a. Wie geht es Ihnen? oder: *Was fehlt Ihnen?*

b. Was tut Ihnen weh? oder: ______

c. Ziehen Sie bitte Ihr Hemd aus. oder: ______

d. Sie haben eine hohe Temperatur. oder: ______

e. Ich muss Ihren Hals ansehen. oder: ______

5 **In der Arztpraxis: Hören Sie den Dialog und ergänzen Sie die fehlenden Wörter.**

Arzt: Na, was fehlt Ihnen denn?

Patient: Ich glaube, ich habe *eine Erkältung.*

Arzt: Haben Sie ______ 1?

Patient: ______ 2 in der Brust, wenn ich ______ 3.

Arzt: Haben Sie schon ______ 4?

Patient: Ja. Gestern Abend hatte ich ______ 5.

Arzt: Sie haben eine ______ 6. Soll ich Ihnen ein Antibiotikum ______ 7?

Patient: Ja, bitte. Und können Sie mich bitte ______ 8.

Arzt: Natürlich. Nehmen Sie ______ 9 dreimal am Tag, ______ 10 zu den Mahlzeiten, mit etwas ______ 11. Ich kann Ihnen auch noch ein ______ 12.

# IM KRANKENHAUS

„Frau Stolz? Die wurde gestern schon entlassen."

„Die Patientin auf Zimmer 204 klagt über starke Schmerzen. Bringen Sie ihr bitte zwei Tabletten."

der Krankenpfleger        die Krankenschwester

das Krankenhaus, die Notaufnahme
die Intensivstation
krank, die Krankheit, der / die Kranke (= der Patient, die Patientin)
der Chirurg, die ~in, operieren, der Spezialist, die ~in
der Krankenpfleger, die Krankenschwester, pflegen

**der Patient, die Patientin**  ⇔  **der Arzt / die Ärztin / der Krankenpfleger / die Krankenschwester**

im Krankenhaus liegen — einen Kranken / eine Kranke behandeln, die Behandlung
geboren werden — bei der Geburt helfen, die Geburt
an einer Krankheit leiden — den Blutdruck checken, der Blutdruck
der Schmerz, Schmerzen haben, — eine Wunde behandeln, die Wunde
über Schmerzen klagen — den Zustand des Patienten untersuchen, der Zustand
Ruhe brauchen, die Ruhe — eine Röntgenaufnahme machen, röntgen
eine Therapie vorschlagen, die Therapie
einen Tumor entfernen, die Entfernung des Tumors
den Patienten (aus dem Krankenhaus) entlassen
Dienst haben (der Dienst, der Frühdienst, der Nachtdienst)

„Unsere Tochter ist geboren!"

„Nach der Operation braucht die Patientin viel Ruhe."

„Herr Heimann, zum Röntgen in Kabine 3, bitte!"

**Das sagt man oft:**
Das Kind ist Sonntag früh geboren, es war eine leichte Geburt. (leicht ⇔ schwer)
Sein Bruder liegt schon seit drei Wochen im Krankenhaus. Er leidet an einer schweren Krankheit. Vermutlich ist es das Herz.
Die Operation war erforderlich (= notwendig).
Welcher Arzt behandelt Sie denn?
Gute Besserung!

1 **Wo passiert das? Verbinden Sie.**

| | |
|---|---|
| a. ein Herz wird operiert | in der Röntgenstation |
| b. der Fuß wird geröntgt | in der chirurgischen Station |
| c. ein Kind wird auf die Welt gebracht | auf der Intensivstation |
| d. ein Verletzter wird untersucht | in der gynäkologischen Station |
| e. nach einer schweren Operation erholt sich der Patient | in der Notaufnahme |

2 **Was passt nicht in die Reihe? Streichen Sie durch.**

a. die Behandlung – die Verletzung – die Operation – die Untersuchung
b. leiden – behandeln – entlassen – untersuchen
c. die Spritze – die Tablette – der Schmerz – das Fieberthermometer

3 **Schreiben Sie diese Sätze korrekt.**

a. Gutentagichmöchtemeineschwesterbesuchensieliegtaufderintensivstationsiewurdegesternammagenoperiert.

_______________

_______________

b. Dannfahrensiebittemitdemaufzugindenviertenstockbesuchszeitistbisachtzehnuhr.

_______________

_______________

4 **Wer macht das? Ordnen Sie zu.**

einem Patienten Tabletten bringen — einen Patienten waschen — ~~eine Patientin untersuchen~~ — eine Patientin röntgen — einen Patienten entlassen — bei der Geburt helfen — einen Patienten behandeln — das Bett machen

| der Arzt / die Ärztin | der Krankenpfleger / die Krankenschwester |
|---|---|
| *eine Patientin untersuchen,* | |
| | |
| | |
| | |

5 **Dieser Ausdruck wird auch bildlich benutzt. Was bedeutet er?**

**„Das war eine schwere Geburt!"**

☐ Das Baby wiegt mehr als gewöhnlich.
☐ Diese Aktion war sehr anstrengend.
☐ Es hat leider nicht geklappt.

6 **Eine Ärztin berichtet am Abend ihrem Mann, was sie am Tag gemacht hat. Hören Sie und ergänzen Sie.**

„Puh, bin ich müde! Heute war mal wieder viel los ______ 1. Ich hatte Frühdienst in der ______ 2 und es gab viele Patienten. Bei manchen musste ich einfach nur den Blutdruck ______ 3 oder ______ 4, aber es gab auch schlimmere Fälle. Ein Mann musste sofort ______ 5 werden. ______ 6 war es das Herz. Danach musste ich ein paar Stunden auf die ______ 7, dort sollte ich den Zustand der Frischoperierten kontrollieren. Aber jetzt ist Feierabend, und ich kann ______ 8!"

# 46 EIN UNFALL

der Krankenwagen /
die Rettung (A)
„Bitte schicken Sie sofort einen Krankenwagen!
Hier hat es einen Unfall mit Verletzten gegeben!“

**Das sagt man oft: Unfälle**

Was ist passiert? Wie ist das passiert?
Der Fahrer des Wagens ist zu schnell gefahren und konnte nicht mehr bremsen.
Er fuhr mit zu großer Geschwindigkeit.
Er überholte (den Kleinbus) in der Kurve.
Der Fußgänger überquerte die Straße und wurde von dem Auto angefahren.
Gibt es Zeugen?
Der Autofahrer war schuld. Der Autofahrer hat den Unfall verursacht.
Bei welcher Versicherung sind Sie?
Bei welcher Krankenkasse sind Sie?

der Unfall, der Notruf, die Notrufnummer: 112 (Europa), auch: 110 (D), 133 (A), 117 (CH)

verletzen: der / die Verletzte (*Diese Person wurde bei dem Unfall verletzt.*)
die Verletzung (z. B.: *Jemand hat einen Arm gebrochen.*)

**Das sagt man oft: Verletzungen**

Sind Sie verletzt? Haben Sie sich verletzt?
Warten Sie, ich gebe Ihnen eine Spritze.
Sie hat viel Blut verloren.
Der Verletzte musste sofort operiert werden.
Die Verletzungen sind schwer. (⇔ leicht)
Der Verletzte ist in Lebensgefahr.
(⇔ außer Lebensgefahr)
Ich bin gestürzt und habe mir das Bein gebrochen.

die Geschwindigkeit,
50 km/h, 50 km pro Stunde (50 Stundenkilometer)
km = der Kilometer
h = die Stunde
die Geschwindigkeitsbeschränkung (= das Tempolimit)
die Geschwindigkeit, beschränken, die Beschränkung

Hier darf man nur 50 Kilometer in der Stunde fahren.

das Krankenhaus / das Spital (A, CH)
die Notaufnahme, der Notfall
die Versicherung, die Krankenversicherung, die Krankenkasse
stürzen, fallen, (sich) das Bein brechen, der Knochen
die Gehirnerschütterung
das Blut, bluten, Blut verlieren
die Spritze
untersuchen, die Untersuchung

die Gefahr, die Lebensgefahr, lebensgefährlich
das Leben ⇔ der Tod, tödlich, tot, der / die Tote
gefährlich ⇔ ungefährlich
bremsen, die Bremse
überholen, die Kurve
(die Straße) überqueren
(einen Fußgänger) überfahren
die Ursache, verursachen
die Schuld, schuld an etwas sein
der Zeuge, die Zeugin
irgendein, irgendeine
die Hilfe, Erste Hilfe (= *dem Verletzten helfen*): Jeder Autofahrer muss bei Unfällen Erste Hilfe leisten.

**1** **Unterstreichen Sie das passende Wort.**

a. Er hat sich beim Schlittschuhlaufen den Arm verloren – gefallen – gebrochen.
b. Bei dem Unfall gab es viele Verletzte – Verletzung – verletzt.
c. Es ist nicht so schlimm, die Verletzungen sind klein – leicht – schwer.

**2** **Wie sagt man dazu?**

a. 50 km / Stunde ist in der Stadt die erlaubte *Geschwindigkeit* .

b. Vor Schulen darf man nur 30 km / Stunde fahren, es gibt eine ______________________ .

c. Verletzte bringt man ins Krankenhaus, in die ______________ .

d. Wenn ein Unfall passiert, müssen die anderen Autofahrer ______________________ .

**3** **Ergänzen Sie die E-Mail mit passenden Wörtern von der linken Seite.**

An: daniel@megamail.com
Betreff: Unfall

Hallo Daniel,
ich habe dir nicht eher geschrieben, weil wir vorige Woche einen *Autounfall* hatten. Meine Freundin Elisabeth und ich fuhren auf der Landstraße, mit normaler Geschwindigkeit, so ungefähr 80 ______________ 1. Dann kam eine Bergstrecke und es gab eine ______________________ 2 von 40 km / Stunde. Plötzlich überholte uns ein schwarzer Sportwagen, genau in der ________ 3. Er konnte das Auto nicht ________ 4, das uns entgegen kam. Erst in letzter Minute ist er nach rechts gefahren, genau vor uns. Ich konnte gerade noch scharf ________ 5. Dabei sind wir an einen Baum gefahren. Elisabeth ist mit dem Kopf gegen die Scheibe gestoßen, aber die Verletzung war glücklicherweise nur ________ 6. Trotzdem sind wir gleich in die Notaufnahme des nächsten ______________ 7 gefahren. Dort haben sie Elisabeth ______________ 8. Durch den Stoß hatte sie eine ______________________ 9 und nun muss sie eine Woche lang ruhig im Bett liegen bleiben. Ich melde mich, wenn Elisabeth wieder fit ist.
Dein Klaus

**4** **Die Polizei stellt Klaus Fragen. Ergänzen Sie den Dialog. Kontrollieren Sie mit dem Hörtext.**

Polizei: Wie ist *der Unfall* passiert?

Klaus: Ein Sportwagen hat uns ______________ 1 und ich konnte nicht mehr ______________ 2.

Polizei: Wie ______________ 3 sind Sie gefahren?

Klaus: So etwa ______________________ 4.

Polizei: Gibt es ______________ 5 Zeugen?

Klaus: Nur meine Freundin.

Polizei: Gab es ______________ 6?

Klaus: Ja, meine Freundin hat sich ______________ 7 am Kopf verletzt.

Polizei: Dann fahren Sie jetzt am besten gleich in die ______________ 8 ins Krankenhaus.

# WAHRNEHMUNG

„Sieh mal, da hinten, ist das nicht dein Ex-Freund?“
„Ja, aber schau bitte nicht immer zu ihm hin, das ist mir peinlich!“

„Dieses Bild ist einfach wundervoll. Ich kann es stundenlang anschauen.“

„Also Gerd, jetzt sieh mir bitte mal genau zu, damit du dieses einfache Rezept auch mal lernst!“

## Sehen

**sehen:**
Man nimmt etwas mit den Augen wahr.

**der Blick:**
Wahrnehmung mit den Augen

**hinsehen / hinschauen:**
Man sieht / schaut in eine bestimmte Richtung, auf etwas Bestimmtes.

**wegsehen / wegschauen:**
nicht hinsehen / nicht hinschauen

**gucken / hingucken / sich etwas angucken / zugucken** (ugs.)

**jemandem bei einer Sache zusehen / zuschauen:**
(längere Zeit) schauen, wie jemand etwas macht

**Das sagt man oft:**
Siehst du das Schiff da am Horizont?
Schauen Sie bitte mal her, ich zeige Ihnen, wie das geht!
Sieh mal an! (Überraschung)
Haben Sie zufällig meine Brille gesehen? Ich kann sie nicht finden.

## Hören

**hören:**
Man nimmt etwas mit den Ohren wahr:
Kannst du das hören?

(jemandem / der Musik …) **zuhören:**
Man hört bewusst, was jemand sagt.

**hinhören:**
Man hört in eine bestimmte Richtung:
Hör mal hin – wie schön das klingt!

**(sich) etwas** [Akkusativ] **anhören:**
Man hört etwas ganz (z. B. ein Lied, eine CD).

**Das sagt man oft:**
Hört mir bitte jetzt genau zu, ich muss euch etwas Wichtiges sagen!
Hör dir mal diese CD an, die ist toll!
Haben Sie schon die Nachrichten gehört? Es ist etwas Sensationelles passiert!

## Fühlen, Anfassen, Schmecken, Riechen

**fühlen:**
Mit den Fingern / durch die Haut wahrnehmen:
Fühl mal, meine Stirn ist ganz heiß!

**anfassen:**
Etwas mit den Fingern berühren:
Fass das bitte nicht an, das ist zerbrechlich!

**riechen:**
Mit der Nase wahrnehmen:
Hier riecht es gut / angenehm / schlecht.
Es riecht nach Rauch!

**schmecken:**
Im Mund wahrnehmen:
Das schmeckt gut / schlecht / süß / sauer … Das schmeckt nach Fisch.

## Wahrnehmen, Bemerken

**wahrnehmen / bemerken:**
Mit den Sinnen zur Kenntnis nehmen:
Ich habe gar nicht wahrgenommen / bemerkt, dass es nach Rauch riecht.

**etwas fällt (mir) auf:**
Man bemerkt etwas:
Ist dir aufgefallen, dass Frau Maier nicht mehr raucht?

**etwas fällt mir ein**
Ich erinnere mich an etwas, ich habe eine Idee / einen Einfall.

**Das sagt man oft:**
Hast du bemerkt, dass Frau Maier heute schlecht gelaunt war? – Nein, das habe ich gar nicht wahrgenommen / das ist mir gar nicht aufgefallen!
Ist dir aufgefallen, dass Herr Schmidt heute besonders gute Laune hat? – Ja, das habe ich bemerkt / wahrgenommen!

1 **Mit allen Sinnen: Ergänzen Sie.**

a. Das fühlt sich ___weich___ an.

b. Das riecht __________.

c. Das Bild sieht __________ aus.

d. Das schmeckt sehr _____.

interessant ~~weich~~ süß angenehm

2 **Womit macht man was?**

die Nase ~~die Zunge~~ der Finger das Auge die Hand die Haut der Mund das Ohr

| schmecken | riechen | fühlen | sehen | hören |
|---|---|---|---|---|
| mit der Zunge | | | | |
| | | | | |

3 **Ergänzen Sie die Verben aus dem Kasten in der richtigen Form.**

a. Sag mal, warst du in einer Kneipe? Deine Kleidung ___riecht___ sehr nach Rauch!

b. ______ Sie das Gebäude auf diesem Foto? Das ist das BMW-Werk in Leipzig.

c. Du, ich hab' mir einen neuen Pullover gekauft. _____ mal, wie weich er ist!

d. Mir ist gar nicht __________, dass es schon so spät ist.

e. Das Essen hier __________ wirklich ausgezeichnet!

f. Bitte die Museumsstücke nicht __________!

g. Sie kam so leise ins Zimmer, dass er sie gar nicht __________.

h. Können Sie bitte etwas lauter reden , ich kann Sie nicht ______!

sehen
hören
fühlen
anfassen
schmecken
bemerken
es fällt auf
~~riechen~~

4 **Ergänzen Sie *an-, hin-, weg-* oder *zusehen / zuschauen*.**

An: karin.meier@hmail.de

Betreff: Vorsicht – schlechter Film!!!

Liebe Karin,
gestern wollten Simon und ich uns einen Liebesfilm im Kino ___ansehen___, aber es war alles schon ausverkauft. Darum sind wir in den Film „Die Invasion aus dem All" gegangen – ein schrecklicher Film! Es gab viele brutale Szenen – ich musste immer wieder __________ 1. Und wenn ich wieder __________ 2 habe, war es kaum besser. Ich kann gar nicht verstehen, wie so viele Leute bei so viel Gewalt einfach so __________ 3 können. Ich habe gestern dann sehr schlecht geschlafen!

5 **Ergänzen Sie die Lücken und kontrollieren Sie mit dem Hörtext.**

a. So eine prima CD, die müssen Sie sich unbedingt __________ 1!

b. Könnt ihr mal __________ 2 zu reden und mir __________ 3?

c. Siehst du den Turm da vorne?

Nein, ich kann ihn __________ 4.

______ mal da _____ 5, neben dem roten Haus, da ist er.

Ah ja, danke, jetzt _____ 6 ich ihn.

# FREUDE, ANGST, HOFFNUNG

„Ich freue mich so, dass du gekommen bist, Rosa!“

## Freude und Glück

| | |
|---|---|
| sich über etwas freuen | die Freude |
| sich auf etwas (in der Zukunft) freuen | |
| glücklich sein | das Glück |
| fröhlich / froh sein | die Fröhlichkeit |
| gute Laune haben<br>guter Laune sein | die Laune |
| jemanden umarmen | die Umarmung |
| überrascht sein | die Überraschung |
| sich bedanken<br>dankbar sein | der Dank |

**Das sagt man oft:**
Ich freue mich, dass du hier bist.
Meine Balkonpflanze blüht so schön – jeden Tag freue ich mich darüber!
Ich freue mich schon riesig auf die Ferien nächsten Monat!
Ich bin so glücklich / sehr froh, dass alles geklappt hat!
Zum Glück ist alles gut gegangen.
Mit Anja bin ich gern zusammen – sie ist immer so fröhlich und hat gute Laune.
Das ist ja eine Überraschung – vielen Dank!

## Angst und Sorge

| | |
|---|---|
| Angst haben<br>ängstlich sein | die Angst |
| sich fürchten | die Furcht |
| sich sorgen<br>sich Sorgen machen | die Sorge |
| erschrecken (jemand erschrickt)<br>jemanden erschrecken<br>(man / etwas erschreckt jemand anderen)<br>sich erschrecken<br>(Jetzt habe ich mich aber erschreckt.) | der Schreck / Schrecken |
| sich über jemanden / etwas wundern (erstaunt sein) | |

## Hoffnung

| | |
|---|---|
| hoffen | die Hoffnung |
| hoffentlich | |

**Das sagt man oft:**
Ich hoffe, dass es klappt. / Ich hoffe, es klappt!
Hoffentlich wird alles gut!

## Bedauern

leider
etwas ist schade
etwas tut einem leid
jemanden vermissen

**Das sagt man oft:**
Leider kann ich nur zwei Tage bleiben.
Wie schade, dass du schon nach Hause musst!
Es tut mir sehr leid, aber ich konnte nicht eher kommen.
Ich vermisse dich so!

**Das sagt man oft:**
Ich habe Angst vor Hunden / vor der Zukunft.
Sei doch nicht so ängstlich! Es ist ganz ungefährlich (⇔ gefährlich).
Fürchtest du dich auch im Dunkeln? – Nein, ich bin überhaupt nicht ängstlich.
Ich fürchte, er kommt nicht.
Es ist schon halb elf. Ich mache mir Sorgen, dass etwas passiert ist.

1 **Welche Gefühle sind das?**

a. Huh! Schnell weg, da kommt ein Hund! Angst

b. Das tut mir sehr leid. ____________

c. Das hoffe ich aber sehr! ____________

d. Das Geschenk ist ja toll! ____________

e. Ich fürchte, ihm ist etwas passiert. ____________

f. Das war ein lauter Knall! Ich zittere noch! ____________

~~Angst~~ Hoffnung
Schreck Freude
Bedauern Sorge

2 **Ergänzen Sie die passenden Verben in der richtigen Form.**

a. Es fehlt überall an Geld. Die Situation an den Schulen macht mir Sorgen.

b. Es ________ mir leid, dass ich zu spät gekommen bin. Der Bus hatte Verspätung!

c. Der neueste Horrorfilm von Senfberg? Der ____________ mir zu viel Angst.

d. Ich ____________ mich sehr, dass meine Eltern dieses Wochenende zu Besuch kommen.

e. Mach bitte die Tür nicht so laut zu, ich ________________ jedes Mal, wenn sie so knallt!

f. Ich habe mich bei der Computerfirma vorgestellt. Ich ____________, ich kriege den Job.

~~machen~~ machen
hoffen tun
freuen erschrecken

3 **Was sagen Sie?**

„Das freut mich sehr!" „Ich mache mir Sorgen." „Wie schade!" „Das tut mir sehr leid."
„Ich freue mich schon riesig darauf." ~~„Das ist ja toll!"~~

a. Sie haben im Lotto gewonnen. „Das ist ja toll"

b. Sie wollen mit einer Freundin eine Radtour durch Holland machen. ____________

c. Ihre Tochter hat eine gute Note in der Schule bekommen. ____________

d. Ihre Freundin kann nicht zu Ihrer Geburtstagsparty kommen. ____________

e. Der Hund Ihrer Freundin ist gestorben. ____________

f. Ihr Sohn ist spät abends noch nicht von einer Party zurück. ____________

4 **Ihre Freundin Sabine erzählt Ihnen von ihrem Leben in einer neuen Stadt. Reagieren Sie auf ihre Äußerungen. Sie können auch mehrere Alternativen aufschreiben. Hören Sie dann den Dialog.**

a. Sabine: Wir haben eine sehr schöne Wohnung gefunden.
Sie: Das freut mich aber! (Freude)

b. Sabine: Ich musste meine gute Stelle aufgeben, um mit Max nach Hamburg zu ziehen.
Sie: ________________ 1 (Bedauern)

c. Sabine: Jetzt wohnen wir aber näher bei euch, dann sehen wir uns öfter.
Sie: ________________ 2 (Freude/Glück)

d. Sabine: Es wird nicht leicht für Jens sein, neue Freunde zu finden.
Sie: ________________
________________ 3 (keine Sorgen)

e. Sabine: Ich weiß auch noch nicht, wie seine neue Schule ist.
Sie: ________________ 4 (Hoffnung/Glück)

f. Sabine: Hast du übrigens das Buch bekommen, das ich dir neulich geschickt habe?
Sie: ________________ 5 (Dank)

# STARKE GEFÜHLE (LIEBE, WUT, ÄRGER)

Sie lächelt, er lacht.
„Ich liebe dich, Eduard!"

## Mögen

jemanden (gern) mögen
jemanden gern haben
lieben, die Liebe (starkes Gefühl, romantisch), das Gefühl
jemandem treu sein / bleiben
Lust haben auf eine Sache / etwas zu tun

**Das sagt man oft**
Ich liebe meine Kinder über alles!
Ich liebe die Natur!
Uwe und ich, wir lieben uns und wir wollen heiraten!
Ralf ist ein guter Freund, ich habe ihn gern (aber ich liebe ihn nicht).
Harald mag Katzen, aber keine Hunde. Ich mag lieber Goldfische.
Susanne mag zum Frühstück am liebsten Müsli.
Jetzt habe ich richtig Lust, rauszugehen und zu joggen.

## Nicht mögen

jemanden / etwas nicht mögen
jemanden / etwas nicht leiden können (⇔ jemanden gut leiden können)
jemanden / etwas hassen, der Hass (⇔ lieben, die Liebe)

**Das sagt man oft**
Ich hasse diesen Pullover!
Ich kann es nicht leiden, wenn meine Eltern mich nicht ernst nehmen.
Ich mag sie, aber ihn mag ich nicht.

## Trauer, Enttäuschung

traurig sein, trauern um jemanden, die Trauer
weinen, die Träne
jemanden enttäuschen, die Enttäuschung, enttäuscht sein von jemandem

**Das sagt man oft**
Sie trauert immer noch um ihren Onkel.
Sei nicht traurig! Es wird alles wieder gut.
Rebecca kann nicht kommen? Ach, wie schade! Das ist aber eine große Enttäuschung!
Er hat mich sehr enttäuscht. / Ich bin sehr enttäuscht von ihm.

## Wut, Ärger und Entschuldigung

ärgerlich sein, der Ärger, sich über etwas / jemanden ärgern
wütend auf jemanden sein, die Wut
sauer auf jemanden sein (ugs.) / jemandem böse sein
sich über etwas / jemanden aufregen (sich über jemanden ärgern)
aufgeregt sein wegen einer Sache (nervös sein)
jemandem auf die Nerven gehen (ugs.)
beleidigt sein wegen etwas, jemanden beleidigen
sich etwas nicht gefallen lassen (etwas nicht akzeptieren)
sich weigern (man ist nicht bereit, etwas zu tun)
mit etwas angeben
sich entschuldigen, die Entschuldigung
verzeihen, die Verzeihung

**Das sagt man oft**
Meine Mutter ist immer so schnell wütend.
Was, die Vase ist kaputt? Das ist wirklich ärgerlich! Ich bin jetzt aber wirklich sauer!
Bitte, sei mir nicht böse!
Wenn ich das meiner Freundin erzähle, kriege ich sicher Ärger!
Sei doch nicht immer so schnell beleidigt und reg dich nicht immer gleich auf!
Geh mir nicht auf die Nerven damit!
So kann er nicht mit mir sprechen, ich lass mir nicht alles gefallen!
Ich bin der beste Fußballer in der ganzen Klasse! – Gib doch nicht immer so an!
Entschuldige bitte, das war dumm von mir / das wollte ich ehrlich nicht / das tut mir furchtbar leid! – Kein Problem, ist schon verziehen!

1 **Welche Gefühle sind das?**

Wut ~~Trauer~~ Liebe Ärger Enttäuschung

a. Meine Katze ist gestorben und ich fühle mich allein. Trauer

b. Jens! Was hast du hier schon wieder gemacht?! Alles ist nass! ____________

c. Er kommt nicht? Er hatte es doch fest versprochen! ____________

d. Musst du denn immer so viel Geld ausgeben!? ____________

e. Du bist so wunderbar! Wir dürfen uns niemals trennen. ____________

2 **Leserbrief: Ergänzen Sie das Substantiv oder Adjektiv und wenn nötig auch die Präposition.**

~~Ärger~~ / ärgerlich enttäuscht / Enttäuschung entschuldigen traurig / Trauer beleidigt Wut / wütend von / über

Liebe Brigitte!

Heute muss ich mal meinen ganzen Ärger loswerden. Gestern Abend war ich wie oft am Freitag mit meinem Freund verabredet. Und, wie so oft, kam er eine halbe Stunde zu spät. Ich war richtig ____________ 1! Ich habe ihm gesagt, dass ich sehr ____________ 2 sein Verhalten bin, aber er hat nur gelacht. Das hat meine ______ 3 natürlich noch größer gemacht, und ich habe ihn fortgeschickt. Als ich dann allein war, war ich doch ziemlich ____________ 4.

Was soll ich jetzt machen? Soll ich warten, bis er sich ____________ 5 oder bin ich immer viel zu schnell ____________ 6? Was meinen Sie?

3 **Wie reagieren Sie? Ordnen Sie den Sätzen die Äußerungen zu. Kontrollieren Sie mit dem Hörtext.**

a. Ihr Freund gibt Ihnen einen liebevollen Kuss.
b. Sie können es nicht leiden, wenn jemand immer die Tür offen lässt.
c. Sie möchten wissen, ob Ihre Freundin Ihnen noch böse ist.
d. Ein guter Freund von Ihnen glaubt, Sie mögen ihn nicht.
e. Ihre Freundin kommt nicht zu Ihrer Geburtstagsparty.
f. Der Held in dem Film bleibt am Ende allein.
g. Sie haben Streit mit jemandem gehabt und es tut Ihnen leid.

„Das ist aber traurig!"
„Ich wollte mich bei dir entschuldigen, das tut mir leid!"
„Ich liebe dich!"
„Da bin ich aber sehr enttäuscht"
„Ich hasse das!"
„Bist du immer noch sauer?"
„Doch, doch, ich habe dich sehr gern."

4 **Welche Gefühle drücken Sie hier aus? Hören Sie die Sätze und ordnen Sie die Äußerungen den Gefühlen zu."**

a. „So ein Mist! Jetzt ist das Radio kaputt."
b. „Ihhh! Katzenhaare auf dem Sofa!"
c. „Also, so geht das nicht, das können Sie nicht mit mir machen!"
d. Sie weinen.
e. „Oh wie schade!"

Sie sind traurig.
Sie lassen sich etwas nicht gefallen.
Sie sind enttäuscht.
Sie ärgern sich.
Sie hassen etwas.

5 **Wie drücken Sie das in Ihrer Sprache aus? Diskutieren Sie mit einem Partner, wie Sie in Ihrer Sprache Liebe, jemanden gern haben, Hass, Wut, Enttäuschung oder Ärger ausdrücken.**

# IM KLASSENZIMMER

**Das sagt man oft:**

Bitte bringen Sie morgen Ihre Tablets mit.
Laden Sie bitte Ihre Lösungen auf die Lernplattform hoch.
Schlagen Sie bitte Ihre Bücher auf Seite 13 auf.
Bitte stellen Sie die Stühle in einen Kreis. / Machen Sie bitte einen Stuhlkreis.
Ich habe meine Stifte vergessen. Könnten Sie mir bitte einen Kuli leihen? / Kannst du mir mal einen Kuli leihen?

| | |
|---|---|
| die Information | Im Internet kann man wichtige Informationen suchen / finden. |
| das Kapitel, der Text, die Übung, die Grammatik | Im Lehrbuch findet man Kapitel mit Texten, Übungen und Grammatik. |
| die Hausaufgabe | Die Hausaufgaben schreibt man meist in ein Heft. |
| die Gruppe, das Projekt | Mehrere Kleingruppen arbeiten an dem Projekt. |
| das Gerät | Computer, CD-Player, Tablet usw. sind Geräte. |
| das Hilfsmittel | Mobiltelefone und Wörterbücher sind Hilfsmittel beim Lernen. |

**1** Ordnen Sie zu. Manche Wörter passen mehrfach.

| | |
|---|---|
| im, mit dem, mit der, mit den | Arbeitsbuch, Kuli, Lehrbuch, Heft, CD-Player, Radiergummi, Lehrer, ~in, Mitschüler, ~in |

a. üben: im / mit dem Arbeitsbuch, ______________________

______________________

b. Deutsch sprechen: ______________________

______________________

c. Schreibübungen machen: ______________________

d. Wörter korrigieren: ______________________

______________________

e. Aufgaben lösen: ______________________

______________________

f. Texte lesen: ______________________

g. die Aussprache üben: ______________________

**2** Ordnen Sie die Wörter von der linken Seite in die Tabelle.

| | Möbel | Arbeitsmittel |
|---|---|---|
| der Computer | | der Stift |
| | | |
| | | |
| | | |

**3** Was ist das? Kreuzen Sie an.

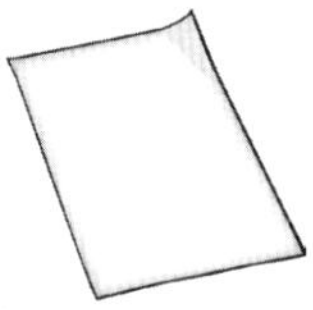

- ☐ ein Blatt Papier
- ☐ eine Seite Papier
- ☐ eine Scheibe Papier

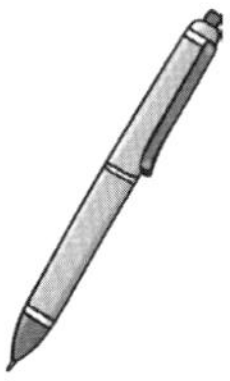

- ☐ ein Bleistift
- ☐ ein Kuli
- ☐ ein Kugelschreiber

**4.1** Was brauchen die Personen zum Deutschlernen?

a. Iman: „Ich brauche unbedingt einen CD-Player. Sonst kann ich mir die Aussprache der Wörter nicht merken."

b. Brad: „Für mich ist mein Vokabel__________ sehr wichtig. Dann kann ich die neuen Wörter im Bus lernen."

c. Lin: „Zu Hause benutze ich sehr gern den __________. Es gibt so viele interessante Websites mit Informationen über die deutschsprachigen Länder."

d. Fatima: „Ich bin ein visueller Mensch. Ich muss mir alle neuen Wörter aufschreiben. Deshalb verbrauche ich sehr viel __________!"

**4.2** Und Sie? Was ist für Sie besonders wichtig? Diskutieren Sie mit einem Partner.

**5** Das sagt die Lehrerin oft. Hören Sie zu und ergänzen Sie.

„Bitte bringen Sie am Montag Ihre __________ 1 mit. Wir beginnen __________ 2."

„Suchen Sie wichtige __________ 3 zu Berlin im Internet."

„Schreiben Sie __________ 4 in Ihr __________ 5."

„Wir arbeiten heute in __________ 6 an dem Vokabel-__________ 7."

„In unserem neuen __________ 8 gibt es viele elektronische __________ 9."

# UNTERRICHTSSPRACHE

„Wie heißt das bitte auf Deutsch?“
„Das ist ein Wörterbuch.“
PONS Deutsch Spanisch

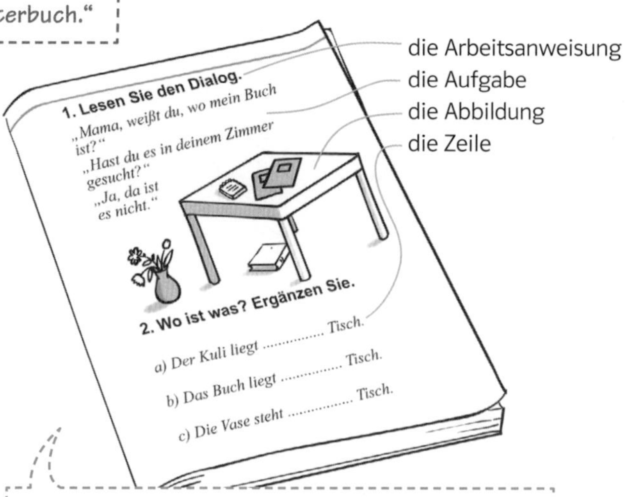
die Arbeitsanweisung
die Aufgabe
die Abbildung
die Zeile
1. Lesen Sie den Dialog.
„Mama, weißt du, wo mein Buch ist?“
„Hast du es in deinem Zimmer gesucht?“
„Ja, da ist es nicht.“
2. Wo ist was? Ergänzen Sie.
a) Der Kuli liegt ............... Tisch.
b) Das Buch liegt ............... Tisch.
c) Die Vase steht ............... Tisch.
„Machen Sie bitte Aufgabe 1 und 2 auf Seite 15 im Arbeitsbuch. Die Lösungen stehen hinten im Buch.“

## Das sagt man oft im Unterricht:

**Kursteilnehmer / Kursteilnehmerin:**
Wie bitte? Können Sie das noch einmal erklären?
Ich verstehe das nicht. Bitte langsam. Ich weiß (es) nicht.
Entschuldigung, ich habe eine Frage.
Was bedeutet „der Buchstabe“? (bedeuten, die Bedeutung)
Wie heißt der Plural von „Buch“?
Wie schreibt man „Haar“?
Wie spricht man dieses Wort aus?

**Lehrer / Lehrerin:**
Lesen Sie bitte den Text (zuerst einmal leise).
Unterstreichen Sie alles, was Sie verstehen.
Ordnen Sie die Aussagen zu.
Vergleichen Sie mit Ihrem Nachbarn.
Lesen Sie den Text bitte laut vor.
Bitte wiederholen Sie.
Schreiben Sie bitte die neuen Wörter in Ihr Heft.
Hören Sie den Dialog und sprechen Sie ihn nach.
Schreiben Sie etwas zu allen drei Punkten.
Übertragen Sie Ihre Lösungen auf den Antwortbogen.
Der Kurs fällt morgen aus.

## Das macht man im Unterricht:

hören / zuhören, sprechen, lesen, schreiben, buchstabieren
nachsprechen, aussprechen, vorlesen, erklären – die Erklärung
sich unterhalten, Fragen stellen, analysieren, diskutieren, (ein Problem) darstellen – die Darstellung, Fehler korrigieren
üben, markieren, unterstreichen, ankreuzen, ergänzen, ordnen, zuordnen, vergleichen
Wörter einfügen / einsetzen, wiederholen – die Wiederholung, übersetzen – die Übersetzung
einen Text kommentieren – der Kommentar, der Punkt, das Thema
sich (am Unterricht) beteiligen

die Aufgabe, die Lösung – lösen, der Antwortbogen, übertragen, das Heft, das Wort, das Wörterbuch, das Lexikon
der Fehler
der Text, der Textaufbau, die Einleitung, der Abschnitt, die Struktur

leicht ⇔ schwer / schwierig
richtig ⇔ falsch
regelmäßig ⇔ unregelmäßig

Die Frage ist nicht eindeutig.
ausfallen (Der Kurs fällt morgen aus.)
anwesend ⇔ abwesend

| | |
|---|---|
| der Satz, die Aussage: | „Der Roman handelt von einem kleinen Jungen.“ |
| die Regel, der Hinweis (auf etwas hinweisen): | Das Verb „haben“ immer mit Akkusativ! |
| das Beispiel: | Klaus hat einen Schäferhund. |
| das Wort: | „Tisch“ |
| der Buchstabe: | „h“ |

1 **Unterstreichen Sie die Adjektive.**

übersetzen – schwer – Vokabeln – regelmäßig – lernen – Wörterbuch – ankreuzen – leicht – hören – schwierig – machen – richtig – Darstellung

2 **Ordnen Sie die Sätze: Wer sagt das normalerweise?**

Bitte wiederholen Sie. Könnten Sie das bitte noch einmal erklären?
Ist das Verb regelmäßig? Hören Sie bitte zu. Sind Sie verheiratet?
Wie bitte? Ich weiß nicht. Entschuldigung, ich habe eine Frage. Wie finden Sie Rockmusik?
~~Unterstreichen Sie die Verben.~~ Wo wohnen Sie? Welchen Satz verstehen Sie nicht?
Machen Sie bitte Aufgabe 2. Bitte setzen Sie die fehlenden Wörter ein.

| Lehrer / Lehrerin | Kursteilnehmer / Kursteilnehmerin | beide |
|---|---|---|
| Unterstreichen Sie die Verben. | | |
| | | |
| | | |
| | | |
| | | |

3 **Ergänzen Sie die Fragen.**

a. Wie heißt der Plural von Vater? – Väter.
b. Wie … – Großes S - e - e.
c. Welche Übungen … – Übung 2 und 3.
d. Wo … – Auf Seite 5 im Arbeitsbuch.
e. Heißt es … – Nein, es heißt „ich spreche, du sprichst".
f. Können Sie … – Also noch einmal: Der Komparativ hat immer -er, z. B. größer.

4 **Was sagen Sie in dieser Situation? Ergänzen Sie die Fragen und kontrollieren Sie mit dem Hörtext.**

a. Sie haben die Frage Ihrer Lehrerin nicht verstanden. Können Sie die Frage noch einmal wiederholen?
b. Sie suchen die Lösungen. ____________
c. Sie wissen nicht, wie man ein Wort ausspricht. ____________
d. Sie haben eine Grammatikregel nicht verstanden. ____________
e. Sie möchten eine Frage stellen. ____________
f. Sie kennen den Plural von „Baum" nicht. ____________
g. Sie kennen das deutsche Wort für „Rockband" nicht. ____________

# SPRACHEN LERNEN

„Guten Abend, mein Name ist Waller. Ich werde in diesem Semester Ihr Deutschlehrer sein. Welche Sprachen sprechen Sie? Was ist Ihre Muttersprache?"
Deutsch als Fremdsprache
Kurs 2

die Muttersprache / die Erstsprache ⇔ die Fremdsprache, die Zweitsprache
Deutsch als Fremdsprache
die Sprachschule, die Volkshochschule
der Kurs, der Intensivkurs, die Stufe (= das Niveau)
der Lerner, die Lernerin

## Wie kann man eine Fremdsprache gut lernen?

| | | |
|---|---|---|
| Viele Texte lesen, einige wichtige unbekannte Wörter im Wörterbuch nachschlagen. | Die Grammatik und die Regeln verstehen und anwenden, die Ausnahmen lernen. | Aufmerksam zuhören, manchmal Sätze in die Muttersprache übersetzen. |
| Viel mit Muttersprachlern sprechen, viel reden, viel fragen, sich viel unterhalten. | Alle neuen Wörter aufschreiben, Vokabellisten machen. Die Aussprache üben. | Keine Angst haben, Fehler zu machen! Fehler erkennen und korrigieren. |

das Wort, die Grammatik, das Alphabet, der Fehler
das Wörterbuch, das Lexikon
ein Wort nachschlagen / übersetzen / aufschreiben / notieren / abschreiben
die Vokabelliste, auswendig lernen
fließend sprechen
der Muttersprachler, die ~in, der Dialekt

richtig ⇔ falsch
bekannt ⇔ unbekannt
die Regel ⇔ die Ausnahme

das Subjekt im Satz
das Objekt im Satz

**Hier können Sie die wichtigsten Grammatikwörter lernen.**

das Adverb
das Modalverb
der Artikel
das Adjektiv
das Substantiv / das Nomen (das Wort, die Wörter)
das Verb

. der Punkt
: der Doppelpunkt
? das Fragezeichen
→ der Pfeil

Übung macht den Meister!
Keine Regel ohne Ausnahme!
Aus Fehlern lernt man.

**1** Was für Wörter sind das? Ordnen Sie zu. Ergänzen Sie bei Substantiven auch den Artikel.

Fragezeichen übersetzen Fremdsprache schwer Text dort Adjektiv lernen Sprache neu Wörterbuch leicht ~~hören~~ schwierig machen richtig lesen zuerst unbekannt ~~Grammatik~~ Regel Fehler Verb Übung hier Plural üben Ausnahme Muttersprache sich unterhalten heute sprechen Wort gern nachschlagen reden Buchstabe Angst Artikel Punkt klug

| Substantive | Verben | Adjektive | Adverbien (Zeit, Ort, ...) |
|---|---|---|---|
| die Grammatik | hören | | |
| | | | |
| | | | |
| | | | |

**2** Wo ist das Subjekt, wo ist das Objekt? Unterstreichen Sie das Subjekt einmal und das Objekt zweimal.

a. Meine Mutter ist Spanierin. Deshalb habe ich schon als Kind spanische Bücher gelesen.
b. Wenn ich einen Text lese, schlage ich nur wenige Wörter im Wörterbuch nach.
c. Max lernt nicht gern Regeln – aber er spricht sehr viel mit Muttersprachlern und übt sein Deutsch.

**3** Kreuzen Sie an, was für Sie stimmt und diskutieren Sie mit einem Partner.

| | Stimmt | Stimmt nicht |
|---|---|---|
| a. Ich mache mir Vokabellisten und lerne die Wörter auswendig. | ☐ | ☐ |
| b. Ich versuche so viel wie möglich zu sprechen – auch wenn ich Fehler mache. | ☐ | ☐ |
| c. Ich spreche erst, wenn ich ganz sicher bin, dass ich keine Fehler mache. | ☐ | ☐ |
| d. Ich lese viele deutsche Texte, z. B. in der Zeitung, im Internet, in Büchern. | ☐ | ☐ |
| e. Ich sehe viel deutsches Fernsehen. | ☐ | ☐ |
| f. Ich mache mir grammatische Tabellen und löse grammatische Übungen. | ☐ | ☐ |

**4** Wie lernen Sie eine Fremdsprache? Benutzen Sie die Vorschläge auf der linken Seite und in Übung 3.

a. Sie lesen einen Text und verstehen ein wichtiges Wort nicht.

Ich schlage das Wort im Wörterbuch nach.

b. Sie hören im Radio ein neues Wort, das für Sie wichtig ist.

______________________________

c. Sie möchten einen Satz in einem Text ganz genau verstehen.

______________________________

d. Sie erinnern sich nicht an alle Formen der Adjektivdeklination.

______________________________

e. Sie haben Probleme, gesprochene Sprache zu verstehen.

______________________________

**5** Meine Lern-Strategien: Hören Sie und ergänzen Sie.

Meine ________ 1 ist Englisch. Es gibt viele ähnliche ________ 2 im Deutschen und im Englischen, deshalb ist es für mich nicht so schwierig, die neuen Vokabeln zu lernen. Das Wichtigste ist, ________ 3 zuzuhören und die Wörter immer sofort ________ 4. Oft kann ich die ________ 5 der Wörter raten und ich muss nicht alle im Wörterbuch ________ 6. Aber ich muss die neuen Wörter immer erst ________ 7, damit ich sie nicht vergesse. Auch ________ 8 helfen mir. Die ________ 9 ist für mich besonders schwierig und ich muss viel ________ 10, am liebsten mit ________ 11.

# AUSBILDUNG UND SCHULE

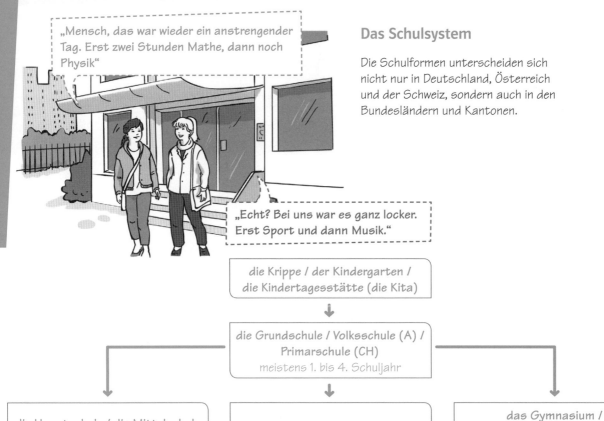

„Mensch, das war wieder ein anstrengender Tag. Erst zwei Stunden Mathe, dann noch Physik“
„Echt? Bei uns war es ganz locker. Erst Sport und dann Musik.“

## Das Schulsystem

Die Schulformen unterscheiden sich nicht nur in Deutschland, Österreich und der Schweiz, sondern auch in den Bundesländern und Kantonen.

die Krippe / der Kindergarten / die Kindertagesstätte (die Kita)

↓

die Grundschule / Volksschule (A) / Primarschule (CH)
meistens 1. bis 4. Schuljahr

↓

die Hauptschule / die Mittelschule
5. bis 9. / 10. Schuljahr
der Hauptschulabschluss / der Mittelschulabschluss

↓ die Lehre, die Berufsschule

die Realschule
5. bis 10. Schuljahr
der Realschulabschluss

→ die Fachoberschule
→ die Fachhochschule

das Gymnasium / Allgemeinbildende Höhere Schule (A) / Sekundarstufe II (CH)
meistens 5. bis 12. Schuljahr
das Abitur / die Matura (A, CH)

→ die Fachhochschule / die Universität

↓

das Studium, studieren

die Gesamtschule: Hauptschule, Realschule, Gymnasium sind zusammen in einer Schule.
die Förderschule / die Sonderschule (A): für Kinder mit speziellen Bedürfnissen
die Volkshochschule: Unterricht für Erwachsene am Abend

**Zeugnis für Karoline Wendt**

| | | |
|---|---|---|
| Deutsch: | gut | (2) |
| Englisch: | sehr gut | (1) |
| Mathematik: | befriedigend | (3) |
| Sport: | gut | (2) |
| Geografie: | ausreichend | (4) |
| Physik: | mangelhaft | (5) |

## Weitere Schulfächer

Biologie
Chemie
Geschichte
Musik
Philosophie

Ohne Fleiß kein Preis!

## Das gehört zur Schule

der Schüler, die ~in — der Lehrer, die ~in
der Mitschüler, die ~in — der Direktor, die ~in

die Erziehung, die Ausbildung, ausbilden – ausgebildet, der Abschluss
dauern, die Dauer

die Schule besuchen (= zur Schule gehen), das Schuljahr

die Klasse, das Klassenzimmer
der Unterricht, die Unterrichtsstunde, das Schulfach, die Pause

die Klassenarbeit / die Schularbeit (A) (z. B. eine Englischarbeit), eine Arbeit schreiben
die Hausaufgabe, Hausaufgaben machen

das Zeugnis (bekommen), die Schulnote, eine gute / eine schlechte Note haben

Das machen Schüler: lesen, schreiben, rechnen, lernen, manchmal fehlen (= nicht da sein), fleißig ⇔ faul sein

Das machen Lehrer: unterrichten, lehren, Klassenarbeiten korrigieren, Zeugnisse schreiben (am Ende des Schuljahres)

1 **Wo lernen / studieren diese jungen Leute wahrscheinlich?**

a. Martina ist 7 Jahre alt und möchte Bäckerin werden. in der Grundschule

b. Peter ist 17 und möchte Physik studieren. ____________

c. Hans-Werner ist 18 und möchte Krankenpfleger werden. ____________

d. Anita studiert Elektrotechnik. ____________

2 **Was passt nicht in die Reihe? Streichen Sie durch.**

a. die Grundschule – die Universität – die Realschule – die Matura
b. Mathematik – Zeugnis – Sport – Englisch
c. zahlen – rechnen – lesen – schreiben

3 **Eltern sprechen über ihre Kinder. Ergänzen Sie.**

a. Unser Matthias ist sehr fleißig. Er macht jeden Tag seine Hausaufgaben!

b. Nach der Grundschule soll unsere Tochter unbedingt auf das ____________ gehen.

c. Leonardo ist jetzt im vierten ____________, nächstes Jahr geht er auf die Realschule.

d. Für die Berufsausbildung zum Uhrmacher muss Udo jetzt eine ____________ bei einem Uhrmacher machen.

e. Anna will Ärztin werden. Wie lange dauert denn das ____________?

4 **Die Lehrerin kommt in ihre 5. Klasse. Ergänzen Sie.**

eine Englischarbeit. die neuen Wörter gelernt. setzt euch bitte! könnt ihr in die Pause gehen.

a. Guten Morgen, Kinder, ____________

b. Heute schreiben wir ____________

c. Ich hoffe, ihr habt alle ____________

d. Nach der Klassenarbeit ____________

5 **Ein Lebenslauf: Ergänzen Sie die fehlenden Wörter.**

Mein Name ist Nikolas Labritz. Ich wurde am 6. Oktober 1987 in Halburg geboren. Von 1993 bis 1997 besuchte ich die Grundschule in Halburg, danach ging ich ins Gymnasium in Kotten. Nach dem ____________ 1 begann ich gleich mit dem Studium an der ____________ 2 in München. Ich ____________ 3 Geschichte und Geografie. Nach dem Studium machte ich meine Ausbildung als Referendar und bin nun ____________ 4 an der Realschule. Ich unterrichte hier Geschichte und ____________ 5.

6 **Ursula ruft ihre Cousine an und hinterlässt eine Nachricht auf dem Anrufbeantworter. Hören Sie und ergänzen Sie die fehlenden Wörter.**

„Hallo, Katrin. Herzlichen Glückwunsch zum Geburtstag! Ich konnte nicht eher anrufen, ich bin total kaputt. Heute haben wir eine ____________ 1 in Englisch geschrieben. Gut, dass ich fast nie ____________ 2 habe, da wusste ich die meisten Vokabeln. Aber das ____________ 3 ist wirklich viel schwerer als die Grundschule! Früher hatte ich immer gute ____________ 4, meistens „sehr gut"; jetzt bin ich froh, wenn ich ein ____________ 5 schaffe. Und was machst du jetzt? Du bist doch im vierten ____________ 6, oder? Du wolltest ja vielleicht auf die ____________ 7 – wie sieht es jetzt aus? Ruf mich doch mal an, vielleicht können wir uns im Sommer treffen."

7 **Wie ist das Schulsystem bei Ihnen organisiert und wie unterscheidet es sich von dem, was Sie über die deutschsprachigen Länder wissen? Sprechen Sie mit einem Partner.**

# STUDIUM UND PRÜFUNGEN

„Das ist die typische Entwicklung einer klassischen Rezession."

die Professorin / die Dozentin
der Professor / der Dozent

die Studentin / der Student
der / die Studierende

## Das Studium

ein Studium beginnen → **die Vorlesung, das Seminar**: Vorlesungen und Seminare besuchen → **prüfen, die Prüfung / testen, der Test**: eine (Abschluss-)Prüfung ablegen ↓ ein Diplom / einen Titel bekommen

**die Promotion (Man erwirbt den Doktortitel: Frau Dr. Hahn)**

**der Bachelor, der Master, das Diplom**

das (Studien-)Fach, die (Studien-)Fächer

die Universität, die Uni (ugs.), die Hochschule
die Technische Hochschule (TU), die Fachhochschule (FH) (z. B. für Ingenieurberufe)

der Kommilitone, die Kommilitonin (= Mitstudent, ~in)
der Saal, der Hörsaal, der Hörer, die Hörerin
die Bibliothek
die Beratung, die Studienberatung

das Semester (ein Studienjahr = 2 Semester)
das Modul, das Studienmodul
sich in eine Liste eintragen
sich zur Prüfung anmelden, eine Prüfung ablegen = eine Prüfung machen
die Prüfung bestehen ⇔ bei der Prüfung durchfallen
ein Zeugnis ausstellen

Anglistik, Betriebswirtschaftslehre (BWL), Biologie, Germanistik, Jura, Mathematik, Medizin, Psychologie, Soziologie, Wirtschaft, …

die Naturwissenschaften, die Geisteswissenschaften, die Wirtschaftswissenschaften, die Rechtswissenschaften, die Erziehungswissenschaft (= die Pädagogik)

lehren, die Lehre
forschen, die Forschung, der Forscher, die ~in
sich mit etwas beschäftigen
wissen, das Wissen, die Wissenschaft, der Wissenschaftler, die ~in

präsentieren, die Präsentation, das Referat, der Vortrag
die Klausur ( = schriftliche Semesterprüfung)
die Hausarbeit (= längerer Text, für den man eine Note bekommt)

**kennen** ⇔ **wissen**
Kennst du die neue Professorin schon? – Nein, aber ich weiß, dass sie sehr beliebt ist.
Man muss ein Land gut kennen, wenn man seine Kultur verstehen will. (mit einer Person oder Sache vertraut sein)
Prof. Hubert weiß wirklich viel über die Inuit in Kanada. (Tatsachen, Fakten wissen)

**lernen** ⇔ **studieren**
Kommst du mit ins Konzert? – Nein, ich muss noch für die Prüfung lernen.
Was studieren Sie? – Ich studiere Physik an der Uni Köln.

**Das sagt man oft:**
An welcher Uni studiert er denn?
Der Bachelor dauert sechs Semester.
Die Regelstudienzeit für Betriebswirtschaft beträgt vier Jahre, die meisten brauchen aber fünf Jahre.
Morgen muss ich im Philosophieseminar ein Referat halten – über Nietzsche.
Ich muss mich gut auf die Klausur vorbereiten.
Das ist mein letzter Versuch.
Die Wissenschaftlerin hat einen interessanten Vortrag gehalten.

1 **Was kann man an der Universität studieren? Unterstreichen Sie die Studienfächer.**

Soziologie – Anglistik – Computer – Chemie – Vorlesung – Jura – Prüfung – Semester – Medizin
Wirtschaftswissenschaften – Forschung – Psychologie – Rechtswissenschaften – Master – Informatik

2 **Studienberatung: Ergänzen Sie.**

a. Wenn Sie sich mit der deutschen Literatur beschäftigen möchten, studieren Sie am besten _Germanistik_.

b. Wenn Zahlen Sie faszinieren, könnten Sie ______________________ studieren.

c. Wenn Sie wissen möchten, wie man am besten Kinder erzieht, sollten Sie ______________________ studieren.

d. Sie finden Pflanzen und Tiere interessant? Dann wäre ______________ ein gutes Fach für Sie.

3 **Was gehört zur Schule und was zur Universität? Ordnen Sie die Wörter zu und ergänzen Sie die Artikel.**

Semester – studieren – Zeugnis – Titel – Abitur – Doktor – Lehrerin – lernen – Professorin – ~~Schüler~~ – Student – Kommilitone – Schuljahr – Mitschüler – Matura – Seminar – Klassenarbeit – Klausur – Klasse – Note – Vorlesung – Prüfung – Forschung

| Schule | Universität |
|---|---|
| der Schüler, die Schülerin | |
| | |
| | |
| | |

4 **Was passt? Unterstreichen Sie das richtige Wort.**

a. Er hat nicht genug gelernt und ist bei der Prüfung — durchgefallen – gefallen – gefehlt.
b. Das Seminar von Frau Dr. Wörlis findet nicht statt. Das habe ich nicht — gekannt – bekannt – gewusst.
c. Für die Klausur morgen muss ich noch die Jahreszahlen — studieren – lernen – wissen.
d. Am Ende des Studiums muss man eine Prüfung — absitzen – ablegen – passieren.

5 **„Kennen" oder „wissen"? Ergänzen Sie das passende Verb in der richtigen Form**

Nach zwei Semestern an der Universität Wien _kennt_ Sofia die Universität schon sehr gut. Sie ________ 1, welche Seminare besonders interessant sind und kann die neuen Kommilitonen gut beraten. Sie ________ 2, wo sich die verschiedenen Institute befinden, wo die Bibliothek ist und wann sie geöffnet hat. Es gibt 25 Professoren an ihrer Abteilung, die ________ 3 sie natürlich nicht alle. Aber sie ________ 4, wen sie um Auskunft bitten kann. Mittlerweile ________ 5 sie auch schon eine Menge anderer Studenten und sie lernen oft zusammen in Arbeitsgruppen.

6 **Harry bereitet ein Video von sich vor. Hören Sie und ergänzen Sie.**

„Hallo, ich bin Harry und möchte euch von meinem ____________ 1 erzählen. Ich bin 20 Jahre alt. Ich studiere ____________ 2 an der ____________ 3 Dresden und bin im ____________ 4. Das Studium macht mir echt Spaß. Die meisten ____________ 5 und ____________ 6 sind wirklich interessant. Allerdings habe ich dieses Semester noch drei ____________ 7 zu machen, zwei ____________ 8 und eine mündliche Prüfung, da muss ich jetzt wirklich anfangen zu ____________ 9. Ich will die Prüfungen auf jeden Fall ____________ 10, möglichst auch mit guten ____________ 11. Nach 4 Jahren Regelstudienzeit will ich den ____________ 12 schaffen, in meinem Fall den ____________ 13. …"

# BERUFSAUSBILDUNG

## Die Berufsausbildung

**die Lehre**
**der Betrieb**

eine Lehre im Betrieb machen und die Berufsschule besuchen → die Gesellenprüfung ablegen

**der Geselle, die ~in**

↓ als Geselle / Gesellin arbeiten → die Meisterprüfung ablegen

**der Meister**

## Das Handwerk: Handwerksberufe

der Handwerker, die ~in
der Schreiner, die ~in
der Goldschmied, die ~in
der Zahntechniker, die ~in
der Bäcker, die ~in
der Metzger, die ~in / der Fleischhauer, die ~in (A)

das Material: das Holz, das Metall (= das Gold, das Silber, das Eisen), der Kunststoff, das Plastik

**die Ausbildung**
- ausbilden
- die Ausbildung
- der / die Azubi (ugs.)
- der / die Auszubildende (der Lehrling)
- der Ausbilder, die ~in

**die Berufsausbildung**
- das Praktikum
- die Lehrstelle
- die Berufsschule
- die Lehre
- die (Abschluss-)Prüfung, die abgeschlossene Berufsausbildung
- die Qualifikation
- der Kurs
- das Team

## Das Praktikum

Bei einem Praktikum sammelt man in einem Betrieb praktische Erfahrungen. Für einige Berufe oder Studienfächer muss man ein Praktikum machen (z. B. Erzieher oder Sozialarbeiter).

das Praktikum, der Praktikant, die ~in
der Sozialarbeiter, die ~in
der Erzieher, die ~in, erziehen

bzw. = beziehungsweise

## Die Erwachsenenbildung / Weiterbildung

Man kann sich auch selbst weiterbilden oder z. B. einen Kurs an der Volkshochschule machen:
der Deutschkurs, der Englischkurs, der Yogakurs, der Tanzkurs, der Nähkurs, der Computerkurs, …

die Volkshochschule
sich weiterbilden, die Weiterbildung / die Fortbildung
der Kurs, der (Kurs-)Teilnehmer, die ~in
an einem Kurs teilnehmen, die Teilnahme
der Kursleiter, die ~in
das Zertifikat

.1 **Ordnen Sie die Wörter nach ihrem Artikel.**

~~Erzieher~~ Beruf Prüfung Praktikum Auszubildende Berufsschule Silber Gold Ausbilder Weiterbildung Lehrer Lehre

**der** Erzieher ____________________

**das** ____________________

**die** ____________________

.2 **Ergänzen Sie.**

Substantive mit der Endung -er haben fast immer den Artikel ________.

Finden Sie hier eine Ausnahme? ____________________

2 **Ausbilder, Ausbildung, Auszubildende, ausbilden: Ergänzen Sie.**

a. Herr Hansen ist Bäckermeister und hat zwei Auszubildende in seinem Betrieb.

b. Er ist gern mit jungen Menschen zusammen und es macht ihm Spaß, die beiden ____________________ und ihnen alles zu erklären, was man als Bäcker wissen muss.

c. Er hat viel Erfahrung und ist schon seit vielen Jahren ____________________.

d. Elena und Patrick finden ihre ____________________ interessant und auch wichtig für die Zukunft.

3 **Was passt nicht in die Reihe? Streichen Sie durch.**

a. der Hammer – der Schraubenzieher – die Säge – das Metall
b. Yoga – Zertifikat – Sport – Englisch
c. erziehen – ausbilden – ausziehen – weiterbilden

4 **Was gehört dazu? Achtung: Nicht alle Wörter passen.**

Lehre Gymnasium Betrieb Matura Abschlusszeugnis ~~Ausbilder~~ Zertifikat Kursleiter Zahntechniker Kurs Volkshochschule Wohnung Teilnehmer Konzert

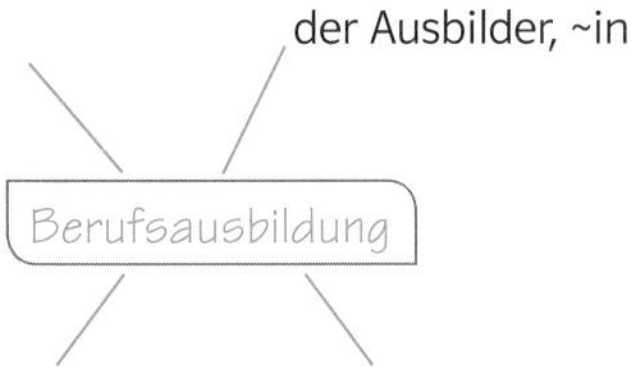


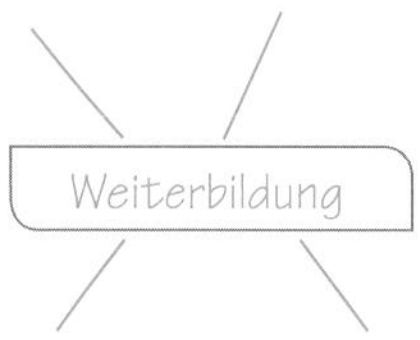


5 **Wie war Ihre Ausbildung? Sprechen Sie mit einem Partner.**

6 **Traumberuf Koch: Hören Sie und ergänzen Sie die fehlenden Wörter.**

„Emma macht eine ____________________ 1 zur Köchin. Sie hat eine ____________________ 2 in einem 3-Sterne-Restaurant gefunden. Und sie hat Glück: Ihr ____________________ 3 ist ein fantastischer ________ 4 und auch ein guter ________ 5. Die Praxis lernt Emma in der Restaurantküche, bei der Arbeit im ________ 6, und die Theorie lernt sie in der ____________________ 7. Nach 3 Jahren ist sie ____________________ 8 Köchin und kann sich nach einem lukrativen Job umsehen."

# 56 JOBSUCHE, BEWERBUNG, VORSTELLUNG

„Würden Sie denn auch umziehen, wenn wir Ihnen die Stelle anbieten?"

die Bewerberin / der Bewerber
die Bewerbungsunterlagen (Pl.)

die Personalchefin / der Personalchef

„Also ich bin örtlich nicht gebunden, das ist kein Problem."

## Wir suchen

**Aktive junge Leute,**
die in unserem dynamischen Team mitarbeiten möchten.

- Fremdsprachenkenntnisse
- Flexibilität
- Teamgeist
- Organisationsgeschick

sind unbedingte Voraussetzungen.

Sie sollten in komplexeren Situationen immer den Überblick behalten, auch wenn Vieles durcheinander geht. Interessiert? Dann schicken Sie Ihre Bewerbung schnellstmöglich an:

Fa. Oval Circle
Marxstr. 55
88997 München
E-Mail: ovalcircle@mteam.com

## Eine Stellenanzeige

**Gefragte Fähigkeiten** (die Fähigkeit):
die Flexibilität, der Teamgeist (das Team),
die Kommunikationsfähigkeit, die Motivation,
das Organisationstalent, das Engagement,
die Erfolgsorientierung (der Erfolg),
die Eigeninitiative, der Überblick / den Überblick behalten

**Gefragte Eigenschaften** (die Eigenschaft):
aktiv, dynamisch, flexibel, kooperativ, teamfähig,
belastbar, hochmotiviert, engagiert

**Gefragte Kenntnisse** (die Kenntnis):
Fremdsprachenkenntnisse (die Fremdsprache),
Computerkenntnisse, Produktkenntnisse

**Die Jobsuche** (der Job, die Suche):
sich (um eine Stelle) bewerben, die Bewerbung
sich (bei einer Firma) vorstellen, die Vorstellung
die Voraussetzung, unbedingt (= auf jeden Fall)

! In Österreich und in der Schweiz sagt man nur „der Lohn".

die Vorstellung, das Vorstellungsgespräch

eine Arbeit / eine Stelle / eine Tätigkeit suchen
das Gehalt / der Lohn / der Verdienst, verdienen

gebunden ⇔ frei
örtlich, der Ort
umziehen, der Umzug

die Verantwortung, verantwortlich sein für etwas
schwer (die schwere Aufgabe / Arbeit)
sich gewöhnen an etwas

## Das Vorstellungsgespräch

Ich möchte mich um die Stelle als Sekretärin bewerben. (Ich suche eine Arbeit / Tätigkeit als Chef-Sekretärin.)

Sind Sie örtlich gebunden?

Nein, ich bin ganz flexibel. Ich kann auch umziehen.

Sind Sie bereit, Verantwortung zu übernehmen?

Ja, natürlich, sehr gerne. Ich habe auch keine Angst vor schweren Aufgaben. Ich gewöhne mich schnell an neue Herausforderungen.

An welches Gehalt hatten Sie gedacht?

In meiner letzten Stelle habe ich 2500 Euro verdient.

**1** **Wie heißen die Substantive?**

a. sich vorstellen ⇨ die Vorstellung
b. sich bewerben ⇨ ______
c. kennen ⇨ ______ (Pl.)
d. einen Job suchen ⇨ ______
e. verdienen ⇨ ______
f. umziehen ⇨ ______

**2** **Wie heißen die Adjektive?**

a. Flexibilität ⇨ flexibel
b. Belastbarkeit ⇨ ______
c. Motivation ⇨ ______
d. Teamfähigkeit ⇨ ______
e. Kooperationsfähigkeit ⇨ ______
f. Engagement ⇨ ______

**3** **Was passt zusammen? Schreiben Sie Sätze.**

| | | |
|---|---|---|
| a. Ich suche | Verantwortung | sprechen. |
| b. Ich bin bereit, | in eine andere Stadt | wechseln. |
| c. Ich könnte auch | meine Arbeitsstelle | als Koch. |
| d. Ich möchte gern | die Stelle | zu übernehmen. |
| e. Ich kann | eine Tätigkeit | umziehen. |
| f. Ich möchte mich um | Englisch und Russisch | als Ingenieur bewerben. |

Ich suche eine Tätigkeit als Koch.

Ich ...

______

______

______

______

**4** **Hören Sie den Dialog und ergänzen Sie.**

Personalchef: Sie sind an der Stelle als Deutschlehrerin ______ 1?

Bewerberin: Ja. Ich arbeite schon seit 4 Jahren bei verschiedenen Sprachschulen, jetzt ______ 2.

Personalchef: ______ 3 haben Sie?

Bewerberin: Nach der Schule habe ich Englisch und Deutsch studiert.

Personalchef: ______ 4 und haben Sie ______ 5?

Bewerberin: Klar, ich habe ______ 6 gearbeitet und bin ______ 7.

Personalchef: Wie sind denn Ihre ______ 8?

Bewerberin: Sehr gut, ich nutze auch privat alle elektronischen Medien. Ich bin wirklich ______ 9 und würde auch gern ______ 10.

**5** **Ergänzen Sie.**

„Als ich noch nicht verheiratet war, war ich örtlich nicht gebunden und konnte abends lange im Büro bleiben. Aber dann bekam ich Kinder und ______ 1 eine Stelle, bei der ich zu Hause arbeiten kann. Ich habe mich bei „Teamworks" ______ 2 und seitdem kann ich meine Zeit ______ 3 einteilen. Ich arbeite, wann ich am besten Zeit habe. Probieren Sie es auch!"

# LEBENSLAUF UND BEWERBUNGSSCHREIBEN

## Der tabellarische Lebenslauf

Name: Herbert Rossmann
wohnhaft in: München
geboren: 1985 in Kiel

**Schulbildung:**
1991–2004: Schule in Kiel und Hamburg
2004: Abitur in Hamburg

**Studium:**
2004–2006: Studium der Ingenieurwissenschaften an der Technischen Universität Dresden, Institut für Automobiltechnik
2006–2007: Auslandspraktikum in Oslo
2007: Fortsetzung des Studiums in Dresden
2009: Diplom

**Berufserfahrung:**
2009–heute: Tätigkeit als Ingenieur bei BMW, München (Vollzeit)
seit 2014: Abteilungsleiter

der Lebenslauf
der tabellarische Lebenslauf
die Tabelle, tabellarisch
das Abitur
das Studium
die Fortsetzung, fortsetzen
das Diplom
die Tätigkeit
seit
das Institut
die Vollzeit ⇔ die Teilzeit

die Erfahrung, der Beruf
⇨ die Berufserfahrung
das Ausland, das Praktikum
⇨ das Auslandspraktikum
die Abteilung, der Leiter
⇨ der Abteilungsleiter

## Das Bewerbungsschreiben

So könnte ein Bewerbungsschreiben aussehen. Mit „/" gekennzeichnete Bausteine sind Alternativen.

Sehr geehrte Damen und Herren,
mit großem Interesse habe ich Ihre Anzeige vom 5.4.2015 gelesen. Die Stellenbeschreibung passt sehr gut zu meinem Profil.
Nach fünf Jahren in derselben Firma suche ich jetzt eine neue Arbeitsstelle / Anstellung / möchte ich mich jetzt beruflich verändern.
Bisher war ich ausschließlich mit … befasst, jetzt bin ich bereit, mehr Verantwortung zu übernehmen. / Ich habe bereits wertvolle Erfahrungen im Bereich … gemacht.
Ich habe großes / ernsthaftes Interesse an der Stelle / an den Aufgaben / ich interessiere mich sehr für …
Ich bin sehr gut qualifiziert im Bereich … Ich bin sehr gut geeignet für …
Ich würde gerne einen Termin vereinbaren, um mich vorzustellen. / Gerne würde ich mit Ihnen ein Gespräch führen und mich persönlich vorstellen. / Gerne würde ich die Gelegenheit erhalten, mich in einem persönlichen Gespräch vorzustellen.
Ich bin voraussichtlich ab … verfügbar. / Eine Einstellung ist auch kurzfristig möglich.
Weitere Angaben / Einzelheiten entnehmen Sie bitte meinem Lebenslauf und den beiliegenden Dokumenten. Falls Sie weitere Informationen benötigen, schreiben Sie mir gerne jederzeit.
Mit freundlichen Grüßen

die (Stellen-)Anzeige
die Bewerbung, sich um eine Stelle als … bewerben
die Stelle, die Beschreibung ⇨ die Stellenbeschreibung
die Arbeitsstelle, die Anstellung, die Aufgabe, der Bereich
der Termin, einen Termin vereinbaren
das Gespräch, ein Gespräch führen
die Gelegenheit, die Gelegenheit erhalten
die Einstellung, jemanden einstellen
die Einzelheit, die Angabe, Angaben entnehmen aus

beruflich, sich beruflich verändern
befasst sein mit / sich mit etwas befassen
bereit sein für
interessiert sein an
qualifiziert sein für
geeignet sein für
sich (persönlich) vorstellen (bei jemandem), verfügbar sein
etwas entnehmen aus
etwas benötigen

ausschließlich
wertvoll ⇔ wertlos
ernsthaft
allgemein
persönlich

voraussichtlich (= *wahrscheinlich*)
kurzfristig (= *sehr schnell*)
möglich

auch / ebenfalls
bereits
ganz
falls (= *wenn*)
gerne
jederzeit

**1** Was passt? Wählen Sie die Wörter aus, die zu einem Lebenslauf passen. Schreiben Sie sie in der richtigen Reihenfolge.

Stelle Abitur Kinder Praktikum Gymnasium Schreibtisch Berufserfahrung
Geschäft Studium Urlaub Arztbesuch Sporthalle Geburtstagsfeier
Diplom Klassentreffen Gefühle Theater Tätigkeit Krankenwagen
Auslandsaufenthalt Abteilungsleiter Ausstellung ~~Grundschule~~

Grundschule ⇨ ____________________

**2** Was kann man hier kombinieren? Ergänzen Sie auch den Artikel.

a. _die_ Grund _schule_
b. ______ Lebens ______
c. ______ Auslands ______
d. ______ Abteilungs ______
e. ______ Fremdsprachen ______
f. ______ Ingenieur ______
g. ______ Personal ______
h. ______ Arbeits ______

-leiter -chef -praktikum -lauf -team -wissenschaften -kenntnisse ~~-schule~~

**3** Wie schreibt man das? Ergänzen Sie zwei oder drei Buchstaben.

a. Ich bin 1970 in Köln geb_or_en.
b. 1989 schlo______ ich das Gymnasium ab.
c. Ich hatte eine Stelle als Ingen______r.
d. Im Jahre 1995 machte ich ein halbjä______iges Praktikum.

**4** Ergänzen Sie die passenden Verben in der richtigen Form.

beginnen machen ~~besuchen~~ erwerben machen

a. In Dresden _besuchte_ ich vier Jahre lang die Grundschule.
b. Das Abitur habe ich am Gymnasium in Leipzig ______________.
c. Im Winter 2005 ______________ ich mit dem Studium der Psychologie.
d. Im Rahmen meines Studiums musste ich ein Praktikum in einem Kindergarten ______________.
e. Nach fünf Studienjahren ______________ ich an der Uni Leipzig mein Diplom.

**5** Erinnern Sie sich an Ihren eigenen Lebenslauf: Was hat Ihnen Spaß gemacht – was nicht so sehr?

| Das hat Spaß gemacht: | Das hat nicht so viel Spaß gemacht: |
|---|---|
| die Grundschule, | |
| | |

**6** Ihr Lebenslauf: Schreiben Sie Ihren eigenen tabellarischen Lebenslauf.

**7** Anruf bei einer Firma: Ergänzen Sie die Lücken und kontrollieren Sie mit dem Hörtext.

A: Hallo? Ja, ich rufe an, weil ich Ihre ______________ (1) gelesen habe, Sie suchen einen Techniker?
B: Ja, das stimmt, kann ich Ihnen hier noch mehr Informationen zu ______________ (2) geben?
A: Ja, es ist nämlich so, ich hab wirklich ______________ (3) und denke, dass ich ______________ (4) für die ______________ (5). Aber ich habe noch nicht so viele praktische ______________ (6) in diesem ______________ (7), ist das wichtig?
B: Nein, das ist nicht so wichtig. Wir brauchen dringend Fachkräfte, die auch ______________ (8). Sind Sie denn ______________ (9)?
A: Ja, ich bin ganz ______________ (10).
B: Prima, dann schicken Sie mir Ihre Unterlagen – ______________ (11), Zeugnisse und ______________ (12), dann laden wir Sie zu ______________ (13).
A: Ja, vielen Dank, das mache ich. Auf Wiederhören!

# 58 ARBEIT UND EINKOMMEN

„Das ist unsere Abteilung: Frau Curcó ist meine Chefin. Ihre Sekretärin heißt Karla Seemann. Mit meiner Kollegin Karen Melzer verstehe ich mich sehr gut. Leider wechselt sie die Stelle – sie geht zu einem großen Unternehmen und will richtig Karriere machen! Sie hat letzte Woche gekündigt."

**Abteilung 5: Import – Export**

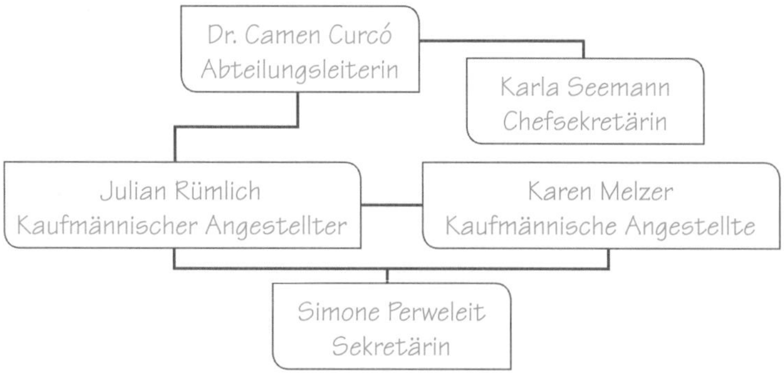


die Abteilung, der Abteilungsleiter, die ~in
der Chef ⚡, die ~in
der Sekretär, die ~in
der Kollege, die ~in

die Stelle (Arbeit bei einer Firma, Institution)
Karriere machen (großen Erfolg im Beruf haben), die Karriere
die Stelle wechseln (eine neue Stelle suchen / haben)
kündigen (offiziell mitteilen, dass man die Stelle wechselt)

## Man arbeitet als ...

Angestellter, Angestellte (z. B. in einer Firma, in einem Büro)

Beamter, Beamtin (z. B. bei der Stadt, bei der Regierung)

Arbeiter, ~in (z. B. in einer Fabrik, in einem Werk)

Selbstständiger, Selbstständige (Man ist selbstständig, z. B. als Anwalt / Anwältin, Arzt / Ärztin, Händler / ~in, Übersetzer / ~in, Wirt / ~in.)

Unternehmer / Unternehmerin (Man hat eine eigene Firma.), etwas unternehmen

der Arbeitnehmer, die ~in
der Arbeitgeber, die ~in
der Arbeiter, die ~in
der / die Angestellte, ein Angestellter, eine Angestellte, jemanden anstellen
der / die Selbstständige, ein Selbstständiger, eine Selbstständige
der Beamte / die Beamtin, ein Beamter, eine Beamtin
der Rentner, die ~in (Wenn man 65 Jahre alt ist, geht man in den Ruhestand / in Pension / in Rente.)

die Regierung
die Firma (z. B. Siemens)
die Fabrik
das Werk (hier wird produziert)
das Büro
die Rente / die Pension / der Ruhestand
in Rente / Pension / den Ruhestand gehen (= sich pensionieren lassen)

! D: der Rentner, die ~in / der Pensionär, die ~in (Beamte)
A: der Pensionist, die ~in
CH: der / die Pensionierte

## Gehalt und Steuern

das Gehalt / das Monatsgehalt (feste Geldsumme, die man im Monat verdient)

das Einkommen (alles, was man verdient)

der Lohn / der Stundenlohn (man wird pro Stunde bezahlt)

das Nettogehalt (= Bruttogehalt minus Steuern und Abgaben), die Steuer, die Abgabe

die Rente / die Pension (Geld, das Rentner / Pensionäre einmal pro Monat bekommen)

1 **Wer arbeitet wo? Verbinden Sie.**

a. Theodor Siebert, Metallarbeiter
b. Karla Bohl, Beamtin
c. Dr. Eva Klingenstein, selbstständig
d. Oren Oczalam, Abteilungsleiter

Touristik-Unternehmen
Rechtsanwaltspraxis Berlin-Mitte
Stadt Bonn
Stahlwerk Krupp

2 **Ergänzen Sie.**

| | | | |
|---|---|---|---|
| der Angestellte | die | die | die Angestellten |
| der | die Beamtin | die | die |
| der Rechtsanwalt | die | die | die |
| der | die | die Selbständigen | die |
| der Rentner | die | die | die |

3.1 **Bei diesen Wörtern sind die Silben vertauscht. Schreiben Sie die Wörter richtig auf.**

a. Abteilleiterungs ⇨ der Abteilungsleiter
b. Mogenatshalt ⇨ das ______
c. Herustand ⇨ der ______
d. Gerinbebeitar ⇨ die ______
e. Denlohnstun ⇨ der ______
f. Kreserintä ⇨ die ______
g. Rierekar ⇨ die ______

3.2 **Suchen Sie einige Wörter und schreiben Sie sie mit vertauschten Silben auf. Dann lassen Sie einen Partner den Silbensalat ordnen.**

4 **Ergänzen Sie.**

a. Jemand, der im Ruhestand ist: ein Rentner / eine ______ / ein Pensionist / eine ______
b. Jemand, der eine Abteilung leitet: ein ______ / eine ______
c. Jemand, der eine eigene Firma hat: ein ______ / eine ______
d. Jemand, mit dem man in der gleichen Abteilung zusammen arbeitet: ein ______ / eine ______
e. Jemand, der in der Fabrik körperlich arbeitet: ein ______ / eine ______

5 **Was passt? Unterstreichen Sie.**

a. Mit 65 müssen die meisten Leute in den Ruhestand gehen – laufen – eingehen – haben.
b. Vom Bruttogehalt muss man noch Steuern und Abgaben geben – nehmen – haben – zahlen.
c. Wenn man seine Firma verlassen will, muss man vorher sagen – Notiz geben – kündigen – mitteilen.
d. Mir reicht es jetzt - ich will weg! Ich werde jetzt die Stelle ändern – verwandeln – tauschen – wechseln.

6 **Was gehört zusammen? Verbinden Sie.**

a. Hier werden Maschinen produziert
b. Teil einer Institution / Firma
c. Menschen sitzen am Schreibtisch
d. Ein ganzes Unternehmen, vom Chef bis zum Arbeiter

das Büro
die Firma
die Fabrik
die Abteilung

7 **Ergänzen Sie die fehlenden Ausdrücke und kontrollieren Sie mit dem Hörtext.**

Nach dem Studium habe ich einige Zeit ein ______ 1 nach dem anderen gemacht. Vor einem Jahr habe ich dann endlich eine ______ 2 bekommen! Natürlich kann man hier in der Stadtverwaltung ______ 3 machen, aber erstmal bin ich zufrieden. Später kann ich immer noch die ______ 4, ich muss ja nicht ______ 5.
Meine ______ 6 ist ganz in Ordnung, die ______ 7 ist sehr klein, aber angenehm.
Nur ______ 8 ist wirklich dunkel und klein. Darüber muss ich unbedingt bald mit ______ 9 sprechen, das geht so nicht auf Dauer!

# ARBEIT UND GESELLSCHAFT

## Die Interessen der Arbeiter und Angestellten:

gutes Gehalt
einheitliche Löhne
sichere Arbeitsplätze
kürzere Arbeitszeiten
eine sinnvolle Beschäftigung
gute Arbeitsbedingungen
(z. B. gesundes Arbeiten, Pausen, Abwechslung)

↓

Die Gewerkschaften vertreten die Interessen der Arbeiter und Angestellten.

## Die Interessen der Unternehmer / Arbeitgeber:

geringe Kosten / Ausgaben
große Flexibilität
wenig Pflichten
hoher Profit / hohe Einnahmen
interessante Produkte
den Bedarf der Kunden decken

↓

Die Organisationen der Arbeitgeber vertreten die Interessen der Unternehmer.

↘ ↙

**Tarifverhandlungen**
Man verhandelt über die Arbeitsbedingungen, die Löhne und Gehälter.
Die Gewerkschaften fordern Lohnerhöhungen und bessere Arbeitsbedingungen.
Die Arbeitgeber bieten z. B. 3 Prozent mehr Lohn.

↙ ↘

Man einigt sich nicht: der **Streik**
(Die Arbeiter und Angestellten arbeiten nicht, sie streiken.)

Man einigt sich: der **Tarifabschluss**

---

die Gewerkschaft, der Streik / streiken
der Lohn (Arbeiter), die Lohnerhöhung
das Gehalt (Angestellte)

das Interesse
die Arbeitsbedingungen (Pl.), die Bedingung
die Flexibilität, die Pflicht

der Betrieb, der Betriebsrat (Vertretung der Arbeitnehmer in einem Betrieb)

die Dienstleistung (der Service ϟ)
die Organisation, etwas organisieren

die Kosten (Pl.), die Ausgabe
der Profit, die Einnahmen (Pl.)
das Produkt, der Bedarf / den Bedarf wecken / decken

die Beschäftigung
die Sozialleistungen / die sozialen Leistungen (Pl.):
z. B. die Arbeitslosenversicherung, die Rentenversicherung, die Krankenversicherung

eine Sache fordern, die Forderung
etwas bieten

sich einigen
sinnvoll, einheitlich

## Arbeit und Arbeitslosigkeit

Man wird entlassen. Man hat keine Arbeit mehr. → Man meldet sich arbeitslos (beim Arbeitsamt). → Man bekommt Arbeitslosengeld. → Man bewirbt sich bei einer Firma. (sich bewerben, die Bewerbung) → Man findet eine neue Arbeit.

## Wortfamilie Arbeit

die Arbeitszeit — der Arbeitsplatz — **die Arbeit**
der Arbeitsplatz — die Arbeitsbedingungen
die Arbeit — arbeitslos sein — die Arbeitslosigkeit
arbeitslos sein — das Arbeitsamt
die Arbeit — der Arbeiter, die ~in
die Arbeit — der Arbeitgeber, die ~in
die Arbeit — der Arbeitnehmer, die ~in

1 **Welche Adjektive passen zu welchen Substantiven? Es gibt oft mehr als eine Möglichkeit. Achten Sie auf die Endungen.**

das Gehalt die Arbeitsbedingungen
die Beschäftigung der Profit
die Arbeitszeiten die Produkte
der Arbeitsplatz die Flexibilität die Kosten

gering groß hoch gut kurz
sicher lang sinnvoll

gutes Gehalt, ______________________________

______________________________

2 **Wie heißt das Substantiv?**

a. (über etwas) verhandeln ⇨ die Verhandlung
b. (eine Sache) fordern ⇨ ______
c. (etwas) organisieren ⇨ ______
d. streiken ⇨ ______
e. (sich für etwas) interessieren ⇨ ______
f. (sich um etwas) bewerben ⇨ ______

3 **Welches Wort mit „Arbeit" passt? Schreiben Sie die Wörter mit dem Artikel.**

a. Hier geht man hin, wenn man arbeitslos ist: das Arbeitsamt
b. Substantiv zu „arbeitslos": ______
c. Gegenteil von „Arbeitnehmer": ______
d. Das bekommen Arbeitslose: ______
e. Zeit, in der man arbeitet: ______

4 **Ergänzen Sie die passenden Verben.**

a. In der Wirtschaftskrise entlassen die Betriebe oft viele Arbeitnehmer.
b. Jeden Tag ______ sich viele Menschen arbeitslos.
c. Gewerkschaften und Arbeitgeber ______ über die Sicherheit der Arbeitsplätze und die Löhne.
d. Die Gewerkschaften ______ 6 Prozent mehr Lohn.
e. Die Arbeitgeber ______ aber nur 3 Prozent mehr Lohn.
f. Wenn sie sich nicht einigen, werden die Arbeiter wahrscheinlich ______ .

5 **Die Gewerkschaften fordern ... Ergänzen Sie.**

bessere Arbeitsbedingungen ~~höhere Löhne und Gehälter~~ sichere Arbeitsplätze kürzere Arbeitszeiten

a. Auch Arbeiter wollen Wohlstand! Wir fordern höhere Löhne und Gehälter !
b. Abends müssen die Eltern Zeit für Ihre Kinder haben! Wir fordern ______ !
c. Keine Entlassungen! Wir fordern ______ !
d. Arbeit darf nicht krank machen! Wir fordern ______ !

6 **Anne skypt mit ihrer Freundin Elma, sie haben sich lange nicht gesehen. Hören Sie und ergänzen Sie die Lücken.**

Mensch, Elma, ich hatte echt Glück im Unglück: Du weißt ja, dass ich bei der ______ 1 Braun gearbeitet hab, in der ______ 2 für Marketing. Stell dir vor, von heute auf morgen ______ 3! Sie haben gesagt, dass ______ 4 stark gestiegen sind und ______ 5 zurückgegangen sind. Da konnte mir auch ______ 6 nicht helfen. Ich habe mich natürlich ______ 7. Und weißt du was: schon zwei Wochen nach meiner ______ 8 hatte ich wieder eine ______ 9, bei einer IT-Firma, die entwickeln Software für Smartphones. ______ 10 ist jetzt besser, aber ______ 11 sind echt lang!

# WIRTSCHAFT UND MARKT

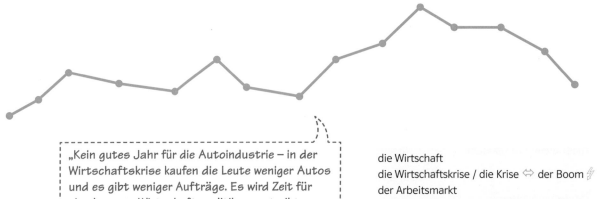

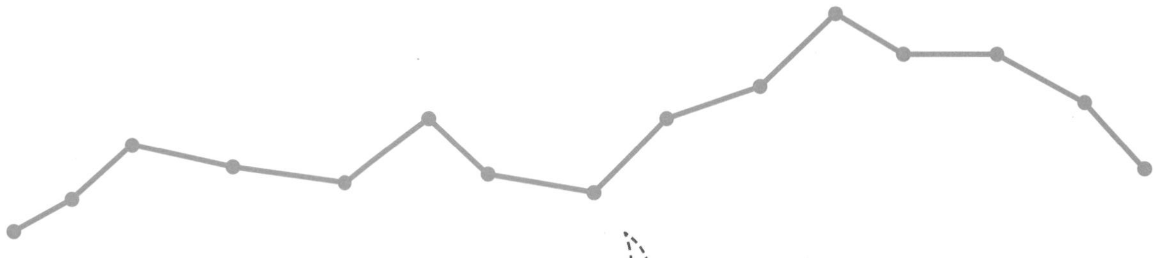

„Kein gutes Jahr für die Autoindustrie – in der Wirtschaftskrise kaufen die Leute weniger Autos und es gibt weniger Aufträge. Es wird Zeit für eine bessere Wirtschaftspolitik, sonst gibt es Probleme auf dem Arbeitsmarkt."

die Wirtschaft
die Wirtschaftskrise / die Krise ⇔ der Boom ⚡
der Arbeitsmarkt
der Auftrag (Jemand bestellt ein Produkt.)

## Produktion und Verkauf

**die Ware, das Produkt, der Artikel**

Die Firma / Die Industrie produziert die Ware. ➜ Der Handel / Der Laden verkauft die Ware. ➜ Die Kunden kaufen die Ware / den Artikel.

## So funktioniert der Markt

hohe Produktion
⇨ großes Angebot (von Waren)

das Angebot ⇨ der Preis ⇦ die Nachfrage
(z. B. € 249,-)
Angebot und Nachfrage bestimmen den Preis.

viele potenzielle Kunden
⇨ große Nachfrage (nach Waren)

## Große Produzenten

die Autoindustrie (produziert Autos)
die Pharmaindustrie (produziert Medikamente)
die Hightech-Industrie ⚡ (produziert z. B. Computer, Software ⚡, Smartphones ⚡ …)
die Landwirtschaft (produziert Obst, Gemüse, Getreide, Fleisch, Milch)

## Das liest man oft:

Die Nachfrage nach Rohstoffen ist groß.
Bei einem Boom machen viele Firmen gute Geschäfte. Das Geschäft lohnt sich.
In der Krise bekommen viele Unternehmen große Probleme.
Die Firma macht mittlerweile Verluste. ⇔ Die Firma macht Gewinne.
Die Firma hat viele Schulden. Sie ist gezwungen zu sparen / sparsam zu sein.
Das Unternehmen ist pleite. (Das Unternehmen hat kein Geld mehr.)
Viele Faktoren haben zu dieser Krise geführt. Wir müssen Personal reduzieren!
Die Konkurrenz / der Wettbewerb ist groß. Es gibt einen Arbeitskräftemangel.
Die Prognose ist optimistisch / positiv ⇔ pessimistisch / negativ.

das Produkt, der Produzent, produzieren
herstellen, der Hersteller
der Verkauf, verkaufen
der Handel, mit einer Sache handeln
der Kunde, die Kundin
der Kauf, kaufen
der Konsum, konsumieren
das Auto, das Medikament
der Computer ⚡, die Software ⚡
das Obst, das Gemüse, das Getreide
der Euro (€), der Euro-Raum
das Geschäft, das Problem
der Rohstoff
der Import: Waren aus dem Ausland kommen ins Inland.
der Export: Waren aus dem Inland werden im Ausland verkauft.
importieren / einführen ⇔ exportieren / ausführen
(etwas) lohnt sich, sich lohnen
die Schulden (Pl.)
der Gewinn ⇔ der Verlust
Die Nachfrage steigt ⇔ sinkt
(zu etwas) gezwungen sein / jemanden zu etwas zwingen
sparen, sparsam
das Personal, reduzieren
der Wettbewerb, die Konkurrenz
der Mangel, die Arbeitskräfte
der Faktor
pleite
mittlerweile

**1** Wer macht was?

a. Die Kunden ___kaufen___ Produkte.

b. Die Industrie ______________ Produkte.

c. Die Läden ______________ Produkte.

**2** Ergänzen Sie.

a. das Produkt – ___produzieren___

b. ______________ – importieren

c. ______________ – kaufen

d. der Handel – ______________

e. ______________ – verkaufen

f. ______________ – exportieren

g. der Hersteller – ______________

**3** Was passiert in einer Krise, was passiert bei einem Boom?

kaufen weniger Produkte | produziert weniger Waren | viele Aufträge | kaum Aufträge | kaufen mehr Produkte | produziert mehr Waren

a. Die Wirtschaft ist in der Krise:

Die Menschen ___kaufen weniger Produkte___, es gibt ______________ 1, die Industrie ______________ 2.

b. Die Wirtschaft boomt:

Die Menschen ______________ 3, es gibt ______________ 4 und die Industrie ______________ 5.

**4** Wie sagt man das? Manchmal gibt es mehr als eine richtige Lösung.

a. Es gibt sehr viele potentielle Kunden. ⇨ ___Die Nachfrage___ ist groß.

b. Man verkauft Waren aus dem Inland im Ausland. ⇨ Man ______________ Waren.

c. Eine Firma gibt mehr Geld aus als sie verdient. ⇨ Eine Firma macht ______________.

d. Die Produktion ist hoch. ⇨ Es gibt ein ______________.

e. Eine Firma verdient viel mehr Geld als sie ausgibt. ⇨ Eine Firma ______________.

f. Waren aus einem anderen Land werden im Inland verkauft. ⇨ Waren werden ______________.

g. Ein Unternehmen hat kein Geld mehr. ⇨ ______________.

h. Es gibt viele Unternehmen, die ähnliche Produkte anbieten. ⇨ ______________ ist groß.

**5** Wer produziert das?

a. Obst, Gemüse, Milchprodukte, Fleisch ⇨ ___die Landwirtschaft___

b. Elektronische Geräte ⇨ ______________

c. Medikamente ⇨ ______________

d. Autos ⇨ ______________

**6** Wie heißt das Gegenteil?

a. der Boom ⇔ ______________

b. der Verlust ⇔ ______________

c. Die Nachfrage sinkt. ⇔ ______________

d. kaufen ⇔ ______________

**7** Hören Sie die Wirtschaftsnachrichten. Beantworten Sie dann die Fragen.

a. Welche Faktoren sind für die Krise der europäischen Autoindustrie verantwortlich?
- ☐ der starke Euro
- ☐ weniger Nachfrage im Inland
- ☐ mehr internationale Konkurrenz

b. Was ist richtig
- ☐ Europa führt immer mehr Autos ins Ausland aus.
- ☐ Europa führt immer mehr Autos aus dem Ausland ein.
- ☐ Die Menschen konsumieren mehr und kaufen darum keine Autos.
- ☐ Die Autoindustrie in Asien stellt immer mehr Autos her.

# WERBEN, VERKAUFEN, KAUFEN

## Etwas verkaufen:

für etwas werben / jemanden beeinflussen

| die Werbung: | Werbeargumente: |
| --- | --- |
| die Werbesendung (im Fernsehen, im Radio) | Sonderangebot (niedriger Preis) |
| der / das Prospekt / die Broschüre | die Qualität / die gute Marke / der hohe Wert |
| das Plakat | etwas ist (besonders) günstig (= billig) |
| die Werbeanzeige (z. B. in einer Zeitung, Illustrierten, im Internet) | etwas ist kostenlos (kostet nichts) |
| eine Umfrage machen, die Umfrage | etwas ist schick / chic, praktisch, … |
| | der Katalog, das Angebot, das Sonderangebot |

### Umtauschen

Die Ware ist beschädigt / kaputt.
Kann man das umtauschen?
Gibt es eine Garantie?
Wie lange gilt die Garantie?
Wird die Ware repariert?
Hier habe ich die Quittung.
Bekomme ich das Geld zurück?

beschädigt, kaputt
umtauschen, der Umtausch
reparieren, die Reparatur
die Quittung (= die Rechnung)

### Gegensätze

| | | |
| --- | --- | --- |
| der niedrige / tiefe Preis | | der hohe Preis |
| billig / günstig | ⇔ | teuer |
| gute Qualität | | schlechte Qualität |

### Etwas kaufen und bezahlen

etwas kaufen
einen Kauf / ein Gerät / ein Studium finanzieren, die Finanzierung
in ein Geschäft / in einen Laden gehen
über das Internet / über einen Katalog bestellen
eine Lieferung / eine Sendung bekommen

bar bezahlen
mit Kreditkarte bezahlen
Geld überweisen (von einem Bankkonto)

eine Sache bestellen, die Bestellung
eine Sache liefern / senden / schicken
die Lieferung, die Sendung

1 **Was passt nicht in die Reihe? Streichen Sie durch.**

a. das Plakat – die Werbesendung – das Sonderangebot – der Prospekt
b. der Laden – die Kreditkarte – das Internet – der Katalog
c. schick – günstig – kostenlos – teuer

2 **Schlechter Service: Ergänzen Sie.**

a. Kann ich das telefonisch bestellen? — Tut mir leid, wir akzeptieren nur Bestellungen über das Internet.

b. Kann ich das Geld überweisen? — Nein, leider nicht, wir akzeptieren keine ________. Sie müssen bar bezahlen.

c. Kann ich diese Uhr bitte umtauschen, sie ist kaputt! — Tut mir leid, die Ware ist leider vom ________ ausgeschlossen!

d. Können Sie die Uhr wenigstens reparieren? — Nein, tut mir leid, wir machen keine ________.

e. Das ist ja ein schlechter ________! Haben Sie schon mal davon gehört, dass der Kunde König ist?

3 **Werbung oder keine Werbung? Sortieren Sie: Womit könnte man Werbung machen, womit nicht?**

langsamer Service ~~lange Garantie~~ kostenlose Reparatur kein Umtausch möglich gute Marke hohe Preise prima Qualität schnelle Lieferung Verkauf nur bei Barzahlung gute Beratung

| Werbung | keine Werbung |
|---|---|
| lange Garantie, | |
| | |
| | |

4 **Werben und Verkaufen: Kombinieren Sie die Wörter und ergänzen Sie die Artikel der Substantive. Manchmal gibt es mehr als eine Möglichkeit.**

Sonder- Kredit- Werbe- Schau- Schluss-

Fenster Angebot Anzeige Verkauf Karte Sendung Prospekt

das Sonderangebot, ________

5 **Wie wirbt man? Ergänzen Sie.**

a. Im Fernsehen ⇨ die Werbesendung
b. In der Zeitung ⇨ ________
c. Auf der Straße ⇨ ________
d. Im Briefkasten ⇨ ________

6 **Für welche Produkte aus Deutschland, Österreich oder der Schweiz gibt es in Ihrem Land Werbung? Machen Sie eine Liste und vergleichen Sie mit einem Partner.**

7 **Werbung im Radio: Ergänzen Sie die Lücken und kontrollieren Sie mit dem Hörtext.**

________ 1 muss nicht ________ 2 sein! Überzeugen Sie sich selbst – bis zum Ende des Monats haben unsere Möbel ________ 3. Wir helfen Ihnen auch bei der ________ 4 Ihres Kaufs. Und wenn Ihnen Ihr neues Möbelstück doch nicht gefällt: Sie können es ein halbes Jahr lang ________ 5. Sie müssen nur ________ 6. Noch nicht überzeugt? Dann vielleicht jetzt: Wir ________ 7 Ihnen Ihr Möbelstück ________ 8. Wie bitte? Ja! Sie finden ________ 9 auch im Internet. Möbel Fantastico, hier sind ________ 10 Möbel ________ 11.

# 62 COMPUTER, LAPTOP, TABLET

der Computer / der Rechner /
der PC (man spricht Pe-Ce)
der Monitor / der Bildschirm
der Drucker

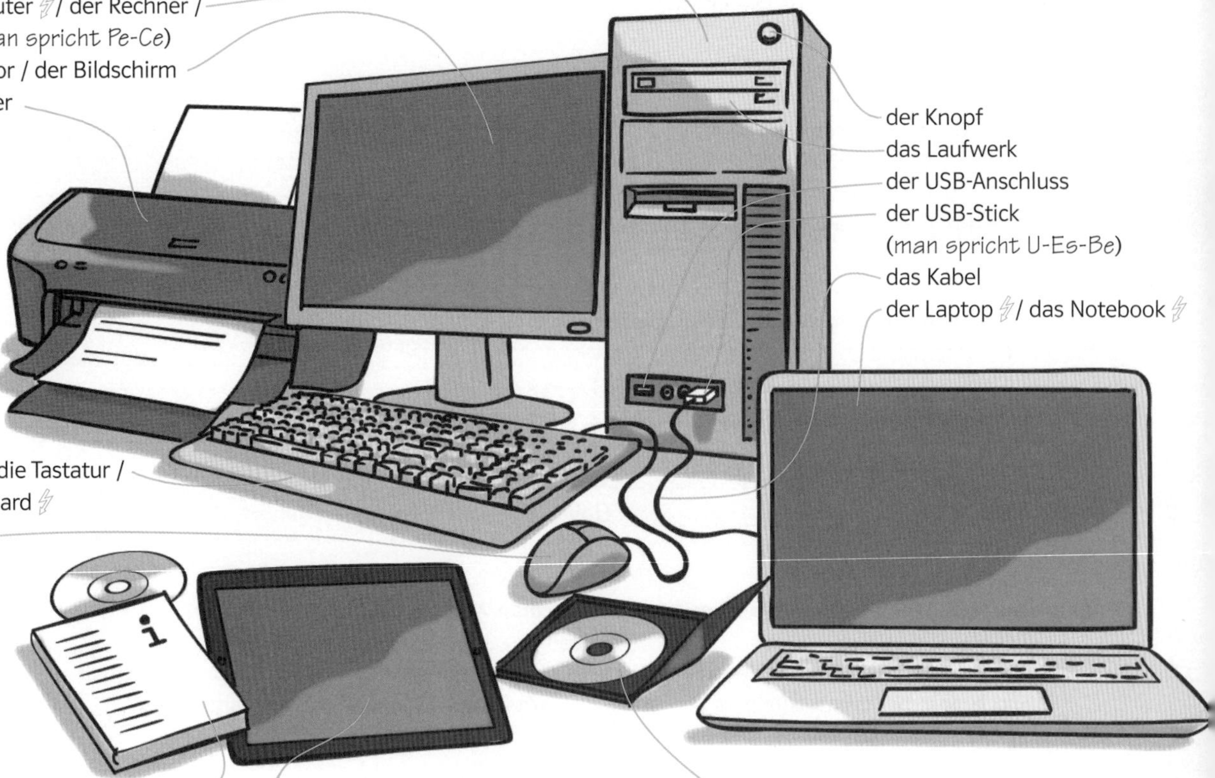

der Knopf
das Laufwerk
der USB-Anschluss
der USB-Stick
(man spricht U-Es-Be)
das Kabel
der Laptop / das Notebook

die Taste, die Tastatur /
das Keyboard
die Maus

die Bedienungsanleitung /
die Gebrauchsanweisung

das Tablet / der Tabletcomputer
der Touchscreen

die CD, die DVD
(man spricht Ce-De und De-Vau-De)

## Was ein Computer auch hat:

die Daten (elektronisch, digital)
das Dokument / die Datei
der Ordner
der Chip
der Virus

das Internet
WLAN (wireless local area network)
das Netzwerk, das soziale Netzwerk
die Plattform
der Link
der User, die ~in

die Software
das Textverarbeitungsprogramm
das Grafikprogramm
das E-Mail-Programm

## Was man mit dem Computer macht:

den Computer aufbauen
den Computer einschalten / hochfahren ⇔ ausschalten / herunterfahren
den Computer anhaben / der Computer ist an ⇔ aus

den Computer mit dem Internet verbinden
ein Programm öffnen ⇔ schließen
ein Programm anklicken, der Klick, der Doppelklick
ein Programm installieren

einen (neuen) Ordner anlegen
ein Dokument schreiben, eine Grafik erstellen

ein Dokument hochladen ⇔ herunterladen / downloaden
eine Datei / ein Dokument speichern ⇔ löschen
eine Datei kopieren
ein Dokument ausdrucken, der Ausdruck

eine E-Mail schicken, eine Anlage schicken
eine CD brennen, der CD-Brenner

1 Welche Wörter haben eine besondere Aussprache? Hören Sie zu und kreuzen Sie an.

- ☒ der Computer
- ☐ der Monitor
- ☐ WLAN
- ☐ der Laptop
- ☐ die Software
- ☐ die Tastatur
- ☐ das Programm
- ☐ die DVD
- ☐ das Tablet
- ☐ das Notebook
- ☐ die Daten
- ☐ der User

2 Was kann man anfassen? Sortieren Sie.

das Programm ~~die Tastatur~~ die Software der Monitor der Link der Chip die Maus das Dokument der Ordner die DVD die Festplatte das Terminal

| Das kann man anfassen: | Das kann man nicht anfassen: |
|---|---|
| die Tastatur, | |
| | |

3 Worauf kann man etwas speichern? Ergänzen Sie und achten Sie auf den Kasus.

auf ______________________

______________________

______________________

der Monitor die Festplatte der USB-Stick das Programm die Tastatur die CD das Laufwerk

4 Was passt zusammen? Manchmal gibt es mehrere Möglichkeiten.

~~einlegen~~ anlegen erstellen (ab)speichern öffnen hochfahren anklicken einschalten

a. die DVD einlegen
b. ein Programm ______
c. den Computer ______
d. einen Ordner ______
e. den Text ______
f. eine Grafik ______

5 Computerarbeit: Bringen Sie die Tätigkeiten in die richtige Reihenfolge.

den Computer ausschalten den Text speichern ~~den Computer einschalten~~ den Text ausdrucken das Programm öffnen einen Text schreiben eine Grafik einfügen den Text als Anlage schicken

den Computer einschalten → ______ → ______ → ______
→ ______ → ______ → ______ → ______

6 Wie wichtig ist der Computer für Sie und die anderen Kursteilnehmer? Machen Sie eine Umfrage oder beantworten Sie die Fragen selbst.

a. Wie lange sitzen Sie jeden Tag am Computer?
☐ mehr als 6 Stunden ☐ ca. 4 Stunden ☐ 0–3 Stunden

b. Was machen Sie am Computer?
☐ Texte schreiben ☐ Grafiken erstellen ☐ Tabellen und Listen ☐ für soziale Kommunikation nutzen

c. Wofür nutzen Sie den Computer vor allem?
☐ privat ☐ für die Arbeit

7 Wie füge ich eine Tabelle ein? Hören Sie und ergänzen Sie.

Zuerst ______ (1) Sie den Computer ______ (2) und klicken auf das ______ (3). Eine weiße Seite erscheint. Schreiben Sie Ihren Text. Entscheiden Sie, wo Sie Ihre Tabelle ______ (4) wollen. Nun ______ (5) Sie oben auf „Einfügen" und dann wählen Sie „Tabelle", danach „Tabelle einfügen". ______ (6) Sie die Tabelle mit den Informationen, die sie zeigen soll. ______ (7) Sie das Dokument auf Ihrer ______ (8) oder auf einem ______ (9). Sie können die ______ (10) natürlich auch als ______ (11) in einer ______ (12) verschicken.

# BRIEFE UND E-MAILS

## Persönliche E-Mail

An: claudia1502@t-mail.de
Betreff: Wie lief's?

Hallo Claudia,

danke für deine Mail aus Stuttgart. Wie ist das Treffen mit deiner Familie gelaufen? Wie lange bleibst du? Ruf mich an, wenn du hier ankommst, ich hol dich ab.

Alles Liebe und bis bald
Jan

Liebe Claudia, … / Lieber Jan, … / Hallo Ulla, …
Hi Klaus, … (ugs.)
Lieber Herr Maier, … / Liebe Frau Maier, …

Wie geht es dir? / Wie geht es Ihnen?
Ich habe schon lange nichts mehr von dir / von Ihnen gehört.
Jetzt habe ich endlich Zeit, dir / Ihnen zu antworten.
Vielen Dank für die / Ihre Rückmeldung / Nachricht.

Herzliche Grüße / Herzlich / Bis bald
(dein) Hans / (deine) Claudia
(Ihr) Peter Müller / (Ihre) Petra Müller

LG (= Liebe Grüße)
Mfg (= Mit freundlichen Grüßen)
Hdl (= Hab dich lieb)
Hdgdl (= Hab dich ganz doll lieb)

## Offizieller Brief

SMV-Versicherung ▪ Ruhrallee 92 ▪ 44139 Dortmund
Tel. (0231) 9192001 ▪ Fax (0231) 9191701 ▪ E-Mail: SMV@mail.de

Herrn
Theodor Lusewitz
Joachimstaler Str. 35
D-10719 Berlin

23.09.2015

Ihr Schreiben vom 14.9.2015

Sehr geehrter Herr Lusewitz,

vielen Dank für Ihre Anfrage vom 14.9.2015. Hierzu können wir Ihnen mitteilen, dass …

Bitte schicken Sie uns noch folgende Unterlagen: …

Mit freundlichen Grüßen

A. Schmidt
(A. Schmidt, Sachbearbeiter)

der Absender, die ~in
der Empfänger, die ~in
die Adresse
das Datum
das Thema des Briefes
die Anrede
der Gruß
die Unterschrift

**Das sagt man oft:**
Ich muss noch meine Mails lesen / checken ϟ.

Sehr geehrter Herr …, / Sehr geehrte Frau …,
Sehr geehrte Damen und Herren, …
Mit Bezug auf Ihr Schreiben / Ihre Anzeige / Ihren Anruf / Ihre E-Mail …
Außerdem / Weiterhin wollte ich Ihnen mitteilen, dass …
Mit freundlichen / besten Grüßen …

das Schreiben, der Brief
schreiben, tippen
das Fax, faxen

die Anfrage, die Anzeige, der Anruf, die Mahnung, der Leserbrief
die Unterlagen (Pl.)
die Kopie, der Kopierer

die / das E-Mail ϟ / Mail ϟ
die E-Mail-Adresse (name@anbieter.de, @ = at ϟ [æt])
mailen, die Mailbox
die SMS / das SMS (CH) (= Textnachricht)
Twitter, twittern

der Sachbearbeiter, die ~in

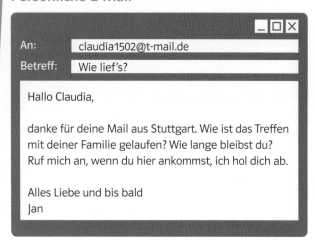

**1** Wie schreibt man das?

a. der Gru ß

b. die Adre____e

c. Her____liche Grü____e

d. L____ber Herr Krause,

e. Sehr g______rte Damen und Herren,

f. Wie geht es ____hnen?

**2** Wann schreibt man was? Finden Sie alle Ausdrücke auf der linken Seite, die zu den Überschriften passen.

| Anredeformeln | So kann man mit dem Text anfangen | Abschiedsformeln |
|---|---|---|
| | vielen Dank für Ihre Anfrage | |
| | | |
| | | |
| | | |
| | | |

**3** Wie sagt man dazu?

a. Diese Person hat den Brief geschrieben: ⇨ der Absender

b. Hierhin schickt man den Brief: ⇨ ____________

c. Diese Person bekommt den Brief: ⇨ ____________

d. Das braucht man, um eine E-Mail zu schicken: ⇨ ____________

**4** Persönlich oder offiziell: Sortieren Sie die Ausdrücke und finden Sie die richtige Reihenfolge. Setzen Sie Satzzeichen.

Herzlich — Mit freundlichen Grüßen — vielen Dank für deine nette Postkarte aus Freiburg — mit freundlichen Grüßen — ich würde gerne einen Französischkurs machen — ~~Lieber Thomas~~ — Mir geht es gut, aber ich habe nicht viel Zeit — Sehr geehrte Damen und Herren — deine Sabine — Vielen Dank im Voraus — Könnten Sie mir Informationsmaterial zu Ihrem Kursangebot und den Kurspreisen zuschicken — Ich rufe dich bald mal an — Ich habe mich sehr darüber gefreut — Simon Grandi

| persönlicher Brief | offizieller Brief |
|---|---|
| Lieber Thomas, | |
| … | … |

**5** Ihr Freund Peter hat Sie eingeladen, ihn in Hamburg zu besuchen. Schreiben Sie eine kurze E-Mail.

a. Schreiben Sie die Anrede:

____________

b. Bedanken Sie sich für Peters E-Mail und die Einladung:

____________

c. Sagen Sie, dass Sie ihn gerne besuchen möchten:

____________

d. Leider haben Sie aber sehr viel Arbeit:

____________

e. Vielleicht können Sie ihn in zwei, drei Monaten besuchen:

____________

f. Sie hoffen, ihn bald wiederzusehen:

____________

g. Schreiben Sie einen Abschiedsgruß und Ihren Namen:

____________

# ZEITUNG UND INTERNET

MOSSBACHER ZEITUNG
Ausgabe 1
Samstag, 14. März 2015
Die Stadt baut das neue Stadion
Bürgermeister: Das hilft dem Sport in unserer Gemeinde
Das neue Stadion wird gebaut. Das sagte der Bürgermeister Meier auf der gestrigen Pressekonferenz ...
TAXI
HIEBELE
Wir bringen Sie sicher ans Ziel.
Rufen Sie an:
30333
44004
Bürgermeister Meier auf der Pressekonferenz ©dpa
die Überschrift / die Schlagzeile
das Foto
der Artikel / der Zeitungsartikel
die Anzeige
die Reklame / die Werbung

## Zeitung und Zeitschriften

die Zeitung, die Tageszeitung, die Wochenzeitung
eine Zeitung kaufen, lesen
eine Zeitung abonnieren, das Abo / das Abonnement

die Nachricht, die Zeitungsnachricht, die Meldung,
die Sondermeldung
die Neuigkeit (neue Information zu Politik, Wirtschaft, Sport etc.)
aktuell

die Zeitschrift, das Magazin, die Illustrierte (erscheint einmal pro Woche / Monat)

der Journalist, die ~in, der Reporter, die ~in
die Recherche
das Ereignis, sich ereignen
die Pressekonferenz, die Konferenz, die Presse
die Öffentlichkeit
das Interview

die Medien, die Printmedien (Pl.) (gedruckte Zeitungen) ⇔ Zeitung online (im Internet)
der Newsletter
sich informieren

## Das Internet

die Internetadresse / die URL
die Internetseite
die E-Mail-Adresse
http://www.mossbacherzeitung.de
Anmelden
E-Paper | Abo | Service | Datenschutz
SAMSTAG
14. MÄRZ 2015
MOSSBACHER ZEITUNG
www.mossbacherzeitung.de
HOME | POLITIK | SPORT | KULTUR | WIRTSCHAFT | UNTERHALTUNG | RÄTSEL | MEDIEN
| AKTUELLE ARTIKEL | PRIVATE ANZEIGEN | WICHTIGE LINKS | KONTAKT |
Fragen? Probleme?
Mailen Sie uns:
info@mossbacherzeitung.de
TAXI
HIEBELE
Wir bringen Sie sicher ans Ziel.
Rufen Sie an:
30333
44004

das Internet / das Netz / das Web (das World Wide Web / www)
weltweit
der / das Link
virtuell

die Homepage / die Startseite
das Portal (Sammlung von Informationen und Links)
das Internetforum, das Forum
der Zugang (zum Internet)

## Das macht man:

im Internet surfen
googeln
auf einen Link klicken / einen Link anklicken
auf eine Homepage gehen / ein Homepage besuchen ⇔ verlassen
twittern
chatten, der Chat(room)
bloggen, der Blog
liken

**Das sagt man oft:**
Das habe ich über Twitter erfahren.
Das muss ich mal googeln.

**1** Da stimmt etwas nicht: Wie heißen die Wörter richtig?

a. die Nachricht
b. ____________
c. ____________
d. ____________
e. ____________
f. ____________

~~die Nachschrift~~
die Pressekeit
die Überkonferenz
der Schlagartikel
die Zeitung~~sricht~~
die Öffentlichzeile

**2** Welche Wörter haben eine besondere Aussprache? Hören Sie zu und kreuzen Sie an.

a. surfen ☐
b. der Link ☐
c. das Web ☐
d. das Portal ☐
e. das Interview ☐
f. mailen ☐
g. der Journalist ☐
h. klicken ☐
i. der Blog ☐
j. chatten ☐

**3** Wie sagt man dazu?

a. Ein Politiker redet mit vielen Journalisten und Journalistinnen: die Pressekonferenz
b. Diese Person macht Interviews und schreibt für eine Zeitung: ____________
c. Darauf muss man klicken, um auf eine neue Webseite zu kommen: ____________
d. Ein konkreter Text in einer Zeitung: ____________
e. Hier will jemand etwas verkaufen: ____________
f. Das steht über jedem Artikel: ____________

**4** Was gehört zusammen? Verbinden Sie.

| | |
|---|---|
| a. auf einen Link | lesen |
| b. einen Blog | mailen |
| c. jemandem | öffnen |
| d. die Homepage der Zeitung | klicken |

**5** Was für ein Zeitungsleser / eine Zeitungsleserin sind Sie? Beantworten Sie die folgenden Fragen und machen Sie dann ein Interview mit einem Partner.

Wie oft in der Woche lesen Sie eine Zeitung?
☐ ein- bis zweimal ☐ fast jeden Tag ☐ nie

Welche Art von Zeitung lesen Sie?
☐ gedruckte Zeitung ☐ Online-Nachrichten

Wo informieren Sie sich sonst über Neuigkeiten?
☐ Radio ☐ ____________

Wo lesen Sie Zeitung?
☐ beim Frühstück ☐ im Bus / in der U-Bahn ☐ auf der Arbeit ☐ im Internet

Womit fangen Sie an, wenn Sie Zeitung lesen?
☐ mit Kulturnachrichten ☐ mit den Sportnachrichten ☐ mit Politik ☐ mit dem Wirtschaftsteil

Schreiben Sie Kommentare / Diskussionsbeiträge in der Online-Ausgabe Ihrer Zeitung?
☐ nein ☐ ja Zu welchen Themen? ____________

Das ärgert mich am meisten an meiner Zeitung: ____________

Das finde ich am besten an meiner Zeitung: ____________

# FERNSEHEN UND RADIO

„Kann ich bitte umschalten? Auf dem dritten Programm kommt jetzt ein guter Film."
der Fernseher / das TV
der DVD-Recorder
die Fernbedienung
die DVD
der Lautsprecher
„Gleich, die Nachrichten sind noch nicht zu Ende."

## Fernsehen

(den Fernseher) anschalten / einschalten → ein Programm auswählen → eine Sendung sehen / anschauen → umschalten (auf einen anderen Sender) → abschalten / ausschalten

das Programm: der Sender (z. B. „Erstes Programm"), der Kanal, der digitale Kanal
die Sendung (z. B. eine Musiksendung)

der Fernseher / der Fernsehapparat / das TV, fernsehen
der Bildschirm, der Flachbildschirm, flach
das Digitalfernsehen, fernsehen online ⚡, der Livestream ⚡
die Mediathek, einen Film in der Mediathek ansehen

eine Sendung aufnehmen
einen Sender empfangen, der Empfang
bedienen, die Fernbedienung
die Technologie

**Fernsehsendungen**

der Film: der Fernsehfilm, der Krimi, der Dokumentarfilm, die TV-Komödie

die Comedyshow ⚡
die Talkshow ⚡
die Kindersendung

die Nachrichtensendung / die Nachrichten
die Reportage ⚡
das Magazin

die Musiksendung
die Unterhaltungssendung
die Quizsendung / das Quiz ⚡
die Sportschau

die Serie
die Lieblingssendung (Lieblings-)
der Spot ⚡, der Werbespot

**Menschen im Fernsehen und was sie tun**

der Nachrichtensprecher, die ~in
berichten
ansagen, die Ansage, die Fernsehansage

der Moderator, die ~in
leiten, ein Gespräch / eine Diskussion leiten
die Runde, die Gesprächsrunde

**Das sagt man oft:**
Schalt bitte mal die Nachrichten an.
Schauen wir gleich den Film im Ersten an?
Gleich kommt ein guter Film im Fernsehen – nimmst du ihn bitte auf?
Wir haben Kabelfernsehen, da ist der Empfang sehr gut.

**Radio hören**
das Radio (*auch*: der Rundfunk), der Radiosender (z. B. der Südwestfunk)
das Netzradio
das Radio anschalten ⇔ ausschalten
Radio hören, eine (Radio-)Sendung hören
der Hörer, die ~in, der Zuhörer, die ~in
die Verkehrsnachrichten („… zwanzig Kilometer Stau auf der A1 …")

**1** Sortieren Sie die Substantive nach ihrem Artikel.

~~Fernseher~~ Radio Sendung Kanal Fernsehsender TV Radiosender Fernsehen Nachricht Programm Fernbedienung Film

**der** Fernseher

**die** ___

**das** ___

**2** Formulieren Sie zwei Regeln.

a. Substantive mit der Endung -er haben häufig den Artikel ___

b. Substantive mit der Endung -ung haben immer den Artikel ___

**3** Was passt? Ergänzen Sie.

a. Du sollst nicht so viel fernsehen, kannst du den Fernseher bitte jetzt ausschalten / abschalten ?

b. Heute Abend kommt eine gute Sendung über Südafrika, die will ich unbedingt ___.

c. Wenn Heiner Fußball schaut, versteht er keinen Spaß. Da kann man nicht einfach ___, auch wenn auf dem anderen Programm ein guter Film kommt.

d. Kannst du bitte das Radio ___, es kommen gleich Nachrichten.

e. Wenn du den Film im Fernsehen verpasst hast, kannst du ihn ja online in der Mediathek ___.

**4** Welche Verben passen zu den Substantiven? Achtung: Manche Verben passen gar nicht.

zunehmen empfangen ausgehen sehen aufnehmen abnehmen ansehen spielen zusehen auswählen anschalten zuschauen hören ausschalten leiten berichten

a. (das) Radio anschalten,

b. den Fernseher ___

c. einen Film ___

**5** Machen Sie eine Umfrage im Kurs oder fragen Sie einen Partner.

a. Wie oft sehen Sie in der Woche fern?
☐ eine Stunde ☐ drei Stunden ☐ sechs Stunden oder mehr ☐ gar nicht

b. Wie sehen Sie fern?
☐ online ☐ in der Mediathek ☐ traditionell am Fernseher

c. Was sehen Sie am liebsten?
☐ Nachrichten ☐ Sport ☐ Krimis ☐ Serien

d. Wann sehen Sie meistens fern?
☐ morgens ☐ am Nachmittag ☐ abends / nachts ☐ nur am Wochenende

e. Wo steht bei Ihnen der Fernseher?
☐ in der Küche ☐ im Wohnzimmer ☐ im Schlafzimmer ☐ ___

f. Was glauben Sie: Fernsehen …
☐ macht dumm ☐ macht intelligent ☐ ist wichtig für aktuelle Informationen
☐ ist unterhaltsam ☐ lügt

**6** Was ist die Deutsche Welle? Hören Sie und ergänzen Sie.

Die Deutsche Welle ist der Auslands_____ (1) der Bundesrepublik Deutschland. Der Hauptsitz des _____ (2) ist Bonn. Die Deutsche Welle _____ (3) in 30 Sprachen; sie bietet _____ (4), _____ (5) und Internet an. Die Deutsche Welle ging zum ersten Mal 1953 auf _____ (6). Das _____ (7) der Deutschen Welle kann man nur im Ausland _____ (8). Es gibt zahlreiche Interviews, die in Deutsch, Englisch und Spanisch _____ (9) werden, außerdem viele _____ (10)-Beiträge. _____ (11) gibt es bei der Deutschen Welle nicht.

# 66 TELEFONGESPRÄCHE

## Anruf in einer Firma

„Elektrofirma Blitz, Tschorau am Apparat."
„Ja, guten Tag, mein Name ist Seel. Ist Herr Dagel da?"
„Herr Dagel ist leider nicht da. Kann ich ihm etwas ausrichten?"
„Ich habe ein Problem mit meinem Fernseher und wollte fragen, ob Sie das reparieren können."
der Telefonhörer

**!** Angestellte einer Firma melden sich häufig mit dem Firmennamen.

**Das sagt man oft:**
Hier spricht … / Hier ist …
Einen Moment / Einen Augenblick, bitte. Ich verbinde.
Guten Tag, ist Herr / Frau … da?
Leider nein, kann ich etwas ausrichten?
Nein, danke, ich rufe später wieder an.

den Hörer abnehmen ⇔ auflegen
das Handy / das Telefon läutet / klingelt
der Klingelton
ans Telefon gehen, das Telefongespräch, der Anruf
der Anrufer, die ~in
einen Anruf erwarten
jemanden anrufen, mit jemandem telefonieren
eine Nachricht hinterlassen
skypen, per Skype telefonieren
die Verbindung, verbinden
die Störung, stören
häufig

**Das passiert oft:**
Die Leitung ist besetzt / belegt. (Jemand telefoniert gerade.)
Ich habe kein Netz (beim Handy).

**!** Man meldet sich meistens mit dem Familiennamen, manchmal auch mit „Hallo?".

**Das sagt man oft:**
Kann ich bitte (mit) … sprechen? Einen Moment, bitte!
Wer ist am Telefon?
Also dann, ich muss jetzt Schluss machen / aufhören.
Ja, dann – bis bald! Alles klar, bis bald!
Schön, dass du angerufen hast.
Danke für deinen Anruf!
Entschuldigen Sie bitte die Störung. Ich hoffe, ich störe nicht.
Ich kann Sie kaum hören, die Verbindung ist nicht gut.
Er hat schon wieder aufgelegt. (Er hat den Hörer aufgelegt.)

**Apparate und Geräte**
das Telefon, das Festnetz
der Anrufbeantworter
die Telefonzelle, das Münztelefon
das Handy / das Mobiltelefon, das Smartphone
die Mailbox, die Mobilbox
mobil
die SMS / das SMS (CH) (man spricht Es-Em-Es)
die App, das Navi
der Akku (der Akkumulator), die Batterie
die SIM-Karte

Telefonnummern findet man im Telefonbuch (das Telefonbuch), bei der Auskunft (die Auskunft) oder im Internet.

**1** **„Telefonwörter": Sammeln Sie alle Wörter auf der linken Seite, in denen die Wörter „Telefon" und „-phone" vorkommen.**

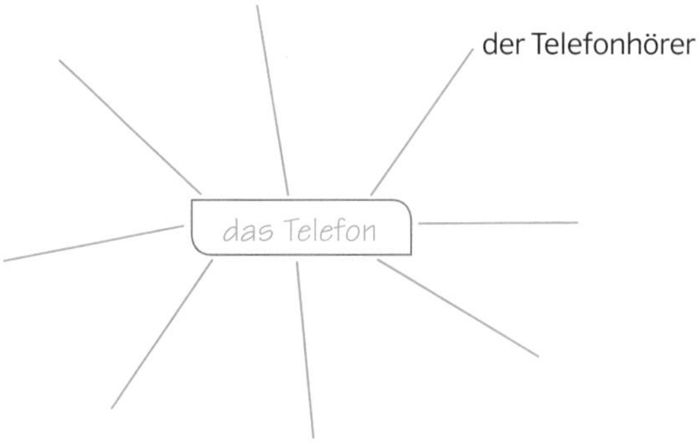


**2** **Wie sagt man das? Unterstreichen Sie das passende Wort.**

a. Leider hab' ich grad keine Zeit. Kannst du mich morgen wieder — abrufen – zurufen – anrufen – abheben.
b. Einen Moment bitte, ich … — befinde – verbinde – verbringe … Sie gleich mit dem Chef!
c. Ich habe immer wieder angerufen, aber die Leitung war immer — verlegt – entsetzt – besetzt – gelegt.
d. Ich wollte noch was sagen, aber da hat er schon — aufgeregt – aufgelegt – angelegt – aufgeführt.
e. Entschuldigen Sie bitte — meine Störung – die Störung – das Stören – der Störung.

**3** **Wie kann man noch sagen?**

a. Ich muss jetzt Schluss machen / aufhören.
b. Die Leitung ist belegt / ________.
c. Das Telefon läutet / ________.
d. Guten Tag, hier ist / ________ …
e. Hast du auch ein Mobiltelefon / ________?
f. Einen Augenblick / ________, ich verbinde.

**4** **Wann sagen Sie das? Verbinden Sie.**

| | |
|---|---|
| a. „Müller." (Ihr Familienname) | Sie rufen bei einer Firma an. |
| b. „Ja, also dann, ich glaube, ich muss jetzt Schluss machen." | Das Telefon klingelt, Sie heben ab. |
| c. „Einen Moment bitte!" | Sie rufen jemanden an, eine andere Person meldet sich. |
| d. „Guten Tag, hier spricht …" | Sie können den anderen nicht hören. |
| e. „Kann ich bitte … sprechen?" | Sie bitten jemanden zu warten. |
| f. „Ich habe kaum Netz / kein Netz." | Sie wollen das Telefongespräch beenden. |

**5** **Ein Anruf bei der Freundin. Ergänzen Sie die fehlenden Wörter und kontrollieren Sie mit dem Hörtext.**

Renate: „Guten Abend, hier ________ (1) Renate. Ich hoffe, ich ________ (2) nicht. Kann ich bitte Doris ________ (3)?"

Bernd: „Hallo, Renate. Wie geht's? Einen ________ (4) bitte, ich rufe Doris."

Doris: „Hi Renate. Schön, dass du ________ (5), aber ich habe leider ________ (6) keine Zeit. Könntest du mich morgen auf meinem ________ (7) anrufen? Oder schreib mir einfach eine ________ (8)."

Renate: „Alles klar, ________ (9) morgen dann. – Oh, sie hat schon ________ (10)!"

# 67 VERWALTUNG UND AMT

FUNDBÜRO
Bitte einzeln eintreten
Ziehen Sie bitte eine Wartenummer.
„Hier muss man ja ewig warten. Sind Sie bald an der Reihe?“
„Ich hoffe es. Ich hab mein Portemonnaie verloren, vielleicht ist es auch gestohlen worden. Hoffentlich klärt sich das möglichst bald!“

die Wartenummer
(schon ewig) warten
an der Reihe sein, die Reihe
etwas klärt sich bald, sich klären
hoffentlich
möglichst

das Portemonnaie / die Brieftasche / die Geldbörse (A)
etwas verlieren (ich habe etwas verloren) ⇔ etwas finden
(ich habe etwas gefunden, der Fund, das Fundbüro)
etwas abgeben, nachfragen, abholen

## Das Fundbüro

man hat etwas verloren → jemand hat es gefunden und beim Fundbüro abgegeben → man fragt beim Fundbüro nach und holt es ab

das Visum
etwas [Akk.] verlängern, die Verlängerung
eine Aufenthaltsgenehmigung / Arbeitsgenehmigung
beantragen / bekommen / verlängern
die Genehmigung, die Erlaubnis, etwas ist erlaubt

## Die Ausländerbehörde

ein Visum beantragen → ein Visum bekommen → das Visum läuft ab → das Visum verlängern

## Das sagt / hört / liest man oft auf dem Amt / bei der Behörde:

Das genehmigen wir. ⇔ Das können wir nicht genehmigen.
Es gibt eine (Gesetzes-) Änderung.
Das ist die Vorschrift. (die Vorschrift, etwas vorschreiben)
Bitte stellen Sie sich am Schalter an. (sich an einem Schalter / vor einem Zimmer anstellen, der Schalter)
Bitte einzeln eintreten. Wer ist der Nächste / die Nächste?
Wer ist an der Reihe?
Sie sind von den Gebühren befreit. (befreit sein von einer Sache)
Sie haben einen Strafzettel bekommen. Sie müssen die Strafe bezahlen. (die Strafe, der Zettel, der Strafzettel)
Ich bin total erleichtert – mein Antrag wurde bewilligt! (erleichtert sein)
Wir müssen einen neuen Termin festsetzen / vereinbaren. (etwas festsetzen / vereinbaren)
Sie müssen zusätzlich das Original / das originale Zeugnis vorlegen. (zusätzlich, das Original, original)
Es ist dringend. Es eilt! (dringend, eilen)
Darum kümmern wir uns selbstverständlich. (selbstverständlich)
Sie bekommen eine vorläufige Bescheinigung. (vorläufig)
Stempel der städtischen Schulbehörde (städtisch, der Stempel)

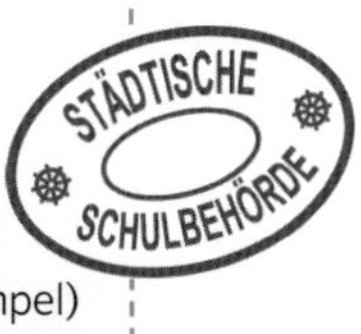
STÄDTISCHE
SCHULBEHÖRDE

## Der Zoll

„So, die Pässe bitte! Und haben Sie etwas zu verzollen?“
GRENZKONTROLLE
„Nein, nichts.“
„In Ordnung. Gute Weiterreise!“

die Einreise, einreisen
die Grenze / die Staatsgrenze, der Grenzbeamte, die Grenzbeamtin
der Pass / der Reisepass
der Ausweis / der Personalausweis
der Zoll, etwas verzollen, der Zollbeamte, die Zollbeamtin
die Reise, die Weiterreise

**1** Wie heißen die Substantive? Ergänzen Sie.

a. einreisen ⇔ die Einreise

b. (etwas) erlauben ⇔ ____________________

c. (etwas) verlängern ⇔ ____________________

d. ausreisen ⇔ ____________________

e. (etwas) vorschreiben ⇔ ____________________

**2** Kombinieren Sie. Manchmal gibt es mehrere Möglichkeiten.

ein- be- ver- nach- aus- ab-

-zollen -reisen -laufen -längern -fragen -kommen -antragen -freien

einreisen, ____________________

____________________

**3** Sortieren Sie die Substantive nach dem Artikel.

Aufenthaltserlaubnis Änderung Arbeitsgenehmigung Portemonnaie Reise ~~Pass~~ Grenze Ausreise Brieftasche Verlängerung Zoll Visum

**der** Pass, ____________________

**das** ____________________

**die** ____________________

**4** Ergänzen Sie die Regeln.

a. Substantive mit der Endung -ung haben immer den Artikel ____________________.

b. Substantive mit der Endung -e haben meistens den Artikel ____________________.

**5** Was stimmt? Unterstreichen Sie die passenden Ausdrücke.

a. Mein Visum ist noch 2 Monate valide – möglich – gültig – üblich.
b. An der Grenze muss man seinen Pass geben – nehmen – halten – zeigen.
c. Ich habe ein Visum beantragt, aber leider habe ich es nicht genommen – bekommen – gekommen.
d. „Ich glaube Sie sind der Nächste!" – „Nein, ich bin noch nicht in der Reihe – an der Reihe – mit der Reihe.

**6** Auf dem Amt: Hören Sie und ergänzen Sie den Dialog.

„So, wer ____________________ 1?"

„Ich, ich bin ____________________ 2!"

„Haben Sie schon eine ____________________ 3 gezogen?"

„Nein, aber ich ____________________ 4!"

„Das tut mir leid, aber dann ____________________ 5!"

„Aber ich habe einen ____________________ 6!"

„Ah, alles klar, dann können Sie ____________________ 7 hereinkommen!"

**7** An der Grenze: Sortieren Sie die Dialogteile.

„Nein." „Danke sehr." „Na dann – gute Fahrt!" ~~„Guten Tag, die Ausweise bitte."~~ „Haben Sie etwas zu verzollen?" „Einen Moment – hier bitte."

„Guten Tag, die Ausweise bitte!"

____________________

____________________

____________________

# STADT, KREIS, BUNDESLAND

A - H
die Nummer
eine Nummer ziehen
das Formular
ein Formular ausfüllen
„Ja, hier sind Sie richtig. Füllen Sie bitte dieses Formular hier aus!“
„Guten Morgen, ich bin umgezogen und möchte mich anmelden. Bin ich hier richtig?“

## Auf dem (Einwohner-)Meldeamt

das (Einwohner-)Meldeamt / das Ordnungsamt / die Einwohnerkontrolle (CH)
umziehen, der Umzug
sich anmelden, die Anmeldung

**!** Die staatlichen Institutionen und ihre Namen sind in Deutschland, Österreich und der Schweiz oft verschieden, teilweise auch innerhalb eines Landes. Hier finden Sie nur eine Auswahl.

## Vom Dorf zur Stadt zum (Bundes-)Land / Kanton

| | | |
|---|---|---|
| das Dorf / die Gemeinde | die Gemeindeverwaltung | der Bürgermeister / die ~in<br>der Ammann / die Ammännin (CH) |
| die Stadt | das Rathaus | der Bürgermeister / die ~in<br>der Stadtpräsident / die ~in (CH) |
| der (Land-)Kreis | das Landratsamt | der Landrat /die Landrätin |
| das Bundesland (D, A) | die Landesregierung | der Ministerpräsident (D), die ~in<br>der Landeshauptmann, die ~frau (A) |
| der Kanton (CH) | der Kantonsrat | der Kantonsratspräsident / die ~in (CH) |

## Welches Amt wofür?

**das Meldeamt:** sich polizeilich anmelden ⇔ abmelden, sich ummelden
**das Standesamt:** heiraten, eine Geburtsurkunde beantragen
**die Kfz-Zulassungsstelle:** ein Auto anmelden (das Kfz = das Kraftfahrzeug)
**das Finanzamt:** die Steuern bezahlen

**die Steuer**
die Kfz-Steuer
die Einkommenssteuer
die Mehrwertsteuer

## Das sagt / hört man oft:

Das Dorf ist echt klein, es hat nur 160 Einwohner. (der Einwohner/ die ~in)
Hannover ist die Hauptstadt von Niedersachsen. (die Hauptstadt)
Berlin ist eine echte Metropole. (die Metropole)
Ich gehe nachher ins Rathaus, die Urkunde abholen. (die Urkunde)
Haben Sie schon das Formular ausgefüllt? (das Formular)
Haben Sie schon Ihren Antrag auf Verlängerung des Visums gestellt? (das Visum)

**1** Was gehört wohin? Sortieren Sie. Manche Ausdrücke passen mehrmals.

der Landtag ~~das Rathaus~~ die Gemeindeverwaltung der Ministerpräsident das Landratsamt der Ammann die Landrätin die Bürgermeisterin

| das Dorf | die Stadt | der Landkreis | das Bundesland |
|---|---|---|---|
| | das Rathaus | | |
| | | | |
| | | | |

**2** Wohin müssen Sie? Ergänzen Sie.

a. Sie haben ein Auto gekauft und wollen es anmelden. Sie müssen zur Kfz-Zulassungsstelle gehen.

b. Sie haben ein Kind bekommen und brauchen eine Geburtsurkunde. Sie müssen auf das ______ gehen.

c. Sie sind umgezogen und wollen sich anmelden. Sie müssen auf das ______ gehen.

d. Und jetzt wollen Sie heiraten, herzlichen Glückwunsch! Dazu müssen Sie auf das ______ gehen.

**3** Wie sagen die Bürokraten korrekt? Unterstreichen Sie.

a. Sie wollen sich polizeilich anmelden:
Dann müssen Sie erst einmal dieses Formular hier füllen – einfüllen – abfüllen – ausfüllen.

b. Sie wollen einen neuen Pass:
Da müssen Sie erst einen Antrag machen – geben – stellen – schreiben.

c. Sie haben ein neues Auto gekauft:
Das müssen Sie sofort melden – anmelden – vormelden.

**4** Was passt nicht? Streichen Sie durch.

a. das Meldeamt – das Standesamt – das Bundesland – die Kfz-Zulassungsstelle
b. der Landrat – der Einwohner – der Ministerpräsident – der Bürgermeister
c. das Rathaus – der Landkreis – das Landratsamt – die Gemeindeverwaltung

**5** Erteilen Sie Ratschläge: Spielen Sie diesen Dialog mit einem Partner oder schreiben Sie ihn auf.

a. Ich habe ein Auto gekauft. Was muss ich tun?

Sie müssen ______

b. Ich ziehe um. Was muss ich tun?

______

c. Wir haben ein Kind bekommen. Muss ich außer Windeln wechseln noch was tun?

______

**6** Hören Sie den Dialog und tragen Sie die fehlenden Wörter ein.

„Wann ______ 1 ihr eigentlich ______ 2? Und wo ______ 3 ihr ______ 4?"

„Wir sind schon ______ 5, in ein kleines Dorf in der Nähe von Hannover, vor zwei Wochen! Das ist auch jede Menge Bürokratie. Überall heißt es: „______ 6 Sie bitte erstmal dieses ______ 7, ______ 8 Sie sich polizeilich ______ 9, ______ 10 Sie bitte morgen die Unterlagen ______ 11 … Wir kommen kaum zum Auspacken!"

„Das glaube ich. Sind die Leute in der ______ 12 denn freundlich?"

„Ja, das ist ein Vorteil in einem so ______ 13, da kennt man sich und es ist sehr persönlich."

# STAAT UND POLITISCHE INSTITUTIONEN

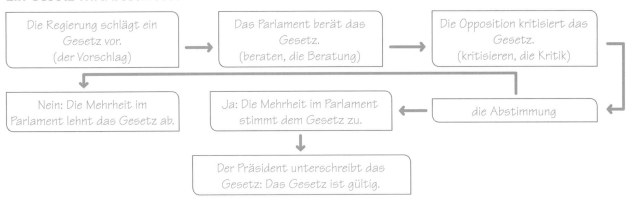

der Bundeskanzler, die ~in / der Kanzler, die ~in
der Minister, die ~in
der Bundespräsident, ~in
die Regierung, regieren
der Bundestag

Gruppenbild mit der Kanzlerin: Nach der Wahl stellte die Kanzlerin ihre neue Regierung vor. Neu dabei sind Außenminister Müller, Innenministerin Schmidt und Wirtschaftsminister Köhler.

## Das politische System der Bundesrepublik Deutschland

Das Volk wählt … Die Bürger wählen … → … den Bundestag. (= das nationale Parlament) → Der Bundestag wählt … Die Abgeordneten wählen … → … den Bundeskanzler / die Bundeskanzlerin. → Der Kanzler wählt die Minister aus. → Der Bundespräsident ernennt die Regierung.

**das Volk, der Bürger, die ~in**

**jemanden wählen, die Wahl**

**jemanden ernennen (= jemandem ein Amt geben)**

! In Österreich und der Schweiz heißt das Parlament „Nationalrat". In der Schweiz gibt es keinen Bundeskanzler, der Präsident leitet die Regierung.
Schweizerische Eidgenossenschaft: Offizieller Name der Schweiz („CH" = Confoederatio Helvetica)
Republik Österreich: Offizieller Name Österreichs („A" = Austria)
Bundesrepublik Deutschland: Offizieller Name Deutschlands („D")

## Ein Gesetz wird beschlossen

Die Regierung schlägt ein Gesetz vor. (der Vorschlag) → Das Parlament berät das Gesetz. (beraten, die Beratung) → Die Opposition kritisiert das Gesetz. (kritisieren, die Kritik) → die Abstimmung

→ Nein: Die Mehrheit im Parlament lehnt das Gesetz ab.

→ Ja: Die Mehrheit im Parlament stimmt dem Gesetz zu. → Der Präsident unterschreibt das Gesetz: Das Gesetz ist gültig.

D, A: der Bundesrat = die Vertretung der Länder
A: der Bundesrat / die Bundesrätin: Mitglied des Bundesrats
CH: der Bundesrat = die Regierung, der Bundesrat / die Bundesrätin: Mitglied des Bundesrats
der Ständerat = die Vertretung der Kantone

der Staat
das System
die Demokratie

der Bundestag, der / die Abgeordnete
die (Wirtschafts- / Außen- …) Politik

das Gesetz, ein Gesetz beraten, einem Gesetz zustimmen
ein Gesetz unterschreiben / ein Gesetz beschließen ⇔ ein Gesetz ablehnen
die Reform, endgültig, die Entscheidung

die (geheime / öffentliche) Wahl, wählen
eine Wahl gewinnen, sich (bei der Wahl) enthalten (= keine Stimme abgeben)
der Wahlsieger, die ~in, siegen, der Sieger, die ~in, der Sieg

die Monarchie
der König, die ~in

die Republik
der Präsident, die ~in

1 **Wie heißen die Minister?**

a. Verhandelt mit anderen Staaten: ______

b. Kümmert sich um die Industrie, den Handel usw.: ______

c. Ist für die Polizei und die Ordnung im Land verantwortlich: ______

2 **Welche Funktionen haben diese Personen und Institutionen in Deutschland? Manche haben mehr als eine Funktion.**

wählt den Bundeskanzler · kritisiert die Gesetze · ~~ernennt die Regierung~~ · beschließt die Gesetze · schlägt die Gesetze vor · kontrolliert die Regierung · wählen den Bundestag · berät die Gesetze · wählt die Minister aus

a. Der Bundespräsident ernennt die Regierung.

b. Der Bundeskanzler ______.

c. Der Bundestag ______.

d. Die Bürger ______.

e. Die Opposition ______.

f. Die Regierung ______.

3.1 **Kombinieren Sie.**

ernennen, ______

______

______

er- vor- be- ab- zu- unter-

-stimmen -schreiben -nennen -lehnen -schlagen -raten

3.2 **Ergänzen Sie die passenden Verben aus Übung 3.1 in der richtigen Form.**

a. Die Mehrheit im Parlament hat dem neuen Gesetz zugestimmt.

b. „Seien Sie doch mal etwas positiver und ______ Sie nicht immer alle Gesetzesvorschläge ______."

c. Die Regierung hat dem Bundestag ein neues Gesetz ______.

d. Der Präsident hat das neue Gesetz noch nicht ______.

e. Nach der Wahl hat der Bundespräsident den neuen Bundeskanzler ______.

f. Das Parlament hatte das Gesetz den ganzen Tag ______, aber es gab kein Ergebnis.

4 **Ergänzen Sie.**

a. die Wahl ⇨ wählen

b. die Regierung ⇨ ______

c. die Kritik ⇨ ______

d. die Entscheidung ⇨ ______

e. der Sieg ⇨ ______

5 **Wie sagt man das?**

a. die meisten Leute: die Mehrheit

b. kritisiert die Regierung: ______

c. etwas nicht gut (genug) finden: ______

d. „Nein" zu etwas sagen: ______

e. jemandem ein Amt geben: ______

6 **Hören Sie und kreuzen Sie an, was richtig ist.**

| | Richtig | Falsch |
|---|---|---|
| a. Der Bundestag hat ein neues Gesetz beschlossen. | | |
| b. Die Opposition ist gegen das neue Gesetz. | | |
| c. Die Regierung schlägt im Bundestag ein neues Gesetz vor. | | |
| d. Die Kanzlerin freut sich, dass die Mehrheit des Bundestags dem Gesetz zustimmt. | | |
| e. Im Bundestag gab es lange Diskussionen. | | |

# PARTEIEN UND POLITISCHES LEBEN

die Partei
wählen, die Wahl, das Wahlplakat
die Bundestagswahl (D),
die Nationalratswahl (A, CH)

## Die wichtigsten Parteien

- die Sozialdemokraten, die Sozialisten / die Linken, die sozialdemokratische / sozialistische Partei
  der Sozialdemokrat, die ~in; der Sozialist, die ~in; der Sozialismus
- die Konservativen, die Christdemokraten, die konservative Partei
  der / die Konservative, eine Konservative, ein ~r; der Christdemokrat, die ~in
- die Grünen, die ökologische Partei / die Öko-Partei, die grüne Partei, der / die Grüne, eine Grüne, ein ~r
- die Liberalen, die liberale Partei, der / die Liberale, eine Liberale, ein ~r, der Liberalismus
- extreme Parteien, extrem

## Parteien im Parlament

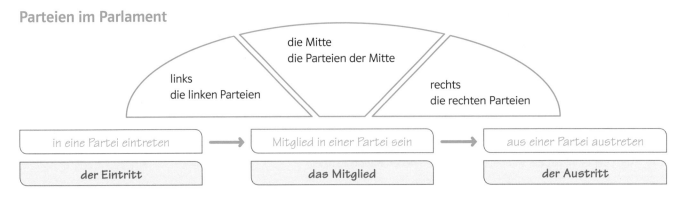

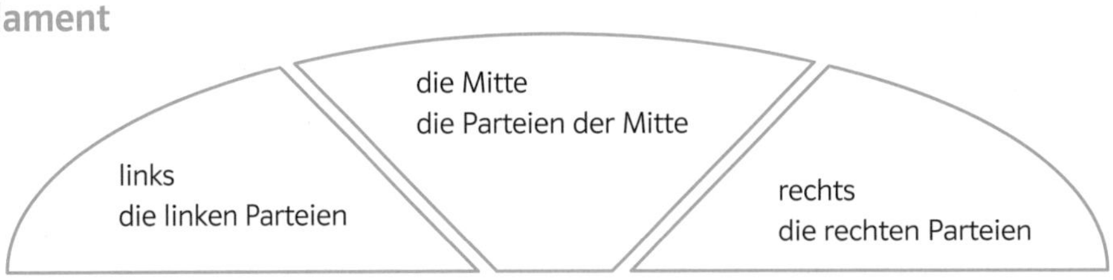


| in eine Partei eintreten | → | Mitglied in einer Partei sein | → | aus einer Partei austreten |
|---|---|---|---|---|
| **der Eintritt** | | **das Mitglied** | | **der Austritt** |

**Das sagt und liest man oft:**
Auf dem Parteitag wählten die Delegierten Anke Zasche zur neuen Parteivorsitzenden.
Der Gegenkandidat gratulierte ihr zur Wahl.
Die Abstimmung über das Parteiprogramm wurde verschoben. Es waren nur wenige Delegierte anwesend.
Am Abend hielt die neue Vorsitzende eine längere Rede.
Politik ist ein anstrengendes Geschäft!
Ich bin damit nicht einverstanden, das geht gegen meine Überzeugung!
Heutzutage kann man die Parteien gar nicht mehr gut voneinander unterscheiden!

## Protest und Bürgerinitiativen

Auch außerhalb der Parteien kann man Einfluss nehmen: z. B. auf Demonstrationen oder in Bürgerinitiativen.
Man kann sich auch direkt bei den Politikern über etwas beschweren / etwas kritisieren oder Unterschriften gegen etwas sammeln.

der Parteitag (Treffen der Delegierten)
der / die Parteivorsitzende (ein ~r, eine ~)
der (Gegen-)Kandidat, die ~in
das Parteiprogramm
verschieben
eine Rede halten
über eine Sache abstimmen
der Einfluss, Einfluss auf jemanden nehmen
der Politiker, die ~in; politisch, die Politik
die Demonstration, demonstrieren (für / gegen eine Sache)
die Bürgerinitiative
sich bei jemandem über eine Sache beschweren
kritisieren, kritisch, die Kritik
die Unterschrift, sammeln
die Überzeugung
etwas unterscheiden
anwesend ⇔ abwesend sein
anstrengend, etwas strengt an

1 **Dafür oder dagegen? Formulieren Sie die Sätze um.**

a. Die liberale Partei ist gegen höhere Steuern. ⇨ Die Liberalen sind dagegen.

b. Die sozialdemokratische Partei ist für soziale Gerechtigkeit. ⇨ ______ sind dafür.

c. Die konservative Partei ist gegen soziale Experimente. ⇨ ______ sind ______.

d. Die grüne Partei ist für mehr Umweltschutz. ⇨ ______.

e. Die sozialistische Partei ist für höhere Steuern. ⇨ ______.

2 **Ein Interview: Ergänzen Sie die Präposition und den Artikel. Achten Sie auf den richtigen Kasus.**

Frau Ohlers, warum sind Sie aus der Partei ausgetreten?

Ich war mit der Politik nicht mehr einverstanden.

Sie sind vor 10 Jahren ______ 1 Partei eingetreten – was hat sich denn seitdem geändert?

Sehr vieles. Mein Prinzip ist: Wenn ich Mitglied ______ 2 Partei bin, muss ich mindestens 80% der Politik gut finden. Das ist heute nicht mehr so.

3 **Wie sagt man dazu? Ergänzen Sie.**

a. Sie ist die „Chefin" der Partei. ⇨ Sie ist die Parteivorsitzende.

b. Er kandidiert gegen Frau Koch. ⇨ Er ist der ______.

c. Ihr Beruf ist die Politik. ⇨ Sie ist ______.

d. Treten Sie ein – werden Sie ______ bei den Sozialdemokraten!

4 **Werden Sie politisch aktiv! Ergänzen Sie passende Präpositionen und achten Sie auf die Endungen.**

a. (gehen: eine Demonstration, die Arbeitslosigkeit) ⇨ Gehen Sie auf eine Demonstration gegen die Arbeitslosigkeit!

b. (sammeln: Unterschriften; der Bau der Autobahn) ⇨ ______

c. (sich beschweren: die Politiker, der schlimme Verkehr) ⇨ ______

d. (demonstrieren: bessere öffentliche Verkehrsmittel) ⇨ ______

5 **Hier sehen Sie die Notizen einer Journalistin. Abends schreibt sie einen kurzen Bericht für ihre Zeitung. Formulieren Sie einen Text. Tipp: Verwenden Sie das Präteritum. Hören Sie dann eine mögliche Version.**

9.00: Rede des alten Parteivorsitzenden
10.00: Abstimmung über neues Parteiprogramm (nur 70% dafür!)
11.00: Wahl der neuen Parteivorsitzenden, Rita Koch
12.00: Gegenkandidat Martin Wendlinger gratuliert ihr.
13.00: Rede von Frau Koch

# Parteitag der Konservativen beginnt mit Verabschiedung

Mit der Rede des alten Parteivorsitzenden Hormann begann um 9 Uhr ______

# RECHT UND GESETZ

Am 18. Mai überfiel Karl Krause eine Bank in der Innenstadt.
Die Polizei hat ihn sofort verhaftet.

**Das sagt man oft:**
Je schlimmer das Verbrechen, desto härter die Strafe!
Er muss lange ins Gefängnis – ob er jemals wieder rauskommt?
Die Polizei konzentriert sich bei der Suche auf die Drogenszene.
Man konnte nirgendwo Spuren vom Dieb finden, er ist spurlos verschwunden.

## Kriminalität, Polizei, Gericht

Karl Krause überfällt eine Bank. (der Banküberfall) → Die Polizei verhaftet ihn. (jemanden verhaften, die Verhaftung) → Es gibt einen Gerichtsprozess. (das Gericht, der Prozess) → Karl Krause gibt seine Schuld zu. (die Schuld zugeben) → Der Richter verurteilt ihn zu 6 Jahren Gefängnis. (der Richter, die ~in, jemanden verurteilen) → Karl Krause sitzt im Gefängnis. (das Gefängnis)

## Die Kriminalität

die Drogenkriminalität
das Verbrechen, die Tat
der Mord (jemand tötet jemanden)
jemanden ermorden / töten
der Diebstahl, stehlen
der Einbruch, einbrechen
der Betrug, betrügen

der Täter, die ~in ⇔ das Opfer
der Verbrecher, die ~in
der Mörder, die ~in
der Killer, die ~in
der Dieb, die ~in
der Einbrecher, die ~in,
der Betrüger, die ~in

die Polizei, die Kriminalpolizei die Uniform
der Polizist, die ~in
die Uniform
jemanden festnehmen
einen Verbrecher fangen / fassen
die Personalien aufnehmen

## Der Prozess

Der Anwalt verteidigt den Angeklagten.
der Anwalt, die Anwältin
(der / die Angeklagte)

Der Richter spricht das Urteil: Er verurteilt den Angeklagten oder spricht ihn frei.
(der Richter, die ~in)

Der Kläger klagt gegen den Angeklagten.
(der Kläger, die ~in)

Das Gesetz / Das Recht ist die Basis für die Entscheidung des Richters.

die Schuld ⇔ die Unschuld, schuldig ⇔ unschuldig
die Schuld / Unschuld beweisen, etwas beweisen, der Beweis
der Verdacht
eine Sache entscheiden, die Entscheidung
das Urteil, das Urteil sprechen, ein hartes Urteil, hart
die Strafe, jemanden bestrafen
jemanden freisprechen ⇔ jemanden schuldig sprechen, jemanden (zu einer Strafe von …) verurteilen
im Gefängnis sitzen ⇔ in Freiheit sein
jemanden verteidigen, die Verteidigung
gegen jemanden klagen
Recht und Gesetz, legal ⇔ illegal / strafbar

je … desto …
jemals
herauskommen / rauskommen
sich konzentrieren auf
nirgendwo / nirgends
die Spur, spurlos
verschwinden, verschwunden sein

**1** Welche dieser Verben sind trennbar (z. B. abholen - ich hole jemanden ab), welche sind nicht trennbar? Schreiben Sie die Verben in der dritten Person (z. B. er / sie holt jemanden ab).

~~(etwas) zugeben~~ (jemanden) verhaften (jemanden) festnehmen (eine Bank) überfallen
(jemanden) verurteilen (jemanden) freisprechen (etwas) entscheiden (jemanden) verteidigen
einbrechen (jemanden) ermorden (etwas) beweisen

| trennbar | nicht trennbar |
| --- | --- |
| er / sie gibt etwas zu, | |
| | |
| | |

**2** Gegensätze: Ergänzen Sie.

a. schuldig ⇔ ______

b. der Täter ⇔ ______

c. jemanden freisprechen ⇔ ______

**3** Wie sagt man das? Unterstreichen Sie das passende Verb.

a. Die Polizei kam zu spät, sie konnte die Täterin nicht verlassen - verführen - verlieren - verhaften.
b. „Ja, ja", sagte Karl Krause, „ich habe ja schon alles zugelassen - zugegeben - zugeteilt - zugenommen".
c. „Machen Sie sich keine Sorgen", sagte die Anwältin. „Wir werden Ihre Unschuld beweisen - beschließen - besuchen - besitzen."

**4** Eine Radionachricht. Hören Sie und ergänzen Sie.

Gestern um 15:30 Uhr ______ 1 ein jüngerer Mann die Bank in der Amalienstraße. Es ist schon ______ 2 in diesem Jahr in München. Der Täter konnte aber sofort von der Polizei ______ 3 werden. Ohne die Hilfe einer Bankangestellten wäre die ______ 4 nicht möglich gewesen. Beim letzten Mal wurde ein Kunde ______ 5. Diesmal konnte die Polizei einen ______ 6 zum Glück verhindern. Viele Bürger sind besorgt über die steigende ______ 7 in ihrem Stadtviertel.

**5** Recht und Gesetz: Ergänzen Sie das Rätsel.

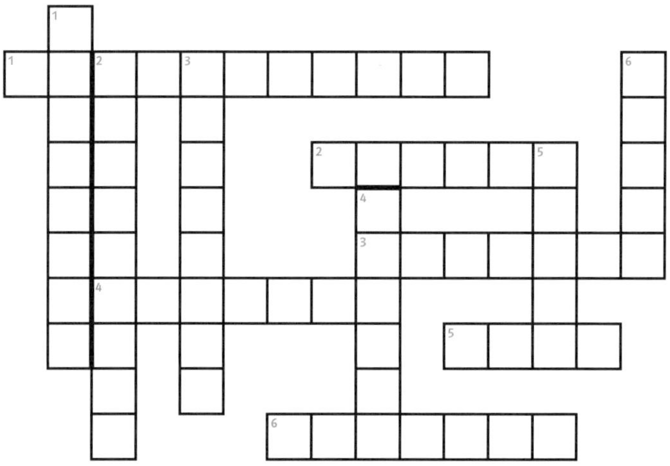

**Waagerecht:**
1. Ein … wird von einem Anwalt verteidigt.
2. Der … verteidigt den Angeklagten.
3. Er spricht das Urteil:
4. Der Angeklagte steht vor …
5. Sehr schweres Verbrechen:
6. Die … sucht die Verbrecher.

**Senkrecht:**
1. Das will der Anwalt beweisen:
2. Hier sitzen die Verbrecher, wenn der Richter sie verurteilt hat:
3. Sie hält den Angeklagten für schuldig:
4. Das spricht der Richter am Ende des Prozesses:
5. Hat etwas (Kriminelles) getan:
6. Sie ist … eines Verbrechens geworden.

# GESELLSCHAFTLICHE GRUPPEN (I)

## Altersaufbau der Bevölkerung Deutschlands im Jahr 2011

(in Tausend je Altersjahr)

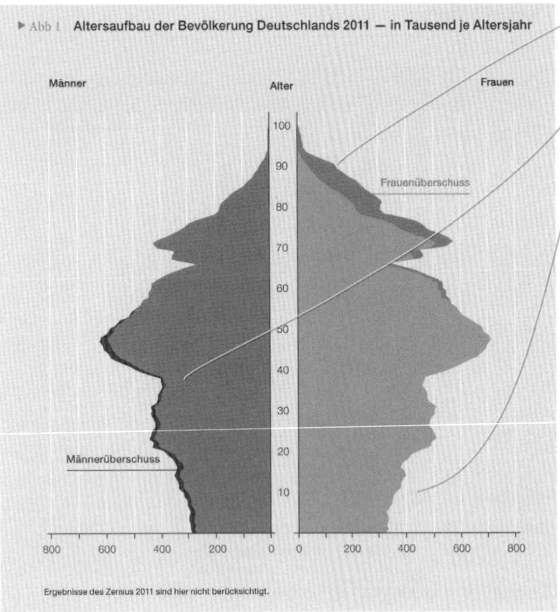


In der Gruppe der 65- bis 90-Jährigen gibt es mehr Frauen.

In der Gruppe der 30- bis 50-Jährigen gibt es mehr Männer.

Die Deutschen bekommen immer weniger Kinder: Jedes Jahr sterben 80.000 mehr Menschen als geboren werden.

### Die Gesellschaft

der Bürger, die ~in (*meist politisch definiert: der Bürger eines Staates*), der Mitbürger, die ~in
der Einwohner, die ~in (*meist geografisch definiert: der Einwohner eines Landes*)
der Bewohner, die ~in (in eines Hauses, einer Stadt), die Bevölkerung, das Volk

die Gesellschaft, gesellschaftlich
das Alter, der Altersaufbau (*das Alter der verschiedenen Bevölkerungsgruppen*)
die Generation
die Statistik, statistisch
der Durchschnitt

### Gesellschaftliche Gruppen

| | | |
|---|---|---|
| **Frauen** | die Frau | weiblich |
| **Männer** | der Mann | männlich |
| **Kinder** | das Kind, die Kindheit | kindlich |
| **Jugendliche** | der / die Jugendliche, die Jugend | jugendlich |
| **Senioren** (*ab etwa 65 Jahren*) | der Senior, die ~in | |

### Das liest man oft:

Frauen und Männer sind gleichberechtigt. (Artikel 3.2 Grundgesetz der Bundesrepublik Deutschland)
In vielen gesellschaftlichen Bereichen sind Frauen aber immer noch benachteiligt.

34% der Deutschen sind über 65 Jahre, 30% sind unter 20 Jahre alt.
Ehe und Familie stehen unter dem besonderen Schutz des Staates.
Die Deutschen heiraten immer später. Jede dritte Ehe wird geschieden.

die weibliche Bevölkerung, die männliche Bevölkerung
die Gleichberechtigung, gleichberechtigt sein (die gleichen Rechte haben)
der Nachteil ⇔ der Vorteil, die Benachteiligung, benachteiligt, jemanden benachteiligen
abhängen, (finanziell) abhängig sein von jemandem

die Ehe
schwanger, die Schwangerschaft
der Nachwuchs

die Rente / die Pension (*A, CH*)
in Rente / Pension gehen / sein, pensioniert werden / sein (*D, CH*)
der Rentner, die ~in / der Pensionist, die ~in
das Altersheim, das Altenheim

der Schutz
der Staat
das Gesetz, das Grundgesetz der Bundesrepublik Deutschland

heutig, die heutige Situation

1 **Wie heißen die Adjektive?**

a. die Benachteiligung ⇨ benachteiligt
b. die Gleichberechtigung ⇨ ____________
c. die Jugend ⇨ ____________
d. die Gesellschaft ⇨ ____________
e. die Statistik ⇨ ____________
f. der Mann ⇨ ____________

2 **Wie sagt man das? Schreiben Sie die Substantive mit dem Artikel.**

a. das Alter der verschiedenen Bevölkerungsgruppen ⇨ der Altersaufbau
b. ältere Menschen ab 65 in Deutschland ⇨ ____________
c. alle Menschen in einem Land ⇨ ____________
d. zwei Personen haben gleiche Rechte ⇨ ____________
e. eine Person wird benachteiligt ⇨ ____________

3 **Hier stimmt etwas nicht: Ordnen Sie passende Substantive zu den Adjektiven. Manchmal gibt es mehrere Möglichkeiten.**

a. weibliche Väter ⇨ weibliche Jugendliche, weibliche ____________
b. gleichberechtigte Bevölkerung ⇨ ____________
c. ältere Jugendliche ⇨ ____________
d. benachteiligte Rechte ⇨ ____________
e. gesellschaftliche Gesellschaftsgruppen ⇨ ____________

4 **Welches Verb fehlt? Ergänzen Sie die Verben in der richtigen Form.**

a. Die Deutschen heiraten immer später.
b. In der Gruppe der Senioren ________ es mehr Frauen.
c. Jedes Jahr ________ mehr Menschen als geboren werden.
d. Die Deutschen ________ immer weniger Kinder
e. Die meisten Deutschen ________ mit 65 Jahren in Pension

sterben geben
gehen
bekommen ~~heiraten~~

5 **Frauen in der Gesellschaft: Ergänzen Sie.**

doppelt ~~verdienen~~ abhängig Gleichberechtigung

Bei gleicher Arbeit verdienen Frauen oft weniger als die Männer. Nur etwa 10% der berufstätigen Frauen haben leitende Positionen, bei den Männern sind es ________ 1 so viele. Daran sieht man, dass die ________ 2 bisher leider nur auf dem Papier verwirklicht ist. In der Praxis sind Frauen noch stark benachteiligt und oft auch finanziell ________ 3 vom Mann.

6 **Frauen und Männer: Sind Frauen und Männer gleichberechtigt? Wie ist die Situation in anderen Ländern? Diskutieren Sie mit einem Partner.**

7 **Gleichberechtigung für Mann und Frau? Hören Sie, was die Leute in einer Umfrage dazu sagen und ergänzen Sie die Aussagen.**

„Ich dachte, dass es heute schon volle ________ 1 gibt für Männer und Frauen."
„Wenn die Personalchefs hören, dass ich ________ 2 bin und auch schon ein ________ 3 habe, bekomme ich den Job nicht."
„Laut ________ 4 gibt es weniger Frauen in Führungspositionen."
„Die fehlende Gleichberechtigung im Berufsleben hat Auswirkungen auf das Leben ________ 5 und auf die Höhe der ________ 6."
„Frauen sind doch heute immer noch total ________ 7, besonders im Beruf!"

# GESELLSCHAFTLICHE GRUPPEN (2)

**Bevölkerung in Deutschland nach Migrationsstatus und Herkunftsland, 2013**

**Bevölkerung nach Migrationsstatus** | **Häufigste Herkunftsländer* von Personen mit Migrationshintergrund**

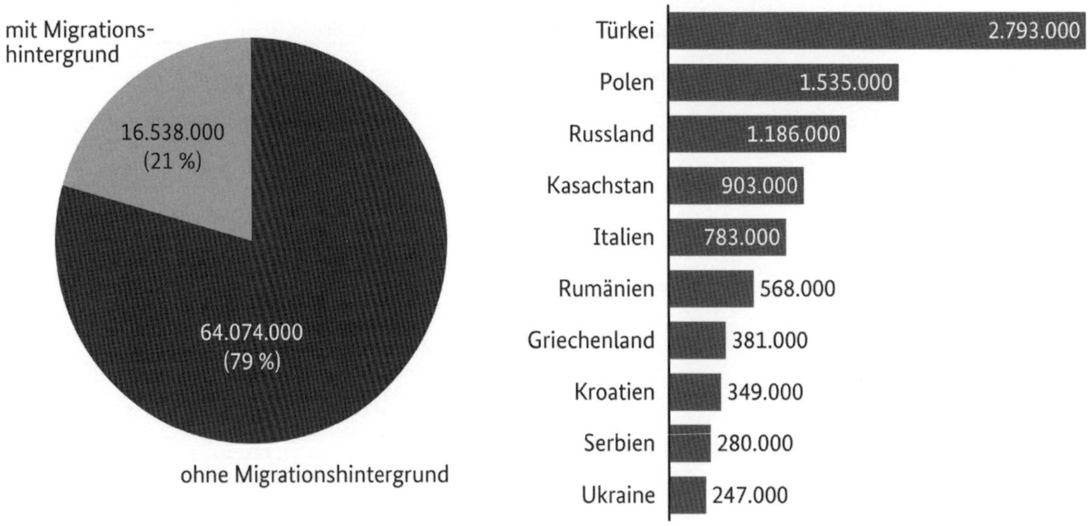


* nach derzeitiger bzw. früherer Staatsangehörigkeit oder Herkunftsland mindestens eines Elternteils; nur für rund 14,7 Mio. Personen mit Migrationshintergrund Angabe vorhanden
Datenquelle: Statistisches Bundesamt



## Kulturelle Gruppen

Wir leben in einer globalen Gesellschaft: In den letzten 50 Jahren sind viele Menschen anderer Nationalitäten und aus verschiedenen kulturellen Gruppen nach Deutschland zugewandert. Diese Zuwanderer sind wichtig für Deutschland, da Fachkräfte in vielen Bereichen gebraucht werden. Etwa ein Fünftel der Zuwanderer stammt aus EU-Ländern (EU = Europäische Union). Umgekehrt wandern Deutsche in andere Länder aus, aber die Zuwanderung ist höher als die Auswanderung.

global, die Globalisierung
mobil, die Mobilität

der Fachmann, die Fachfrau, die Fachleute / die Fachkräfte
der Experte, die Expertin

| | | |
|---|---|---|
| der Zuwanderer, die Zuwanderin | = der Einwanderer, die Einwanderin | = der Migrant, die ~in |
| die Zuwanderung | die Einwanderung | die Migration |
| zugewandert | eingewandert ⇔ ausgewandert | stammen aus (einem anderen Land) |
| | der Auswanderer, die Auswanderin | das Herkunftsland |

der Ausländer, die ~in (Person mit einer anderen Staatsangehörigkeit), ausländisch
der / die Einheimische (Person, die schon lange an einem Ort lebt), einheimisch

die doppelte Staatsangehörigkeit (zwei Staatsangehörigkeiten)
die Nationalität

das Asyl (Einwanderung aus politischen Gründen)
das Visum, ein Visum beantragen
die Flucht, fliehen (Manchmal müssen Menschen aus politischen Gründen ihre Heimat verlassen.)

**Das sagt man oft:**
Die Zahl der Einwanderer hat zugenommen / abgenommen.
Die Zunahme der Einwanderung ist in den letzten Jahren …
Anfangs fühlen sich Einwanderer oft fremd im neuen Land.
Max engagiert sich für besseres Verständnis und Toleranz gegenüber anderen Kulturen.

zunehmen ⇔ abnehmen
die Zunahme ⇔ die Abnahme
gleich ⇔ anders / verschieden
fremd, sich fremd fühlen
die Integration, jemanden integrieren
jemanden akzeptieren ⇔ jemanden ausschließen, sich ausgeschlossen fühlen
die Toleranz, tolerant ⇔ die Intoleranz, intolerant
das Verständnis
achten, die Achtung
der Rassismus, rassistisch
diskriminieren, die Diskriminierung

1 **Wie heißen die Verben?**

a. das Verständnis ⇨ verstehen
b. die Achtung ⇨ ______
c. die Flucht ⇨ ______
d. die Zunahme ⇨ ______
e. die Einwanderung ⇨ ______
f. die Integration ⇨ ______

2 **Wie heißt das Gegenteil?**

a. tolerant ⇔ intolerant
b. gleich ⇔ ______
c. Zunahme ⇔ ______
d. ausgewandert ⇔ ______
e. die Minderheit ⇔ ______
f. integrieren ⇔ ______

3 **Welches Wort passt? Ergänzen Sie.**

einwandern ~~Einwanderung~~ Mobilität Einwanderer
eingewandert Fachleute Globalisierung

a. Die Einwanderung nach Deutschland war im Jahr 2011 höher als die Auswanderung.
b. Familie Wang ist schon in den Fünfzigerjahren in Österreich ______.
c. In der Talkshow wurde diskutiert, ob die ______ gut für die Bevölkerung ist.
d. Der Minister meinte, die ______ seien für das Land sehr gut und würden für einen Abbau des Fachkräftemangels sorgen.
e. Wir brauchen dringend ______ aus anderen Ländern.
f. John Wilson beantragt eine Arbeitserlaubnis, aber er weiß noch nicht, ob er tatsächlich ______ will.
g. Die räumliche ______ der Bevölkerung in Deutschland stieg nach 1990 deutlich an.

4 **Was passt nicht? Streichen Sie durch.**

a. Verständnis – Achtung – Toleranz – Rassismus
b. Einwanderer – Auswanderer – Migrant – Mobilität
c. gleich – anders – verschieden – verändern

5 **Ergänzen Sie.**

a. Ein anderes Wort für Einwanderer ist Zuwanderer.
b. Manche Menschen müssen aus ihrer Heimat ______.
c. Für das Zusammenleben verschiedener Kulturen braucht man gegenseitige ______.
d. Ein Land erlaubt den Aufenthalt innerhalb seiner Grenzen durch ein ______.

6 **Der Liedermacher Charly M. wirbt für mehr Verständnis. Hören Sie und ergänzen Sie.**

In seinen Liedern kritisiert Charly M. den ______ (1), den er in Deutschland manchmal spürt. Seine Eltern verließen vor 25 Jahren Kamerun und ______ (2) in Deutschland ______ (3). Obwohl Charly in Deutschland geboren und aufgewachsen ist, stößt er immer mal wieder auf ______ (4) und Vorurteile. Seine Lieder fordern auf, andere Kulturen zu ______ (5), verschiedene Lebensformen zu ______ (6) und mehr ______ (7) zu zeigen.

# DAS SOZIALE NETZ

„Das ist ja unglaublich! Die Beiträge für die Krankenversicherung sind schon wieder erhöht worden!"

der Beitrag
die Beiträge sinken ⇔ steigen
die Beiträge werden gesenkt ⇔ werden erhöht
erhöhen, die Höhe

## Das soziale Netz in der Bundesrepublik Deutschland

Die Sozialversicherung soll die Bürger gegen Risiko versichern und vor Armut schützen.

| **Das zahlt man:** | | **Das erhält man:** |
|---|---|---|
| Beiträge zur Rentenversicherung | → | eine Rente im Alter |
| Beiträge zur Pflegeversicherung | → | Geld für die Pflege zu Hause oder im Pflegeheim |
| Beiträge zur Krankenversicherung | → | Ärztliche Behandlung, Krankenhausaufenthalt |
| Beiträge zur Arbeitslosenversicherung | → | Arbeitslosengeld bei Arbeitslosigkeit |

das soziale Netz, sozial, das Netz
versichern gegen (+ Akkusativ)
schützen vor (+ Dativ)
unterstützen, die Unterstützung
das Risiko
die Armut ⇔ der Reichtum

die Rentenversicherung
die Rente, die Versicherung
die Pflegeversicherung
pflegen, die Pflege, das Pflegeheim

die Entlassung
arbeitslos, der / die Arbeitslose
die Arbeitslosenversicherung
das Arbeitslosengeld
die Agentur für Arbeit

ärztlich
die Behandlung
die Krankenversicherung
die Versichertenkarte / Gesundheitskarte / Chipkarte ϟ / e-card ϟ(A)

## Die Sozialbetreuung von bestimmten Gruppen

jemanden betreuen / sich um jemanden kümmern
die Betreuung, der Betreuer, die ~in

die Waise (Kind ohne Eltern)

der alte Mensch
das Altenheim / das Altersheim

der / die Behinderte, behindert
blind, der / die Blinde (kann nicht sehen)
gehörlos, der / die Gehörlose (kann nicht hören, ist taub)
stumm, der / die Stumme (kann nicht sprechen)

der / die Obdachlose, obdachlos (ohne Wohnung)

## Der Lebensstandard

Manche Leute verdienen gut, andere verdienen schlecht. Die Einkommenssituation hat sich insgesamt in den letzten 30 Jahren gebessert (zum Positiven entwickelt).
Es gibt aber auch viele Menschen, besonders Familien mit vielen Kindern, die arm sind, bei denen das Geld nicht ausreicht. Sie haben Anspruch auf Sozialleistungen (= Hilfe zum Lebensunterhalt). Diese sollen allen Menschen eine „menschenwürdige Existenz" garantieren.

der Lebensstandard
die Situation, die Einkommenssituation
finanziell
arm ⇔ reich

sich entwickeln
ausreichen (= genug sein)

der Anspruch (auf etwas)
sozial, die Sozialleistungen
menschenwürdig
garantieren

**1** Was passt? Unterstreichen Sie das richtige Wort.

| | | |
|---|---|---|
| a. Die Sozialversicherung soll die Bürger vor | Krankheiten – Armut – Lebensstandard | schützen. |
| b. Wenn die Firma Herrn Lux kündigt, bekommt er | Einkommen – Rente – Arbeitslosengeld. | |
| c. Im Krankheitsfall erhält der Versicherte ärztliche | Krankenhaus – Behandlung – Beitrag. | |

**2** Wie heißen die Substantive?

a. versichern ⇨ *die Versicherung*
b. pflegen ⇨ ____________
c. betreuen ⇨ ____________
d. leben ⇨ ____________
e. entlassen ⇨ ____________
f. unterstützen ⇨ ____________
g. sich entwickeln ⇨ ____________

**3** Finden Sie die Fehler? Korrigieren Sie die Sätze.

a. Was ein Geschäftsmann verdient, nennt man seine Einkommung.
b. Wenn man immer Rente bezahlt hat, erhält man im Alter die Beiträge.
c. Das Gegenteil von „Reichtum" ist „Armtum".

**4** Ergänzen Sie das Kreuzworträtsel.

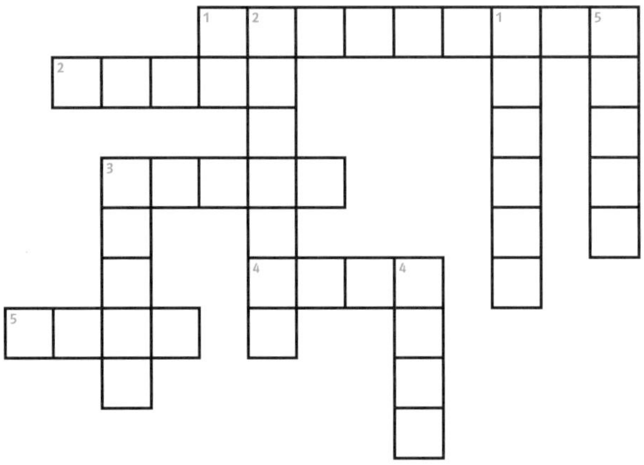

**Waagerecht:**

1. Wer keine Wohnung hat, ist …
2. Ein Kind, das keine Eltern mehr hat, ist eine …
3. Dieses Geld bekommt man im Alter:
4. Er behandelt die Kranken:
5. Das Gegenteil von tief ist …

**Senkrecht:**

1. Sie … an einer schweren Krankheit.
2. Was man in die Versicherung einzahlt:
3. Das Gegenteil von arm ist …
4. Wenn man nicht hören kann, ist man …
5. Wenn man nicht sprechen kann, ist man …

**5** Soziales: Hören Sie und ergänzen Sie.

Arbeitnehmer zahlen einen Prozentsatz von ihrem Gehalt in die gesetzliche Renten-, Kranken-, Pflege- und ____________ 1-Versicherung. Im Jahre 2012 betrugen die Beiträge zur Rentenversicherung 19,6 % des ____________ 2. Der Arbeitnehmer bezahlt eine Hälfte, der Arbeitgeber die andere Hälfte der ____________ 3. Wenn man seinen ________ 4 verliert, hat man eine Zeit lang ____________ 5 Arbeitslosengeld. Das Geld wird von der ____________ 6 ausgezahlt. Das System dieser Versicherungen nennt man auch das soziale ________ 7.

# 75 UMWELTSCHUTZ

**Umweltschutz – eine Aufgabe für jeden**
Die Probleme:
- Luftverschmutzung durch Industrie und Autoabgase
- Das Ozonloch wächst
- Verschmutzung der Flüsse und der Ozeane
- Belästigung durch Lärm

**Die Klimakatastrophe droht!**
**Was kann der Staat tun?**
- Verbot von Umweltgiften
- Entsorgung von Abfall
- Recycling-Programme
- Gesetze gegen zu viel Lärm

**Was kann der Bürger tun?**
- den Müll trennen (Glas, Plastik, Papier)
- weniger Auto fahren / Fahrrad fahren
- alternative / umweltfreundliche Energien nutzen
- Strom sparen
- wenig Chemikalien benutzen

die Umwelt, der Umweltschutz, schützen, der Schutz
verschmutzen, die Verschmutzung, die Umweltverschmutzung
die Abgase (Pl.)
jemandem schaden, der Schaden, der Schadstoff, schädlich
das Loch, das Ozon
zerstören, das Klima
der Ozean
belästigen, die Belästigung, der Lärm
die Katastrophe
drohen, die Drohung
verbieten, das Verbot
das Gift, der Giftstoff
entsorgen, die Entsorgung, der Abfall / der Mist (A)
der Müll, trennen, wiederverwerten, das Recycling ⚡
die Müllabfuhr, die Mülltonne
das Fahrrad, das E-Bike ⚡
alternativ, die Alternative, die Energie
umweltfreundlich ⇔ umweltschädlich
der Strom, sparen
die Chemikalie, benutzen (= verwenden)

**1** Wie heißen die Substantive?

a. verschmutzen ⇨ die Verschmutzung
b. belästigen ⇨ ____________
c. schaden ⇨ ____________
d. schützen ⇨ ____________
e. zerstören ⇨ ____________
f. wiederverwerten ⇨ ____________

**2** Was passt? Ergänzen Sie die Verben oder Substantive aus Übung 1 in der richtigen Form.

a. Das Kohlendioxid hat die Ozonschicht über dem Südpol stark zerstört.
b. Der Lärm der neuen Fabrik ____________ die Nachbarn sehr.
c. Die ____________ mancher Flüsse hat dazu geführt, dass keine Fische mehr darin leben können.
d. Sind Sie sicher, dass dieser Farbstoff dem menschlichen Organismus nicht ____________?
e. Wir müssen die Natur vor den Eingriffen der Menschen ____________!
f. Die Mülltrennung macht die ____________ von Papier und Glas möglich.

**3** Was kann man da machen? Verbinden Sie.

a. Die Ozonschicht wird durch $C0_2$ zerstört.
b. Die Luft in vielen Großstädten ist total verschmutzt.
c. Die Fische sterben in den Gewässern.
d. „Passives" Rauchen macht die Lungen kaputt.
e. Die Müllberge wachsen und vergiften den Boden.

Müll trennen und wiederverwerten.
Rauchen in öffentlichen Gebäuden verbieten.
Keine Sprays benutzen.
Weniger Auto fahren.
Keine industriellen Giftstoffe in die Flüsse leiten.

**4** Da stimmt etwas nicht! Diese Wörter gibt es nicht. Wie heißen die Wörter richtig?

der ~~Autostoff~~ – die Abkatastrophe – der Gift~~verkehr~~ – die Naturtrennung – das Klimagas – der Müllschutz

der Autoverkehr ____________

**5** Was machen Sie, um die Umwelt zu schützen? Kombinieren Sie, schreiben Sie Sätze und diskutieren Sie mit einem Partner.

rauchen benutzen wiederverwenden entsorgen sparen fahren trennen verwenden
Fahrrad Auto Autobus / Straßenbahn Müll Papier Chemikalien Batterie
umweltfreundliche Energie Haarspray Strom ...

Ich fahre so oft wie möglich mit dem Fahrrad zur Arbeit. Ich ...

**6** Ein Interview. Hören Sie und ergänzen Sie die fehlenden Wörter.

„Guten Morgen, liebe Zuhörer. Heute wollen wir die Bürger in unserer Stadt fragen, was sie zum ____________ 1 beitragen. Herr Sudermann, was machen Sie denn, um unseren Planeten zu ____________ 2?"

„Also, zum einen fahre ich so oft es geht ____________ 3 zur Arbeit statt mit dem Auto zu fahren. Aber das ist nicht alles. In unserer Familie wird sehr sorgfältig ____ ____ ____________ 4 – wir haben spezielle Kisten für ____________ 5, ____________ 6 und ____________ 7. Wir ____________ 8 auch Stofftaschen zum Einkaufen, keine Plastiktüten. Ich sorge dafür, dass das Licht immer ausgeschaltet wird, wenn man nicht im Zimmer ist, um ____________ 9. Außerdem haben wir vor, Solarzellen auf dem Dach zu installieren, um mehr ____________ 10 zu benutzen."

„Das ist wirklich alles sehr ____________ 11. Wie finden Sie ..."

# EUROPA UND DIE EUROPÄISCHE UNION

In Brüssel trafen sich heute die EU-Außenminister. Sie verhandelten über gemeinsame Positionen in der Außenpolitik. Dabei konnten sie nach acht Stunden einen Kompromiss vereinbaren.

die EU (die Europäische Union)
die EU-Außenminister (= Außenminister der EU-Länder)
über etwas verhandeln, die Verhandlung
etwas vereinbaren, der Kompromiss

## Die Europäische Union (EU)

- **Funktion der EU:** Die EU ist ein politischer und wirtschaftlicher Staatenverbund. Alle Bürger der EU können in jedem EU-Land wohnen und arbeiten.
- **Die 28 EU-Mitgliedsländer 2015:** Belgien, Bulgarien, Dänemark, Deutschland, Estland, Finnland, Frankreich, Griechenland, Irland, Italien, Kroatien, Lettland, Litauen, Luxemburg, Malta, Niederlande, Österreich, Polen, Portugal, Rumänien, Schweden, Slowakei, Slowenien, Spanien, Tschechien, Ungarn, Vereinigtes Königreich, Zypern
- **Wichtige Institutionen der EU:**
  - das Europäische Parlament (Legislative: beschließt Gesetze; wird von den Bürgern gewählt)
  - der Rat der Europäischen Union (Vertretung der Länder: beschließt Gesetze und Verträge für alle EU-Mitgliedsländer)
  - der Europäische Rat (bestimmt die politische Agenda der EU)
  - die Europäische Kommission (Exekutive bzw. „Regierung" der EU)
  - der Europäische Gerichtshof (entscheidet in Rechtsstreitigkeiten zwischen den europäischen Mitgliedsländern)
- **Euro:** Seit dem 1. Januar 2002 ist der Euro (1 Euro = 100 Cent) die Währung der meisten EU-Länder (18 von 28). Diese Länder nennt man auch den „Euro-Raum".

Europa, der Europäer, die ~in, europäisch
die Union
das Parlament
etwas beschließen, das Gesetz
der Bürger, die ~in
wohnen, der Wohnsitz
arbeiten, die Arbeitserlaubnis

der Vertrag (offizielles Dokument, das zwei oder mehr Partner unterschreiben)
bekannt geben, ankündigen
der Beitritt, einer Organisation beitreten (= Mitglied werden)
vergrößern
das EU-Mitgliedsland
die Währung, der Euro, der Cent
der Euro-Raum / die Euro-Zone

## Europa

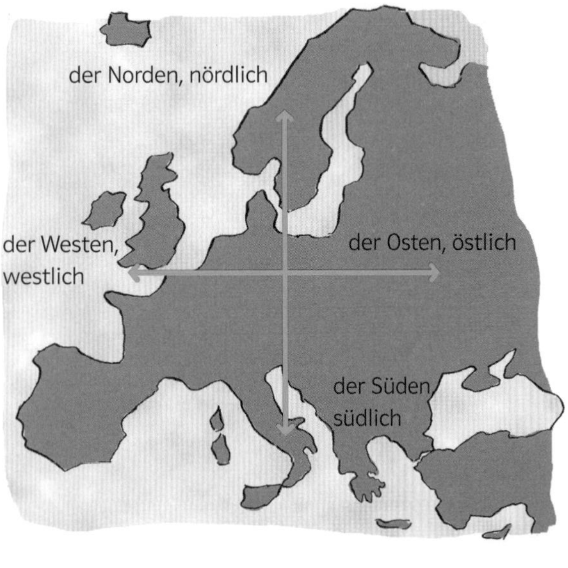


Europa ist ein relativ kleiner Kontinent mit vielen verschiedenen Staaten. Aber die Staaten Europas haben vieles gemeinsam: eine lange Geschichte, gegenseitige kulturelle und sprachliche Einflüsse, Migration und eine gemeinsame Zukunft. Seit dem Ende des Kalten Krieges und den politischen Veränderungen ist Europa noch enger zusammengewachsen.

der Kontinent, der Staat
verschieden, die Verschiedenheit
gemeinsam, die Geschichte, der Einfluss
die Kultur, kulturell
die Sprache, sprachlich
die Migration, die Zukunft
die Veränderung, sich verändern
zusammenwachsen, eng
die Zusammenarbeit

Osteuropa, Westeuropa, Südeuropa, Nordeuropa
Ost-, West-, Süd-, Nord-
osteuropäisch, westeuropäisch, südeuropäisch, nordeuropäisch

**1** **Die EU und der Euro: Ergänzen Sie die passenden Ausdrücke.**

a. *der Euro* : gemeinsame Währung von 18 EU-Ländern

b. ______________________________ : oberstes Gericht in der EU

c. ______________________________ : so heißt das Parlament der EU

d. ______________________ : hier gilt die gemeinsame Währung Euro

e. ______________________________ : „Regierung" der EU

**2** **Was passt? Ergänzen Sie die Lücken. Kontrollieren Sie mit dem Hörtext.**

In der Praxis gibt es in der EU viele Konflikte, denn die Mitgliedsstaaten haben oft *verschiedene* Interessen. Über viele Dinge wird darum oft sehr hart ____________ 1, bevor man etwas ____________ 2. Manchmal gibt es aber trotz aller ____________ 3 kein Ergebnis. Das Problem wird noch größer werden, wenn mehr Länder der EU ____________ 4. Die Staaten Europas haben zwar vieles ____________ 5 und Europa ist in den letzten Jahren viel enger ____________ 6, aber wegen der unterschiedlichen wirtschaftlichen und politischen Interessen sind oft ____________ 7 notwendig.

**3** **Wie heißt das Substantiv? Ergänzen Sie.**

a. sprachlich *die Sprache*

b. kulturell ____________

c. verändern ____________

d. verhandeln ____________

e. verschieden ____________

**4** **Das ist Europa: Ergänzen Sie.**

Europa hat eine lange gemeinsame *Geschichte*. Zwischen den europäischen Ländern hat es viele gegenseitige kulturelle ____________ 1 gegeben. Trotzdem leben in Europa sehr viele ____________ 2 Kulturen. Darin sehen viele Menschen gerade die Chance für ein neues Europa mit einer gemeinsamen ____________ 3.

**5** **Süden, Osten, Norden, Westen: Formulieren Sie die Sätze um.**

a. Frankreich liegt im Westen Europas. ⇨ *Frankreich ist ein westeuropäisches Land.*

b. Finnland liegt im Norden Europas. ⇨ ______________________________.

c. Italien liegt im Süden Europas. ⇨ ______________________________.

d. Die Ukraine liegt im Osten Europas. ⇨ ______________________________.

e. Und Deutschland? ⇨ *Deutschland ist ein mitteleuropäisches Land, es liegt in der Mitte Europas.*

# 77 INTERNATIONALE ORGANISATIONEN

*Gestern trafen die UNO-Vertreter im Krisengebiet ein. Sie sollen dafür sorgen, dass beide Seiten wieder über den Frieden verhandeln. Keine leichte Aufgabe, denn die Fronten scheinen extrem verhärtet.*

## Internationale Organisationen

- **Die UNO** (auch: **die Vereinten Nationen**): Die UNO ist eine Organisation, die auf der ganzen Welt für Frieden und Entwicklung arbeitet. Die meisten Länder auf der Erde sind Mitglied der UNO.
  In Krisensituationen versuchen UNO-Soldaten, den Frieden zu bewahren. Sitz der UNO ist New York.
- **Die NATO** (auch: **das Nordatlantische Bündnis**): Die NATO ist ein Militärbündnis vieler Länder in Nordamerika und Europa.
  Die USA, Kanada, Großbritannien, Frankreich, Polen, Tschechien, Deutschland und viele andere Länder sind Mitglied der NATO.
  Der Sitz der NATO ist in Brüssel. Österreich und die Schweiz sind keine Mitglieder, aber arbeiten mit der NATO in der „Partnerschaft für den Frieden" zusammen.

die Organisation, der Vertreter, die ~in
die Krise, das Gebiet, das Krisengebiet
die Welt / die Erde, das Land / der Staat
der Frieden
die Entwicklung

das Mitglied, Mitglied sein
das Militär, militärisch
das Bündnis (*Zusammenschluss*)
der Sitz (einer Organisation, einer Firma): *Ort, wo die Zentrale ist*
eintreffen (*ankommen*)

## Konflikte, Krieg und Frieden

militärische Konflikte:
- der Krieg (*Feindliche Armeen verschiedener Länder kämpfen gegeneinander.*)
- der Bürgerkrieg (*Verschiedene Gruppen in einem Land kämpfen gegeneinander.*)

Frieden schaffen:
- einen Dialog beginnen, sich begegnen
- über den Frieden verhandeln, sich um Frieden bemühen
- dem Frieden dienen
- Frieden schließen / einen Vertrag schließen

## Armut und Reichtum

In vielen Ländern der Welt gibt es Hunger, Armut und Not. Andererseits haben einige Länder sehr viel Reichtum und Wohlstand. Der Reichtum ist nicht gerecht verteilt.

der Konflikt, der Kampf, die Gewalt
gegeneinander kämpfen, gegen etwas kämpfen
der Unterschied, unterschiedlich
feindlich, der Feind ⇔ der Freund

der Hunger, die Armut, die Not ⇔ der Reichtum, der Wohlstand
verteilen
gerecht ⇔ ungerecht

der Dialog
der Vertrag, einen Vertrag erfüllen
den Frieden bewahren
sich um etwas bemühen, die Herausforderung

arm ⇔ reich
hungrig ⇔ satt
einerseits ⇔ andererseits

**Das liest man oft:**
Gestern traf der UNO-Generalsekretär zu wichtigen Gesprächen in Wien ein.
Die UNO-Soldaten sollen in der Region den Frieden bewahren.
Der Reichtum auf der Welt muss besser verteilt werden.

**1** UNO und NATO: Ergänzen Sie.

**UNO**

Sie hat ihren Sitz in New York.

Sie arbeitet auf der ________ 1 Welt ________ 2 Frieden und Entwicklung.

UNO-Soldaten versuchen, in Krisenregionen den Frieden ________ 3.

**NATO**

Sie hat ihren ________ 4 in ________ 5.

Die NATO ist ein Militär________ 6.

Viele ________ 7 Länder sind ________ 8 in der NATO.

**2** Definitionen: Ergänzen Sie.

a. Ein Bündnis ist ein Zusammenschluss von Ländern oder Personen mit einem gemeinsamen Ziel.
b. ________ ist ein Krieg zwischen verschiedenen Gruppen eines Landes.
c. ________ ist das Gegenteil von einem Freund.
d. ________ ist ein anderes Wort für „ankommen".
e. ________ ist man, wenn man in eine Organisation eingetreten ist.
f. ________ ist ein deutsches Wort für „fair".
g. ________ ist das Gegenteil von „Reichtum".

**3** Weltpolitik: Formulieren Sie wichtige Forderungen.

a. Die Mehrheit der Menschheit lebt in Armut. ⇨ Wir müssen mehr Wohlstand schaffen!
b. In viel zu vielen Ländern gibt es Krieg. ⇨ ________
c. Der Frieden ist in Gefahr. ⇨ ________
d. Armut schafft Konflikte. ⇨ ________
e. Der Reichtum auf der Welt ist nicht gerecht verteilt. ⇨ ________

**4** Positiv – Negativ. Sammeln Sie Stichwörter für eine positive und für eine negative Entwicklung in der Welt. Vergleichen und diskutieren Sie mit einem Partner.

| positive Entwicklung | negative Entwicklung |
|---|---|
| Frieden, | Krieg, |
| | |
| | |
| | |
| | |
| | |

**5** Radionachrichten: Hören Sie und ergänzen Sie.

„Am Montag haben ________ 1 der UNO mit der Regierung im Nahen Osten verhandelt. Dabei ging es um die Frage, wie der ________ 2 in der Region ________ 3 werden kann. Der Konflikt dauert nun sehr lange und es ist eine ________ 4, beide Seiten zu einem ________ 5 zu bewegen. Die UNO ________ 6 vor allem darum, einen ________ 7 Konflikt zu vermeiden. Hauptprobleme sind die ________ 8 Verteilung des ________ 9 und die Benachteiligung einzelner gesellschaftlicher Gruppen. …"

# BEZIEHUNGEN ZWISCHEN STAATEN

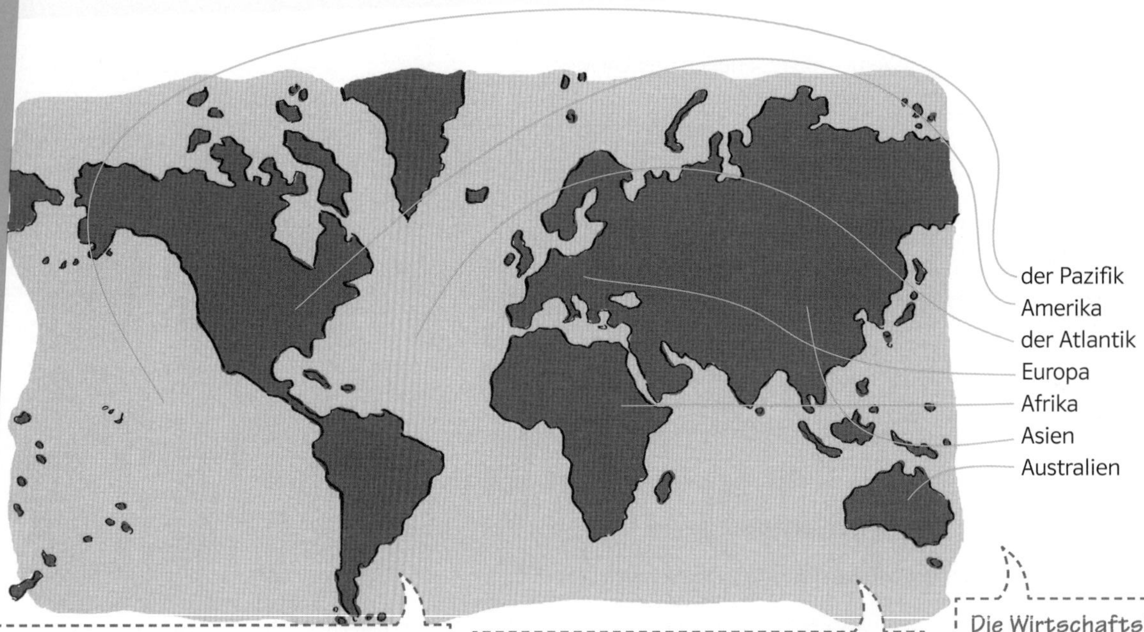


Zwischen den meisten Staaten der Europäischen Union (EU) gibt es keine Grenzkontrollen mehr.

Zwischen Deutschland und Frankreich gibt es enge kulturelle Beziehungen auf allen Ebenen. Zum Beispiel sind München und Bordeaux Partnerstädte.

Die Wirtschaftsbeziehungen zwischen der amerikanischen Westküste und den asiatischen Pazifikstaaten werden immer wichtiger.

Kanada, die USA und Mexiko sind Nachbarstaaten. Zwischen diesen Ländern gibt es enge wirtschaftliche Beziehungen.

Die wirtschaftlichen und kulturellen Beziehungen zwischen Europa und Afrika haben eine lange Tradition.

der Partner, die Partnerschaft:
die Partnerstadt

afrikanisch
amerikanisch
asiatisch
australisch
europäisch

deutsch (deutsche Wirtschaft)
österreichisch (österreichische Geschichte)
Schweizer (Schweizer Kultur)
griechisch
ukrainisch
…

(enge) wirtschaftliche / kulturelle / politische / nachbarschaftliche } Beziehungen

der Kulturaustausch
der Wissenschaftsaustausch
der Schüleraustausch

die Welt, der Kontinent
der Staat, der Nachbarstaat, das Nachbarland
der Pazifikstaat, die Küste, die Pazifikküste
die Grenze, kontrollieren, die Grenzkontrolle
die Botschaft, das Konsulat

die Beziehung, das Verhältnis, die Wirtschaftsbeziehung
eng ⇔ locker
fördern, die Förderung
die Tradition, die Ebene (auf allen Ebenen)
der Austausch

1 **Wie heißen die Adjektive?**

a. Afrika ⇨ afrikanisch
b. Amerika ⇨ ____________
c. Asien ⇨ ____________
d. Australien ⇨ ____________
e. Europa ⇨ ____________
f. Nachbarschaft ⇨ ____________
g. Kultur ⇨ ____________
h. Wirtschaft ⇨ ____________
i. Österreich ⇨ ____________
j. die Schweiz ⇨ ____________

2 **Welches Wort passt? Kreuzen Sie an.**

a. Schüleraustausch, Wissenschaftsaustausch usw. gehören zu den
☐ wirtschaftlichen Beziehungen. ☐ kulturellen Beziehungen. ☐ politischen Beziehungen.

b. Ein Professor aus Österreich geht für ein Jahr an eine ägyptische Universität. Das ist
☐ ein Schüleraustausch. ☐ ein Kulturaustausch. ☐ ein Wissenschaftsaustausch.

3 **Wie sagt man das? Ergänzen Sie.**

a. Westeuropa exportiert nach Osteuropa und umgekehrt, sie haben gute Wirtschaftsbeziehungen.
b. Deutschland und die Schweiz haben eine gemeinsame Grenze, sie sind ____________.
c. Japan, China und Korea gehören zu den asiatischen ____________.
d. Rio de Janeiro liegt an der südamerikanischen ____________ und Lima liegt an der südamerikanischen ____________.
e. Hier kann man ein Visum zur Einreise in ein Land bekommen: ____________.

4 **Was kann man hier kombinieren? Ergänzen Sie auch den Artikel.**

-küste -land -austausch -staat ~~-stadt~~ -kontrolle -beziehungen

a. die Partner stadt
b. ______ Grenz______
c. ______ Nachbar______
d. ______ Schüler______
e. ______ Wirtschafts______
f. ______ Atlantik______

5 **Beziehungen zwischen den Staaten der Welt. Ergänzen Sie die fehlenden Wörter.**

die Kulturpolitik der Industriestaat ~~die Partnerschaft~~ der Austausch die Wirtschaftsbeziehung

a. Russland gehört nicht zur EU, aber es hat einen Partnerschafts vertrag mit der EU.
b. Auf den Zusammentreffen der wichtigsten ____________ der Welt ist die Globalisierung der Wirtschaft immer ein zentrales Thema.
c. Zwischen den amerikanischen Staaten an der Westküste des Kontinents und den asiatischen Staaten gibt es enge ____________.
d. Die Förderung der deutschen Sprache gehört zur auswärtigen ____________ Deutschlands.
e. Der Deutsche Akademische Austauschdienst ist für den ____________ von Wissenschaftlern und Studierenden zuständig.

6 **Hören Sie und ergänzen Sie.**

Die gemeinsamen Ziele von Deutschland und seinen ____________ 1 und transatlantischen ____________ 2 sind der Frieden, die Demokratie und die Menschenrechte ____________ 3. Zurzeit hat Deutschland diplomatische ____________ 4 zu mehr als 190 ____________ 5 weltweit. Die ____________ 6 arbeiten mit den ausländischen Regierungen zusammen, um die ____________ 7, kulturellen und ____________ 8 Beziehungen zu ____________ 9 und zu festigen. Innerhalb der G20 spielen Länder wie China, Indien, Südafrika und Brasilien eine zunehmend wichtige Rolle auf globaler ____________ 10.

# WELTALL UND RAUMFAHRT

der Stern
der Mond
die Rakete
der Satellit
der Weltraum

## Die Raumfahrt

zum Mond fliegen
auf dem Mond landen
die Landung
die Mondlandung
sich erinnern, die Erinnerung
starten, der Start
die Technik, technisch
der Fortschritt, erreichen
planen, die Planung

> Das steht noch in den Sternen.
> ‚Das ist noch völlig ungewiss.'

## Der Weltraum

der Weltraum / das Weltall
- der Raumfahrer, die ~in
- der Astronaut, die ~in
- der Kosmonaut, die ~in
- die Raumstation
- die Raumfahrt

## Satelliten

Satelliten werden in die Erdumlaufbahn geschossen. → Satelliten umkreisen die Erde.

Man benutzt Satelliten für
- die Forschung (Filme, Fotos)
- die Kommunikation (Telefon, Fernsehübertragungen)
- militärische Zwecke

**!** schießen:
Russland hat eine Rakete in den Weltraum geschossen.
jemand schießt mit einer Pistole auf ein Ziel

der Satellit, das Satellitenbild
das Satellitenfernsehen, die Satellitenschüssel
die Erde, die Erdumlaufbahn (die Bahn, auf der die Satelliten um die Erde kreisen)
der Zweck
schießen
umkreisen (sich um etwas drehen)

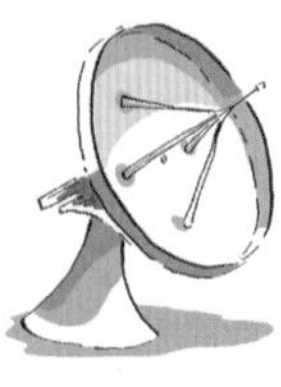

„Erinnern Sie sich? 1969 startete Apollo 11 in den Weltraum. Die Rakete brachte die ersten Menschen auf den Mond. Damit war ein wichtiges Ziel der Raumfahrttechnik erreicht – ein großer Fortschritt nach vielen Jahren der Planung."

## Planeten und Sterne

Die Erde, der Mars, der Saturn, die Venus, der Jupiter, … sind Planeten.
Die Sonne ist ein Stern.
Unser Sonnensystem gehört zur Milchstraße.

der Planet
das Sonnensystem
die Milchstraße
gehören zu

**1** Ergänzen Sie die Wortenden. Es fehlen jeweils zwei oder drei Buchstaben.

a. die Rake __te__
b. der Astron ______
c. der Satel ______
d. die Erdumlaufba ____
e. der Mo ____
f. der Plan ____
g. das Raumschi ____
h. das Welta ____
i. die Milchstra ____

**2** Sammeln Sie alle Wörter mit „Raum" und mit „Satellit" und schreiben Sie sie mit dem richtigen Artikel auf.

Raum: __der Raumfahrer,__ ______________________________

______________________________

Satellit: ______________________________

______________________________

**3** Rund um die Erde: Lösen Sie das Kreuzworträtsel.

**Waagerecht:**
1. Planet, auf dem wir wohnen:
2. Satelliten … die Erde.
3. Anderes Wort für „Raumfahrer":
4. Erde, Mars, Jupiter sind …
5. Unser Sonnensystem ist ein Teil davon:
6. Der… umkreist die Erde.

**Senkrecht:**
1. Anderes Wort für „Weltraum":
2. … schießt man in die Erdumlaufbahn.
3. Ein Planet, der die Sonne umkreist:
4. Damit kann man zum Mond fliegen (Plural):
5. Eine … bleibt längere Zeit im Weltraum.
6. Die Sonne ist ein …

**4** Eine Welt ohne Satelliten: Stellen Sie sich vor, es gäbe keine Satelliten mehr. Schreiben Sie auf, was es alles nicht mehr geben würde und was alles nicht mehr funktionieren würde. Vergleichen Sie dann mit einem Partner.

**5** Apollo 11: Ergänzen Sie die Wörter in der richtigen Form. Nicht alle Wörter passen. Kontrollieren Sie dann mit dem Hörtext.

Astronaut Satellit Mondlandung fliegen landen umkreisen
~~starten~~ Stern Rakete Planet

Am 16. Juli 1969 __startete__ Apollo 11 zum Mond. Die ____________ 1 hießen Armstrong, Collins und Aldrin. Armstrong und Aldrin ____________ 2 am 20. Juli auf dem Mond. Collins blieb im Raumschiff und ____________ 3 den Mond. Ein ____________ 4 übertrug die Fernsehbilder zur Erde. Am 21. Juli betrat Armstrong als erster Mensch den Mond. Die erste ____________ 5 von Menschen war geglückt! Das nächste Ziel ist ein ____________ 6, der Mars.

# 80 DIE MEINUNG SAGEN

„Ich finde, wir nehmen die Autobahn hier. Das geht sicher am schnellsten. Was meinst du?"
„Ich weiß nicht … Ich glaube, das ist ein Umweg. Nehmen wir lieber die Landstraße, das ist auch landschaftlich schöner."
„Na gut, wenn du meinst … Dann gib ‚Autobahn meiden' ein."

## Meinungen ausdrücken

### jemanden nach der Meinung fragen

Was meinst du? Was hältst du davon?
Wie denken Sie darüber? Was haben Sie für eine Meinung dazu / zu diesem Thema?

### die eigene Meinung sagen

Ich bin der Meinung / Ich glaube, (das ist ein Umweg).
Ich finde / glaube / denke / meine, (das ist ein Umweg / dass das ein Umweg ist).

### jemandem zustimmen

Ja, genau! Ja, da hast du recht! Stimmt! Einverstanden!
Ich bin dafür.
Ach so. (Man ist etwas überrascht.)
Na ja, wenn du meinst. Meinetwegen. (Man ist nicht ganz überzeugt.)
Ja, das kann ich bestätigen.

### jemandem widersprechen

Das finde / glaube / meine ich nicht. Ich bin dagegen.
Das stimmt nicht. So ein Quatsch / Unsinn! Das ist doch eine Lüge! (sehr direkt, unhöflich)
Sie haben ja keine Ahnung! (unhöflich)
Ich bin (überhaupt) nicht dieser Meinung!
Ich glaube, da haben Sie (völlig) unrecht. / Da irren Sie sich!
Also, ich weiß nicht, ich glaube eigentlich nicht, dass …
Man kann das auch anders sehen.

### seine Meinung verteidigen / begründen

Ich finde / glaube /… trotzdem, (dass dies der beste Weg ist)!
Ja, schon, aber meiner Meinung nach ist …
Ich bleibe bei meinem Standpunkt.
Da könnten Sie recht haben, allerdings ist es so, dass …
Eins steht fest: …
Übrigens ist es auch so, dass …

das Thema
die Meinung, die Ansicht, der Standpunkt
die Ahnung
der Quatsch, der Unsinn
zustimmen, die Zustimmung
bestätigen, die Bestätigung
begründen, die Begründung
lügen, die Lüge

etwas finden, glauben, annehmen, meinen, denken, wissen, behaupten

recht haben, (deutlich) die Meinung sagen
feststehen
übertreiben, sich irren
allerdings
übrigens

„Also meiner Meinung nach müssen die Steuern gesenkt werden, und zwar drastisch!"
„Da kann ich Ihnen gar nicht zustimmen. Dann hat der Staat zu wenig Geld für die notwendigen sozialen Programme."

**1.1** Pro und Kontra Online-Dating: Bringen Sie den Dialog in die richtige Reihenfolge.

a. Eva: *Also, ich finde,* dass dieses Online-Dating wirklich eine Katastrophe ist. Das kann doch nicht gutgehen!
b. Eva: *Das ist doch völliger Unsinn!* Man kann doch nicht aufgrund von ein paar Charaktereigenschaften entscheiden, ob man sich mit jemandem gut verstehen wird.
c. Simon: *Judith hat Recht,* und online kann ich mir erst mal die Eigenschaften von einer Person ansehen, bevor ich mich mit ihr treffe.
d. Judith: *Ich glaube schon,* dass ich aufgrund eines Persönlichkeitsprofils eine erste Auswahl treffen kann. Aber dann kommt es natürlich noch auf den persönlichen Eindruck an, wenn ich das Date zum ersten Mal treffe.
e. Judith: *Warum nicht?* Viele Leute haben heute gar nicht mehr die Zeit, selbst nach einem Partner zu suchen.
f. Simon: *Genau!*

**Richtige Reihenfolge:** a, ____________

**1.2** Schreiben Sie jetzt die hervorgehobenen Ausdrücke in die Tabelle.

| die Meinung sagen | zustimmen | widersprechen und seine Meinung verteidigen |
|---|---|---|
| Also, ich finde ... | | |
| | | |
| | | |
| | | |
| | | |

**2** Herr Unsinn und Herr Quatsch sind Freunde, aber haben fast immer unterschiedliche Meinungen. Heute diskutieren sie über moderne Kunst. Ergänzen Sie die passenden Ausdrücke.

ich finde trotzdem · da haben Sie recht · naja, wenn Sie meinen · ~~Quatsch~~ · Unsinn · ich finde

Herr Unsinn: Moderne Kunst? So ein Quatsch ! Diese Leute können gar nicht wirklich malen. Sie wollen nur schnell Geld verdienen.

Herr Quatsch: So ein ____________ 1! Wann waren Sie denn zuletzt in einer Ausstellung? ____________ 2, moderne Kunst muss man ernst nehmen. Die Leute haben Fantasie!

Herr Unsinn: ____________ 3. Fantasie haben sie schon, aber sie können nichts!

Herr Quatsch: Also, Sie können sagen was Sie wollen. ____________ 4, dass Sie das ganz falsch sehen.

Herr Unsinn: ____________ 5, Sie wissen wohl alles besser!

**3** Eine Diskussion unter Studenten. Hören Sie und ergänzen Sie die fehlenden Ausdrücke.

Paul: Ich bin der ____________ 1, das BAföG (finanzielle Hilfe vom Staat für Studierende) sollte erhöht werden. Das Geld reicht oft zum Leben nicht aus.

Rouven: ____________ 2. Man kann als Student doch nebenher arbeiten. In anderen Ländern müssen das die Studenten auch.

Paul: Ja, ____________ 3: Wenn ich 20 Stunden oder mehr in der Woche arbeiten muss, kann ich mich weniger auf mein Studium konzentrieren, und mein Studium dauert länger.

Rouven: Ja, ____________ 4. Aber man kann ja auch einen Studenten-Kredit aufnehmen. Der wird dann später zurückgezahlt.

Paul: Also damit bin ich ____________ 5. Dann beginnst du dein Berufsleben schon mit Schulden.

Rouven: Na ja, ____________ 6, aber meist verdienen Akademiker doch gut, und es fällt ihnen nicht so schwer, das Geld nach dem Studium zurückzuzahlen.

# SAGEN UND SPRECHEN (I)

„Ja, Erika ist gerade hier, zum Kaffeetrinken. Sie erzählt mir gerade von ihrer Reise nach Krakau. Willst du nicht auch herkommen?“

## Miteinander reden

| | |
|---|---|
| (mit jemandem über etwas) **sprechen** / **reden**<br>jemanden **ansprechen** auf etwas<br>etwas **besprechen**, die **Besprechung** | Ich muss mal mit ihm darüber sprechen / reden.<br>Sie sprechen aber gut Deutsch!<br>Ich muss ihn unbedingt auf das Problem ansprechen.<br>Die genaue Reihenfolge müssen wir noch besprechen.<br>Das Team hat jeden Montag eine Besprechung. |
| (jemandem etwas) **sagen** / (jemandem) **Bescheid sagen**<br>(jemandem etwas) **mitteilen** | Das hat er nicht gesagt. Sag mir doch Bescheid!<br>Er teilte mir mit, dass die Sache nun abgeschlossen ist. |
| **sich** (mit jemandem über etwas) **unterhalten** (*in Ruhe über verschiedene Themen sprechen*), die **Unterhaltung**<br>(jemandem eine Sache / von einer Sache) **erzählen, die Erzählung** (= die Geschichte) | Wir trinken Kaffee und unterhalten uns prima.<br>Sie erzählt mir gerade von ihrer Reise nach Krakau. |
| (jemandem etwas) **erklären** / erklären, wie …<br>die **Erklärung** (*Man sagt jdm., wie etwas funktioniert / ist.*) | Erklär mir doch bitte diese Grammatikregel!<br>Sie hat mir erklärt, wie der Computer funktioniert. |
| (jemandem etwas) **verraten** (*etwas Geheimes sagen*)<br>das Geheimnis<br>etwas **zusammenfassen** (die wichtigsten Punkte nennen)<br>(jemanden für etwas) **loben,** das **Lob**<br>(jemanden / etwas) **nennen** | Verrat mir doch mal, wer dein neuer Freund ist!<br>Jetzt erzähl schon! Warum machst du so ein Geheimnis daraus?<br>Er fasste das Referat auf dem Handout zusammen.<br>Der Lehrer lobte die Schüler für ihre gute Arbeit.<br>Sie nannten ihn Willi, obwohl er Klaus hieß.<br>Nennen Sie bitte ein Beispiel. |

## Diskussion und Streit

| | |
|---|---|
| **kontrovers, aber nicht aggressiv:** | |
| (mit jemandem etwas / über etwas) **diskutieren**<br>(jemandem) **widersprechen** ⇔ (jemandem) **zustimmen** | Das müssen wir noch mal diskutieren!<br>Sie diskutieren immer über Politik.<br>Da muss ich Ihnen widersprechen!<br>Da stimme ich Ihnen zu! |
| **kontrovers, manchmal aggressiv:** | |
| jemandem **die Meinung sagen** (*jemandem klar sagen, was man denkt, oft konfrontativ*) | Herr Peters hat seinem Chef neulich deutlich die Meinung gesagt, das hat dem Chef gar nicht gefallen. |
| **sich** (bei jemandem über etwas) **beschweren** (*jdm. sagen, dass man mit etwas nicht einverstanden ist*) | Ich werde mich über den schlechten Service im Hotel beschweren. |
| (jemanden) **unterbrechen** | Darf ich Sie kurz unterbrechen, ich möchte etwas klarstellen. |
| **protestieren** | Da muss ich wirklich protestieren! Das stimmt so nicht. |
| **aggressiv und kontrovers:** | |
| **sich** (mit jemandem über etwas) **streiten** | Mit Julius streite ich mich immer über Politik. |
| (mit jemanden / über etwas) **schimpfen** | Die Mutter schimpft mit ihrer Tochter wegen der Noten. |

## Überzeugen, Warnen

| | |
|---|---|
| (jemanden zu etwas) **überreden** | Ich konnte sie nicht dazu überreden, mit mir essen zu gehen. |
| (jemanden vor einer Sache) **warnen** | Ich habe dich ja vor dem Essen gewarnt, es ist sehr scharf. |
| (jemandem etwas) **versichern** (*sagen, dass etwas wirklich so ist*) | Ich versichere Ihnen, das ist ein erstklassiger Computer! |

1 **Kommunikationsprobleme: Ergänzen Sie die passenden Verben und kontrollieren Sie mit dem Hörtext.**

~~streiten~~ unterhalten überreden beschweren schimpfen widersprechen

Streiten Sie sich oft mit Ihrer Partnerin? Versuchen Sie, Ihre Partnerin zu etwas zu ________ 1, was sie eigentlich gar nicht will? Sind Sie so unzufrieden, dass Sie auf alles und jeden ________ 2 und immer schlechte Laune verbreiten? ________ 3 Sie sich über jede Kleinigkeit? Müssen Sie immer ________ 4, wenn Sie anderer Meinung sind? Dann haben Sie ein Kommunikationsproblem! Kommen Sie zu uns zur Gesprächsberatung – hier können wir uns in Ruhe über alles ________ 5.

2 **Wie heißt das Substantiv / das Verb?**

a. streiten ⇨ der Streit
b. ________ ⇨ das Gespräch
c. ________ ⇨ die Beschwerde
d. ________ ⇨ der Widerspruch
e. zustimmen ⇨ ________
f. ________ ⇨ die Warnung
g. diskutieren ⇨ ________
h. unterhalten ⇨ ________

3 **Finden Sie die passenden Verben und ergänzen Sie sie in der richtigen Form.**

a. Oma, erzähl mir doch noch eine Geschichte!
b. Ich habe dich ja davor ________, so schnell zu heiraten – nun siehst du, dass ich Recht hatte!
c. So geht das bei dir in der Arbeit nicht weiter – dein Chef nutzt dich viel zu sehr aus. Du musst ihm mal richtig ________.
d. ________ mir doch Bescheid, wenn du ins Kino gehst!
e. Dieses Auto ist wirklich Spitzenklasse, das ________ ich Ihnen! Sie werden nur Freude damit haben.
f. Meine Freundin hat mir gestern von ihrer Kindheit in Russland ________. Das war sehr interessant!

4 **Was „machen" diese Leute?**

a. Also, das musst du so machen. Zuerst machst du das Programm auf, dann musst du … erklären
b. Pass auf, da kommt ein Auto! ________
c. Also, neulich kam meine Schwester vorbei, und weißt du was? Sie bringt diesen Hund mit, den sie auf der Straße gefunden hat, und … ________
d. Martin, dieses eine Mal kannst du doch wirklich mitkommen! Das Restaurant ist super! – Na gut, wenn du meinst. ________
e. Da haben Sie vollkommen Recht, stimmt genau! ________
f. Entschuldigen Sie, aber das Essen ist ja viel zu salzig, das kann man ja gar nicht essen! ________
g. Komm mal her, ganz nah, ich muss dir was sagen, aber nicht weitersagen! ________

# SAGEN UND SPRECHEN (2)

„Also, Schatz, eine gute Reise und grüß deine Mutter ganz herzlich von mir!“
HAUPTBAHNHOF
„Ah, bevor ich's vergesse, ich soll dir herzliche Grüße von Theo ausrichten!“

Reden ist Silber, Schweigen ist Gold.
‚Manchmal ist es besser, nichts zu sagen als etwas Unpassendes.'

## Grüßen

| | |
|---|---|
| (jemanden von jemandem) **grüßen** | Grüß deine Eltern herzlich von mir! |
| (jemandem von jemandem) **Grüße sagen / ausrichten** | Ich soll dir Grüße von Inge ausrichten! |

## Fragen, Bitten, Vorschlagen, Versprechen, Auffordern

| | |
|---|---|
| (jemanden etwas) **fragen**, die **Frage**, **sich** (etwas) **fragen** | Darf ich Sie noch etwas fragen? Ich frage mich, ob das stimmt. |
| (jemandem auf etwas) **antworten**, die **Antwort** | Sie antwortete ihm nicht (auf seine Frage). |
| (jemanden um etwas) **bitten**, die **Bitte** | Darf ich dich um einen Gefallen bitten? |
| (jemandem für etwas) **danken**, **sich bedanken**, der **Dank** | Ich möchte Ihnen herzlich für Ihre guten Wünsche danken. |
| (jemandem) **vorschlagen** (dass / Infinitiv + zu), der **Vorschlag** | Sie hat vorgeschlagen, noch etwas zu warten. |
| (jemandem) **versprechen** (dass / Infinitiv + zu), das **Versprechen** | Ich habe ihm versprochen, nicht mehr zu rauchen. |
| (jemanden) **auffordern** (Infinitiv + zu), die **Aufforderung** | Ich fordere Sie auf, mein Haus zu verlassen! |
| (etwas) **verlangen** | Ich verlange mein Geld zurück! |

## Informationen einholen / geben

| | |
|---|---|
| **sich** (bei jemandem nach etwas) **erkundigen** (sich Informationen holen) | Hast du dich schon nach Flügen erkundigt? |
| (jemandem etwas) **mitteilen**, die **Mitteilung** | Wir werden Ihnen den Termin dann per Post mitteilen. |
| (etwas) **feststellen**, die **Feststellung** | Er stellte fest, dass es schon sehr spät war. |

## Rufen, Schreien

| | |
|---|---|
| (jemanden) **rufen**, der **Ruf** | Ruf doch mal die Kinder rein, es gibt Essen!<br>Wir müssen den Arzt rufen, es geht ihr sehr schlecht. |
| **schreien** (sehr laut rufen), der **Schrei** | Da schreit jemand um Hilfe!<br>Was schreien die Kinder denn so? |
| die **Stimme** | Sie hat eine sehr hohe Stimme. |

## Stille

| | |
|---|---|
| **schweigen** (nicht reden) | Plötzlich schwiegen alle einige Minuten. |

**1** Welche Verben passen zusammen? Schreiben Sie die Verben mit ihren Objekten auf.

~~fragen~~ danken erkundigen mitteilen bitten antworten

a. jemanden etwas fragen ⇨ jemandem ______

b. ______ ⇨ ______

c. ______ ⇨ ______

**2** Sie wollen / sollen jemandem Grüße ausrichten. Was sagen Sie?

a. Herr Maier: „Grüßen Sie bitte Ihre Frau herzlich von mir!"

⇨ „Ich soll dir herzliche Grüße ______.

b. Der Lehrer: „Richte bitte deinen Eltern schöne Grüße von mir aus!"

⇨ ______.

c. Frau Sievers soll ihren Mann von Ihnen grüßen:

⇨ „Frau Sievers, bitte ..." ______.

d. Stefan soll ihren gemeinsamen Freund Karl von Ihnen grüßen:

⇨ ______.

**3.1** Bitte! Erich ist freundlich, aber faul. Er bittet alle Leute um einen Gefallen.

a. (Hilfe beim Kochen) ⇨ Darf ich dich um deine Hilfe beim Kochen bitten?

b. (etwas Geld leihen) ⇨ ______

c. (beim Reisebüro nach Flügen erkundigen) ⇨ ______

d. (ihn zum Essen einladen) ⇨ ______

**3.2** Danke! Erich bedankt sich.

a. (Karl, Hilfe beim Kochen) ⇨ Karl, ich danke dir für deine Hilfe beim Kochen!

b. (Erika, Geld geliehen) ⇨ ______

c. (Paul, beim Reisebüro nach Flügen erkundigt) ⇨ ______

d. (Sabine, mich zum Essen eingeladen) ⇨ ______

**4** Wie heißen die Substantive?

a. antworten ⇨ die Antwort

b. fragen ⇨ ______

c. bitten ⇨ ______

d. rufen ⇨ ______

e. mitteilen ⇨ ______

f. versprechen ⇨ ______

g. vorschlagen ⇨ ______

h. schreien ⇨ ______

i. danken ⇨ ______

**5** Endlich Ruhe! Hören Sie und ergänzen Sie die fehlenden Wörter.

Geschafft! Sie hatte sich aus dem Lärm in die Stille gerettet. Auf dem Bahnsteig ______ (1) Eltern ihre Kinder, die Kinder ______ (2) und tobten herum, Züge ratterten in den Bahnhof und eine Ansage folgte auf die andere. Endlich war sie in einem ruhigen Abteil mit Leuten, die alle ______ (3).

# HÖFLICH SEIN

„Ach entschuldigen Sie, könnten Sie mir bitte helfen?"
„Na klar, kein Problem!"

„Ich hätte gerne eine Tasse Kaffee und ein Stück Apfelstrudel!"
„Kommt sofort!"

## Höflich fragen, danken

Können Sie mir bitte helfen? /
Könnten Sie mir bitte helfen? (noch höflicher) – Ja, gern.
Könnten Sie mir bitte die Uhrzeit sagen?
Könnten Sie mir sagen, wie ich zum Bahnhof komme? / Wissen Sie, wo der Bahnhof ist?
Entschuldigen Sie, könnte ich kurz Ihr Handy benutzen?
Hätten Sie vielleicht / eventuell einen Moment Zeit?

Vielen Dank! / Danke sehr!
Bitte sehr! / Gern geschehen.

## Bestellen und Einkaufen

Ich hätte gerne einen großen Salat und ein Glas Mineralwasser!
Könnte ich noch etwas Brot haben?
Könnten wir bitte zahlen? / Bringen Sie uns dann bitte die Rechnung?
Ich hätte gerne ein Kilo Äpfel und eine Melone!
Eine Fahrkarte nach Hamburg, bitte!

## Höfliche Aufforderungen (etwas zu tun)

Darf ich Sie bitten, hier nicht zu rauchen?
Kommen Sie doch herein!
Nehmen Sie doch bitte Platz!
Rufen Sie bitte mal Frau Selczuk an.
Schlagen Sie bitte das Buch auf Seite 17 auf.
Könnten Sie bitte das Fenster zumachen, mir ist etwas /ein bisschen kalt.
Sagen Sie mir doch bitte Bescheid, wenn Sie gehen!

## Sich entschuldigen

„Oh, entschuldigen Sie bitte!"
„Ist nicht so schlimm, ist ja nur Wasser!"

Er hat sich wieder mal im Ton vergriffen.
‚Er war wieder mal sehr unhöflich.'

**Das sagt man oft**
Entschuldigen Sie bitte! Entschuldigung! Entschuldigen Sie bitte die Verspätung.
Tut mir leid!

Wörter wie
*bitte, kurz, vielleicht, eventuell, doch, doch bitte, mal, dann*
machen Bitten und Aufforderungen höflicher:
*Könnten Sie mir kurz helfen?*
*Nehmen Sie doch bitte noch ein Stück Kuchen!*

**1.1** Welche Aussagen sind höflich, welche sind unhöflich? Kreuzen Sie an.

| | höflich | unhöflich |
|---|---|---|
| a. Hallo, Ober – bringen Sie mir noch einen Kaffee. | | x |
| b. Würde es Ihnen etwas ausmachen, kurz zu warten? | | |
| c. Schlagen Sie bitte das Buch auf Seite 27 auf. | | |
| d. Machen Sie das Fenster zu, mir ist kalt. | | |
| e. Rufen Sie mich doch gerne an, wenn Sie noch eine Frage haben. | | |
| f. Wo ist denn hier der Bahnhof? | | |

**1.2** Unterstreichen Sie alle Wörter, die die Sätze höflich machen.

**2** Wenn man höflich ist, ist man oft indirekt: Was wollen diese Leute wirklich „sagen"? Verbinden Sie.

| | |
|---|---|
| a. Finden Sie es nicht auch ein bisschen kalt hier drinnen? | Hier ist Rauchen verboten! |
| b. Würde es Ihnen etwas ausmachen, hier nicht zu rauchen? | Ich möchte noch eine Tasse. |
| c. Könnten Sie mir Bescheid sagen, wenn Sie gehen? | Man sollte das Fenster schließen. |
| d. Dein Kaffee schmeckt wirklich sehr gut! | Ich will wissen, wie lange Sie arbeiten. |

**3** Das geht auch freundlicher: Machen Sie diese Sätze höflicher. Hören Sie dann die höflichen Varianten.

a. Im Restaurant: Herr Ober, ich will zahlen! ⇨ Herr Ober, ich würde gerne zahlen.

b. Im Obstgeschäft: Ein halbes Kilo Bananen und ein Kilo Äpfel! ⇨ ____________________

c. Im Büro: Stellen Sie das Handy aus! ⇨ ____________________

d. Auf der Straße: Wo geht's hier zum Hotel „Meridian"? ⇨ ____________________

e. Ihr Koffer ist schwer: Helfen Sie mir. ⇨ ____________________

f. Bei Freunden: Ich muss zu Hause anrufen, wo ist euer Telefon? ⇨ ____________________

g. Im Kurs: Setzt euch! ⇨ ____________________

h. Zu Hause: Mach die Tür zu, mir ist kalt! ⇨ ____________________

**4** Was sagen Sie, wenn ...

a. ... Sie jemandem auf den Fuß getreten haben?
⇨ ____________________

b. ... Sie jemandem für eine Einladung danken wollen?
⇨ ____________________

c. ... Sie jemandem einen Sitzplatz anbieten wollen?
⇨ ____________________

d. ... Sie im Unterricht etwas nicht verstanden haben?
⇨ ____________________

e. ... Sie jemandem geholfen haben und er sich bei Ihnen bedankt?
⇨ ____________________

**5.1** Was sagt man in den Situationen in Aufgabe 3 und 4 in Ihrer Sprache?

**5.2** Spielen Sie ähnliche Situationen mit einem Partner.

# NACHFRAGEN UND UMSCHREIBEN

„Entschuldigen Sie, fährt die Straßenbahn zum Deutschen Museum?"

„Da sans ja ganz verkeat. Da fahrns am bestn wieder zruck zum Stachus. Da nehmans de 18 bis zua Haltestelle Deutsches Museum."

„Entschuldigung, aber das habe ich nicht verstanden. Könnten Sie das bitte noch mal sagen?"

## Nachfragen: Was kann man sagen, wenn man etwas nicht verstanden hat?

„Da nehmans de 18 ..."
Entschuldigung, das habe ich nicht ganz verstanden.
Könnten Sie das bitte noch mal sagen? / Könnten Sie das bitte noch mal wiederholen?
Entschuldigung, wohin muss ich zurückfahren? Was muss ich machen? Welche Linie muss ich dann nehmen?
Ah so, ich fahre also zurück bis zum Stachus. Und dann mit der Linie 18?
Ah, vielen Dank. Habe ich das richtig verstanden: Ich fahre zurück bis zum Stachus und dann ...

„... da müssen Sie zum Kreisverwaltungsreferat."
Entschuldigung, was ist das?
Entschuldigung, was bedeutet das letzte Wort?
Könnten Sie das letzte Wort noch mal wiederholen?
Ah ja, können Sie mir das bitte aufschreiben, ich kenne das Wort nicht.
Ah ja, ist das ein Amt? Was für ein Amt ist das?

„Da rufen Sie am besten die Firma Kreuzpointner an."
Aha, vielen Dank. Könnten Sie das bitte buchstabieren?
Können Sie mir bitte sagen, wie man das schreibt / buchstabiert?

## Umschreiben: Was kann man sagen, wenn man ein Wort nicht weiß?

Ich brauche etwas, um was an der Wand aufzuhängen. Ich weiß gerade das richtige Wort nicht.

Ah, einen Nagel? Oder eine Schraube? Warten Sie, ich zeig es Ihnen.

Ich brauche so eine Sache, die sieht so ähnlich aus wie ein Buch, aber man kann Papiere rein tun.

Ah, Sie meinen einen Ordner? Den bekommen Sie im Schreibwarenladen.

Da stand so ein Ding, mit dem man den Rasen kurz macht – wie heißt das noch?

Ah, ein Rasenmäher!

verstehen (richtig ⇔ falsch), das Verständnis, verständlich, miss-, missverstehen
die Sache (das Ding)
das Amt
ähnlich
um ... zu ...

wiederholen (= noch mal sagen)
aufschreiben, buchstabieren
bedeuten
heißen
meinen

Was? Wie? Wer? Wen? Wann?
Womit? Worüber? Welche/Welcher/Welches? Was für ein ...?
der Rasen, der Nagel, die Schraube, der Ordner

1 **Bitte noch einmal! Ergänzen Sie.**

a. Können Sie das noch mal wiederholen, ich habe das nicht verstanden.
b. Entschuldigung, könnten Sie das letzte Wort noch mal ____________________?
c. Ah, habe ich das dann ______________ verstanden: ich muss die Linie 18 nehmen?
d. Könnten Sie mir das bitte hier auf den Zettel ____________________ – ich weiß nicht, wie man das schreibt.
e. Das ist ein schwieriger Name. Könnten Sie ihn bitte ____________________?

2 **Verständnisfragen: Wo, was, wohin ...? Sie verstehen die unterstrichenen Ausdrücke nicht. Fragen Sie nach.**

a. Da müssen Sie zum Einwohnermeldeamt. ⇨ Wo muss ich hin?
b. Da müssen Sie am Alexanderplatz aussteigen. ⇨ ____________________?
c. Am besten rufen Sie Herrn Vorderobermaier an. ⇨ ____________________?
d. Zuerst müssen Sie ein Antragsformular ausfüllen. ⇨ ____________________?
e. Da sprechen Sie am besten mit der zuständigen Sachbearbeiterin, die wird Ihnen sicher helfen.
⇨ ____________________?

3 **Was passt zusammen? Verbinden Sie.**

a. Ich suche etwas, womit ich den Boden sauber machen kann, ich weiß das Wort leider nicht.
b. Ich suche das Amt, wo ich mein Auto anmelden kann. Wissen Sie, wie das heißt?
c. Da kam so ein großes Auto, in dem man schwere Sachen transportiert, wie heißt das noch?
d. Er hat so eine Maschine, mit der man Löcher in die Wand macht, wissen Sie, was ich meine?
e. Da stand so ein Tier, das sah so ähnlich aus wie eine Maus, aber es war braun und hatte einen langen Schwanz.

- Sie meinen sicher einen LKW.
- Eine Bohrmaschine?
- Besen finden Sie in der Haushaltsabteilung.
- Das war sicher ein Eichhörnchen.
- Da müssen Sie zur Kfz-Zulassungsstelle.

4 **Wie sagt man das? Ergänzen Sie.**

a. Sie wollen wissen, wie man ein Wort schreibt. ⇨ Können Sie mir das bitte buchstabieren?
b. Sie möchten, dass jemand Ihnen ein Wort aufschreibt. ⇨ ____________________
c. Sie glauben, Sie haben verstanden, dass Sie zum Alexanderplatz zurückfahren sollen und in die U-Bahn-Linie 3 umsteigen sollen, aber Sie sind sich nicht sicher. Sie fragen nach. ⇨ ____________________
____________________
d. Sie haben gar nichts verstanden. Sie möchten, dass Ihr Gesprächspartner alles noch mal wiederholt.
⇨ ____________________

5 **Spielen Sie mit einem Partner „Etwas umschreiben". Sie suchen sich einen Gegenstand und umschreiben ihn, Ihr Partner muss den Begriff finden. Dann tauschen Sie die Rollen.**

6 **Hören Sie die Informationen und ergänzen Sie die Lücken. Wie fragen Sie nach diesen Informationen?**

a. Sie wollen sich in Hamburg anmelden? Da müssen Sie ins ____________________. –
Entschuldigung, wohin muss ich da?
b. Das Einwohnermeldeamt suchen Sie? Das ist im ______________ Stock. – ____________________?
c. Sie müssen zu Frau ______________. – ____________________
____________________?
d. ____________________? – ____________________
____________________?

# WÜNSCHE, HOFFNUNGEN

„Herrlich die Ferien! Ganz weg vom Alltag! Sag mal, wollen wir nächstes Jahr wieder hierher kommen?“
„Ich würde gern nächstes Jahr mal nach Asien fahren.“

## Wünsche und Hoffnungen

Ich würde gern nächstes Jahr nach Asien fahren.
Ich wäre gern etwas mutiger.
Hätte ich doch nur (bloß) etwas mehr Zeit! (Ich wünsche mir mehr Zeit, aber ich habe keine.)
Hätte ich das nur nicht zu ihr gesagt! (Aber ich habe es leider gesagt.)

| | |
|---|---|
| Ich wünsche Ihnen alles Gute! | jemandem etwas wünschen |
| Was wünschst du dir für nächstes Jahr? | sich etwas wünschen |
| Ich wünsche mir Gesundheit. | |
| Ich hoffe, dass ich gesund bleibe. / Hoffentlich bleibe ich gesund. | hoffen, hoffentlich |
| Ich träume von der großen Liebe. | träumen, der Traum, Traum-, der Traumberuf |

## Mögen

| | |
|---|---|
| Magst du Mangos? Ja, sehr gern. / Nein, überhaupt nicht. | etwas (gern) mögen (generell) |
| Welches Obst magst du? Aprikosen mag ich besonders gern. | etwas besonders mögen |
| Ich mag vor allem Aprikosen. | etwas vor allem mögen |

! ‚Möchte‘ ist eine alte Konjunktivform von ‚mögen‘ und hat keinen Infinitiv.

## Wollen

| | |
|---|---|
| Mama, ich will ein Eis! | etwas wollen (in diesem Moment) |
| Mama, ich möchte (bitte) ein Eis! | ich will (einen starken Wunsch haben) |
| Ich will noch nicht schlafen gehen! | ich möchte (höflicher) |
| Ich möchte noch etwas aufbleiben! | |

## Bestellen und Kaufen

Ich möchte bitte etwas bestellen! / Bringen Sie mir bitte einen Tee!
Ich möchte gern ein Zimmer reservieren.
Können Sie mir bitte einen Platz im Zug nach Leipzig reservieren?
Guten Tag, ich hätte gerne ein Kilo Äpfel.

1 **Ergänzen Sie „würden", „wären" oder „hätten" in der richtigen Form.**

a. Hallo Helga, kommst du heute mit ins Schwimmbad?

b. Heute habe ich keine Zeit, aber ich _würde_ gern am Sonntag mitkommen.

c. Alles klar. ______ du lieber zu Fuß gehen oder mit dem Auto fahren?

d. Lieber zu Fuß. Mit dem Auto fahre ich nicht so gern. Ich ______ gern ein Fahrrad, dann könnte ich immer mit dem Fahrrad ins Schwimmbad fahren.

e. Ja, das wäre praktisch. Aber ich ______ am liebsten ein Moped. Das fährt etwas schneller als ein Fahrrad.

f. Wenn doch schon Sonntag ______ !

2 **Ergänzen Sie „möchten" oder „mögen".**

a. Verkäufer: Guten Tag, was _möchten_ Sie bitte?

b. Kundin: Geben Sie mir bitte zwei Croissants, aber die einfachen bitte. Schoko-Croissants ______ meine Kinder nicht.

c. Verkäufer: ______ Sie sonst noch etwas?

d. Kundin: Ja, ich hätte gern noch ein Sonnenblumenbrot.

e. Verkäufer: ______ Sie ein ganzes oder ein halbes?

f. Kundin: Das ganze bitte. Wir ______ diese Körnerbrote so gern, das geht bei uns schnell weg.

3 **Was wünschen Sie sich? Schreiben Sie Sätze.**

Ich wünsche mir _einen verständnisvollen Partner._

Ich hätte gern …

Ich wäre gern …

Ich würde gern …

| | |
|---|---|
| ~~einen verständnisvollen Partner~~ | 2 kg Kirschen |
| das rote Abendkleid für 300 Euro | 10 gelbe Rosen |
| besser Ski fahren | das neueste Handy-Modell |
| Russisch lernen | einmal nach Afrika reisen |
| ein berühmter Erfinder | ein bisschen mutiger |
| ein neues Auto | weniger schüchtern |

4 **Wie sagt man das höflicher?**

a. Mama, ich will eine Limo! ⇨ _Mama, ich möchte gern eine Limo._

b. Ich will im nächsten Jahr Gesundheit. ⇨ ______

c. Ich will was bestellen. ⇨ ______

d. Reservieren Sie mir ein Zimmer für den 1. Juli. ⇨ ______

5 **Was sagen Sie in dieser Situation?**

a. Sie möchten im Restaurant einen Tisch am Fenster. ⇨ _Ich hätte gern einen Tisch am Fenster._

b. Sie haben etwas Falsches gesagt und bereuen es. ⇨ ______

c. Sie wünschen, sie wären charmanter. ⇨ ______

d. Sie hätten gern Traubensaft, aber es gibt keinen. ⇨ ______

e. Sie wünschen sich mehr Geld, haben es aber nicht. ⇨ ______

6 **Eine Nachricht an den Weihnachtsmann. Ergänzen Sie die fehlenden Wörter und kontrollieren Sie mit dem Hörtext.**

Lieber Weihnachtsmann … mhm… ich ______ 1 gern ein Handy zu Weihnachten. Das ______ 2 wirklich sehr schön! ______ 3 ist das möglich. Ich ______ 4 nämlich ______ 5 immer nach der Schule mit meinen Freundinnen sprechen, in meinem Zimmer. Das Telefon in der Küche ______ 6 ich nicht, da hören dann immer alle zu. Ein Handy ______ 7 wirklich ein ______ 8 für mich! …

# FÄHIGKEIT, MÖGLICHKEIT, NOTWENDIGKEIT

„Ihr könnt schon sehr gut lesen. Da können wir heute mal in die Schulbibliothek gehen und Bücher ausleihen."

## Fähigkeit

Lisa kann schon gut lesen. — Aber sie kann nicht gut rechnen.
Olga kann sehr gut Französisch (sprechen). — Aber sie kann nicht gut Englisch (sprechen). / Sie kann kein Englisch.
Renate ist fähig, die schwere Aufgabe zu lösen. — Aber sie ist nicht in der Lage, alle Aufgaben rechtzeitig zu lösen.

können, fähig sein, in der Lage sein

## Möglichkeit

Kannst / Könntest du morgen mitkommen? — Tut mir leid, morgen kann ich nicht.
Wir können dich im Auto mitnehmen. — Es geht wirklich nicht, ich habe keine Zeit.
Es kann sein, dass Lothar auch mitkommt. — Das glaube ich nicht, das kann nicht sein.
Vielleicht kommt Hans übermorgen mit. (*es ist möglich*)
Ich brauche die Kopien sofort. Lässt sich das machen? — Ja, das wäre schon möglich. / Das ist leider unmöglich.
Er macht alles möglichst gut (= *so gut wie möglich*).

können
etwas lässt sich machen (*es ist möglich*)
Das Problem lässt sich lösen. (= *Das Problem kann gelöst werden.*)
möglichst

## Notwendigkeit

Der Arzt sagt, ich soll mehr Sport treiben. (*eine Empfehlung*) — Und ich soll nicht so viel Butter essen.
Sollen wir auf dich warten? Ja, bitte wartet. — Nein, das braucht ihr nicht, ich nehme ein Taxi.
Die Kinder müssen heute früh ins Bett. (*es ist notwendig*) — Morgen müssen sie nicht so früh ins Bett. Sie brauchen heute nicht aufzuräumen.
Das ist leider notwendig / nötig. (*Man muss es tun.*) — Das ist nicht notwendig / nicht nötig.
Das erfordert viel Zeit (= *viel Zeit ist nötig*).

sollen
müssen ⇔ nicht brauchen (mit zu + Infinitiv)
notwendig / nötig sein
erfordern

**Das sagt man oft:**
Herbert ist zu allem fähig.
Möglich ist alles!
Das hättest du nicht sagen sollen.

**1** Was hat dieselbe Bedeutung? Verbinden Sie.

| | |
|---|---|
| a. Peter kann nicht zwei Stunden auf das Baby aufpassen. | Das ist unmöglich. |
| b. Hans ist fähig, die Prüfung zu schaffen. | Das ist unbedingt notwendig. |
| c. Es könnte morgen regnen. | Das kann man machen. |
| d. Das geht auf keinen Fall. | Er kann das. |
| e. Das lässt sich machen. | Er ist dazu nicht in der Lage. |
| f. Jürgen muss den Rasen noch mähen. | Das wäre möglich. |

**2** Antworten Sie positiv und negativ. Kontrollieren Sie mit dem Hörtext.

a. Frau Köhler, können Sie morgen etwas früher kommen?

Ja, das kann ich gern tun. / Das ist möglich.

Nein, das geht morgen leider nicht. / Das ist morgen leider nicht möglich.

b. Können Sie eine Webseite einrichten?

Ja, ____________________.

Nein, leider ____________________.

c. Soll ich die Briefe an Firma Hoch heute noch schreiben?

Ja, bitte, ____________________.

Nein, ____________________.

d. Muss der Elektriker wirklich heute noch kommen?

Ja, ____________________.

Nein, ____________________.

**3** Muss man, soll man, kann man oder lässt sich das machen? Ergänzen Sie.

a. Wenn man jemandem einen Brief schickt, muss man Porto bezahlen.

b. Wenn ein grüner Pfeil aufleuchtet, ______ man bei Rot nach rechts abbiegen.

c. Die Ärzte sagen uns immer wieder, dass wir viel frisches Obst essen ______.

d. Im Herbst ______ es in Mitteleuropa jederzeit regnen, deshalb ______ man immer einen Schirm dabei haben.

e. Viele Probleme ______ sich lösen, wenn man sich nur richtig bemüht.

f. Diabetiker ______ immer darauf achten, nicht zu viel Zucker zu essen.

g. Dieses Buch ist so spannend, dass ich es gar nicht aus der Hand legen ______.

h. Mariana hat gesagt, wir ______ schon mal losgehen.

i. Wie lange wird die Fahrt zur Nordsee dauern? Das ______ sich schwer schätzen bei dem Verkehr.

j. ______ wir Klaus nicht doch lieber vom Bahnhof abholen? Es regnet in Strömen.

# ABSICHTEN, GEWISSHEIT, VERMUTUNG

„Aber nächstes Jahr fahren wir wieder in die Alpen!"

## Absichten und Pläne

| | |
|---|---|
| Was machst du morgen? | Für morgen habe ich noch keine konkreten Pläne. |
| Hast du heute Abend schon etwas vor? | Da besuche ich meine Freundin Ute. |
| Wohin wollt ihr in den Urlaub fahren? | Nächstes Jahr fahren wir nach Griechenland. |
| Was hast du vor? / Was sind deine Pläne? | Nach dem Abitur möchte ich studieren.<br>Am liebsten würde ich Zahnmedizin studieren. |
| Willst du wirklich heiraten? | Ich habe es fest vor. Ich habe mich dazu entschlossen. Ich bin fest entschlossen.<br>Wir haben den Termin schon festgesetzt. |
| Beabsichtigen Sie wirklich zu kündigen? | Ja, ich habe es mir fest vorgenommen. |

etwas vorhaben, sich etwas vornehmen
etwas planen, der Plan
etwas beabsichtigen, die Absicht
sich entschließen, der Entschluss
fassen, einen Entschluss fassen
festsetzen, einen Termin festsetzen
etwas festlegen

## Andere etwas machen lassen

Gestern habe ich mein Auto endlich reparieren lassen – das war sehr teuer.
Mein Bruder lässt sich immer mit dem Taxi abholen.

etwas machen lassen (Man macht es nicht selbst.)

## Gewissheit und Vermutung

Weißt du das mit Sicherheit?
Stimmt das?
Bist du sicher?

sicher

Ja, er kommt bestimmt (nicht). / Aber ja doch!
Hundertprozentig. / Ich zweifle nicht daran.
Ich weiß ganz genau, dass …
Es ist eine Tatsache, dass …
Es ist tatsächlich so, dass …
Das ist (wirklich) wahr!
Es ist offenbar so, dass …
Ich vermute / nehme an / schätze / kann mir gut vorstellen, dass …
Wahrscheinlich …
Ich weiß nicht genau, ob …
Vielleicht / Möglicherweise kommt er bald.
Das könnte / dürfte wohl / müsste eigentlich geklappt haben.

↓ nicht sicher

| | | |
|---|---|---|
| wissen, genau wissen, sicher sein<br>die Wahrheit, wahr<br>die Tatsache, tatsächlich<br>die Wirklichkeit<br>offenbar | ⇔ | vermuten, annehmen, schätzen<br>sich etwas vorstellen,<br>zweifeln an (+ Dativ), der Zweifel |

1 **Was passt? Ergänzen Sie.**

vorhaben | vornehmen | planen | lassen | festsetzen | vermuten | ~~machen~~ | fassen

a. einen Plan machen
b. am Abend noch etwas ______
c. den Urlaub ganz genau ______
d. den Anzug reinigen ______
e. etwas nicht wissen, sondern nur ______
f. sich etwas für den Abend ______
g. einen Entschluss ______
h. den Termin ______

2 **Was gehört zusammen? Verbinden Sie.**

a. Habt ihr für morgen schon was vor?
b. Wohin wollt ihr heute Abend gehen?
c. Seid ihr sicher, dass das Schwimmbad aufhat?
d. Was macht ihr morgen?
e. Wollt ihr wirklich Snowboard fahren?

Wir vermuten es.
Wir haben es fest vor.
Nein, wir haben noch keine Pläne.
Am liebsten in die Disko.
Wir gehen schwimmen.

3 **Was antworten Sie? Manchmal gibt es mehrere Möglichkeiten.**

keine festen Pläne haben | schätzen | ~~noch nichts vorhaben~~ | etwas machen lassen | fest entschlossen sein | etwas fest vorhaben | sich entschließen | nicht genau wissen, …

a. Was machst du am Wochenende?
⇨ Ich habe noch nichts vor.

b. Willst du wirklich morgen mit der Diät anfangen?
⇨ ______

c. Was sind Ihre beruflichen Pläne für das nächste Jahr?
⇨ ______

d. Wo wäschst du eigentlich deinen Wagen?
⇨ ______

e. Seid ihr auch wirklich um zehn Uhr zurück?
⇨ ______

4 **Was wissen Sie genau und was nicht so genau? Schreiben Sie Sätze und diskutieren Sie mit einem Partner.**

mein Sohn wird ein guter Tierarzt | ~~Ottawa ist die Hauptstadt von Kanada~~ | der Computer denkt mit | am Freitag gibt es wieder Fisch | das Wetter wird morgen wieder gut | in der Türkei gibt es Sommerzeit | die Erde ist rund | Tokio ist die größte Stadt der Welt | meine Freundin hat unseren Termin vergessen | die Erde ist ein Planet | in der Schweiz wird mit Euro bezahlt | ein Glas Rotwein am Tag ist gesund | Mexiko gehört zu Nordamerika | alle Geschäfte schließen um 19 Uhr

a. Ich weiß genau, …
b. Ich weiß nicht genau, …
c. Ich nehme an, …
d. Ich kann mir gut vorstellen, …
e. Wahrscheinlich …
f. Vielleicht …
g. Möglicherweise …

Ich weiß genau, dass Ottawa die Hauptstadt von Kanada ist.

______

5 **Eine Hochzeit planen: Hören Sie die Tipps und ergänzen Sie die fehlenden Wörter.**

„Hallo, hier ist wieder die Melanie. Heute will ich euch erzählen, wie ich meine Hochzeit ______ 1. Als erstes solltet ihr natürlich den Termin ______ 2 und auch ______ 3, wie viele Gäste ihr einladen ______ 4. Dann solltet ihr auf jeden Fall ein Budget ______ 5, das heißt, ihr müsst wissen, wie viel Geld ihr ausgeben wollt. Auch ein allgemeines Thema für die Hochzeit ist eine gute Idee. Ich selbst ______ 6, die Brautjungfern zu bitten, blaue Kleider anzuziehen. Ich hoffe, sie sind mit meinen ______ 7 einverstanden. Die Einladungen müssen früh geschrieben werden, denn oft ______ 8 Freunde und Bekannte schon etwas für den Sommer ______ 9 und sie können nicht zur Hochzeit kommen. Als nächstes ______ 10 ich, die …

# RAT, ERLAUBNIS, VERSPRECHEN

„Du kennst doch dieses Restaurant. Was würdest du mir empfehlen?“
„Nimm doch den Fisch! Der ist hier sehr gut.“
Spezialitäten aus VIET NAM

## Rat und Empfehlung

**jemanden um Rat fragen** → **jemandem etwas raten, empfehlen** / **jemandem von etwas abraten / jemanden vor etwas warnen**

Was würdest du mir raten?
Würdest du das auch machen?
Ich würde gern deine Meinung dazu hören.

**jemandem etwas raten, empfehlen**

Ich würde das so machen.
Mach das doch folgendermaßen: …
Ich würde mindestens … / höchstens …

**jemandem von etwas abraten / jemanden vor etwas warnen**

Ich rate dir, das nicht zu machen. Das solltest du nicht machen!
Davon kann ich dir nur abraten. Davor kann ich dich nur warnen.
Mach das lieber nicht!
Achte besonders auf die Autofahrer! Achtung! Vorsicht! Halt!

raten, der Rat, einen Rat geben ⇔ von etwas abraten
empfehlen, die Empfehlung
warnen, die Warnung
auf etwas achten, die Achtung, „Achtung!“
mindestens ⇔ höchstens

## Erlaubnis

**jemanden um Erlaubnis bitten** → **jemandem etwas erlauben** / **jemandem etwas verbieten**

Darf ich hier parken?
Gestatten Sie, ist der Platz noch frei?

**jemandem etwas erlauben**

Ja, das dürfen Sie. Ja, das ist erlaubt.
Bitte sehr! Selbstverständlich! Aber klar! Gerne!

**jemandem etwas verbieten**

Dürfte ich wohl noch hinein?
Das geht leider nicht mehr, wir haben schon geschlossen.
Nein, das ist verboten. Fahren Sie bitte weiter.
Rauchen streng verboten!

erlauben, die Erlaubnis
genehmigen (offiziell)
dürfen
selbstverständlich
klar, gern(e)
verbieten, das Verbot,
streng

## Versprechen

**etwas versprechen** → **auf ein Versprechen reagieren**

Morgen bekommst du das Geld.
Das verspreche ich dir!
Darauf kannst du dich verlassen!

**auf ein Versprechen reagieren**

Hoffentlich!
Wirklich? Versprochen?

**Das sagt man oft:**
Das Ticket darf nur 10 Euro kosten, mehr habe ich nicht.
Das darf nicht wieder vorkommen!

versprechen, das Versprechen
reagieren, die Reaktion
sich auf etwas / auf jemanden verlassen

1 **Welche Antwort passt? Verbinden Sie.**

| | |
|---|---|
| a. Was würdest du mir raten? | Ja, natürlich! |
| b. Darf ich mal kurz telefonieren? | Ja, ich würde das auf jeden Fall tun. |
| c. Gestatten Sie, darf ich mal durch? | Hoffentlich! |
| d. Würdest du ihm das sagen? | Bitte sehr. |
| e. Morgen stehe ich ganz früh auf. | Das solltest du auf keinen Fall machen. |

2 **Was raten Sie?**

nachgießen ~~nehmen~~ ausschalten / einschalten gehen und nachfragen draufschütten
das Salz das Fundbüro der Computer die Sahne ~~die Tablette~~

a. Ich habe Kopfschmerzen. Was soll ich machen?

Nimm doch eine Tablette.

b. Ich habe mein Portemonnaie verloren.

______

c. Der Drucker geht nicht.

______

d. Ich habe Rotwein verschüttet.

______

e. Die Suppe ist versalzen.

______

3 **Hannas Eltern sind schlecht gelaunt und verbieten alles. Überlegen Sie sich so viele alternative Antworten wie möglich.**

a. Vati, darf ich heute Abend auf die Party?

Nein, heute darfst du nicht mehr ausgehen. / Nein, heute nicht, das verbiete ich dir.

______

b. Mama, meinst du, ich kann heute das Sommerkleid anziehen?

______

______

c. Vati, dürfte ich wohl heute Abend dein Auto nehmen?

______

______

4 **Welches Verb passt (nicht alle Verben passen)? Kontrollieren Sie mit dem Hörtext.**

mögen können lassen sollen müssen vorhaben ~~wissen~~ dürfen empfehlen versprechen

Wissen Sie schon, was Sie hier in München machen wollen?

Nein, können Sie uns was ______ 1?

Sie ______ 2 auf jeden Fall den Englischen Garten besuchen. ______ 3 ich Ihnen beschreiben, wie man hinkommt?

Oh ja, bitte. ______ 4 man da auch Fahrräder ausleihen?

Ja, ich glaube schon. Interessieren Sie sich für Kunst?

Mein Mann ______ 5 gern moderne Malerei.

Dann gehen Sie doch ins Haus der Kunst! Die Ausstellung wird Sie begeistern, das ______ 6 ich Ihnen.

# ZEITRELATIONEN

Während des Studiums jobbte sie als Dekorateurin ⚡ bei G&H.

## Zeitrelationen

| Es gibt mehrere Möglichkeiten, Zeitrelationen auszudrücken: | **Subjunktionen** (mit Nebensatz) |
|---|---|
| **Während** sie studierte, jobbte sie als Dekorateurin. | während (beides gleichzeitig) |
| **Solange** sie noch studiert, jobbt sie als Dekorateurin. | solange |
| **Als** sie mit dem Studium begann, suchte sie sich einen Nebenjob. | als (Zeitpunkt in der Vergangenheit) |
| **Bevor** sie als Dekorateurin jobbte, hatte sie eine Stelle als Kellnerin. | bevor (zuerst Kellnerin, dann Dekorateurin) |
| **Nachdem** sie das Studium beendet hatte, arbeitete sie als Chemikerin. | nachdem (zuerst Studium, dann Arbeit) |
| **Seit** er studiert, muss er sich nebenher etwas Geld verdienen. | seit (vom Beginn des Studiums an) |
| **Wenn** er fertig ist, geht er ins Kino | wenn (Zeitpunkt in der Zukunft) |
| **Sobald** er fertig ist, geht er ins Kino. | sobald |

| | **Präpositionen** |
|---|---|
| **Während** des Studiums jobbte sie als Dekorateurin. | während (+ Genitiv) |
| **Zu / Bei** Beginn des Studiums suchte sie gleich einen Job. | zu / bei (+ Dativ) |
| **Vor** ihrem Job als Dekorateurin hatte sie eine Stelle als Bedienung. | vor (+ Dativ) |
| **Nach** Beendigung des Studiums bekam sie eine Stelle als Chemikerin. | nach (+ Dativ) |
| **Seit** dem Beginn seines Studiums muss er nebenher etwas Geld verdienen. | seit (+ Dativ) |
| **Ab** Donnerstag ist das Geschäft geschlossen, bis nächsten Montag. | ab (+ Dativ), bis (+ Akkusativ) |

**! Der Nominalstil (Präposition + Nomen) wird besonders in geschriebener Sprache verwendet.**

| | **Adverbien** |
|---|---|
| **Jetzt** arbeitet sie als Chemikerin. **Früher** hat sie mal als Dekorateurin gearbeitet. | jetzt – früher |
| **Heute** bekommt sie ein gutes Gehalt. **Damals** verdiente sie wenig. | heute – damals |
| **Jetzt** ist sie zu Hause, **vorhin** war sie noch unterwegs. | jetzt – vorhin (kurze Zeitspanne) |
| 2012 bekam sie eine feste Stelle. **Davor** hatte sie immer nur gejobbt. | davor (vor 2012: gejobbt) |
| Hätte ich das nur schon **vorher** gewusst! Naja, **hinterher** ist man immer klüger. | vorher – hinterher (vor / nach einem Zeitpunkt) |
| **Zuerst** / **Zunächst** arbeitete er in Stuttgart, **dann** / **danach** in Wien. | zuerst / zunächst – dann / danach (Aufzählung) |
| **Neulich** hat er die Stelle gewechselt. | neulich (vor kurzer Zeit) |
| Komm bitte **rechtzeitig** zum Essen! | rechtzeitig (pünktlich) |
| **Plötzlich** ist es dunkel geworden, **vorhin** hat noch die Sonne geschienen. | plötzlich (sehr schnell) |
| Es ist **längst** Nacht. | längst (schon lange Zeit) |
| **Irgendwann** geht alles zu Ende. | irgendwann |
| Er stellt **dauernd** kritische Fragen. | dauernd (die ganze Zeit) |
| **Zukünftig** wird es weniger gedruckte Zeitungen geben. | zukünftig (in der Zukunft) |

| | **Modalpartikeln** |
|---|---|
| Ich geh' **mal eben** 'ne Zeitung holen! | eben, mal eben (kurze Zeitspanne) |

1 **Was kommt zuerst? Schreiben Sie jeweils zwei Sätze.**

a. zuerst duschen, dann frühstücken

⇨ Bevor ich frühstücke, dusche ich.

⇨ Nachdem ich geduscht habe, frühstücke ich.

b. zuerst einen Termin machen, dann zum Arzt gehen

⇨ ____________________

⇨ ____________________

c. zuerst die Preise vergleichen, dann kaufen

⇨ ____________________

⇨ ____________________

d. zuerst nachdenken, dann meine Meinung sagen

⇨ ____________________

⇨ ____________________

2 **Welche Präposition passt? Lesen Sie den Lebenslauf in Kapitel 57 noch einmal und ergänzen Sie die passenden Präpositionen.**

Nach der Schulzeit in Kiel und Hamburg machte Herbert Rossmann sein Abitur in Hamburg. ________ 1 seines Studiums in Dresden machte er ein Auslandspraktikum in Oslo. ________ 2 seiner Tätigkeit als Abteilungsleiter arbeitete er als Ingenieur bei BMW in München. ________ 3 2014 ist er Abteilungsleiter bei dieser Firma. ________ 4 Beginn seiner Tätigkeit als Abteilungsleiter war er erst 29 Jahre alt.

3 **Welche Subjunktionen fehlen hier? Ergänzen Sie.**

Als Herbert Rossmann 19 Jahre alt war, begann er mit dem Studium an der TU Dresden. Schon ________ 1 er zur Schule ging, hatte er sich immer für Technik interessiert. Aber ________ 2 er anfangen konnte zu studieren, musste er erst das Abitur machen. ________ 3 er zwei Jahre lang studiert hatte, bewarb er sich um ein Auslandspraktikum. Nun arbeitet er schon ein paar Jahre bei der Firma BMW. ________ 4 er diese Stelle hat, fühlt er sich sehr wohl. Der Aufenthalt in Norwegen hat ihm gefallen. Immer ________ 5 er eine Gelegenheit hat, reist er wieder dorthin. ________ 6 er genug Geld hat, möchte er auch mal nach Neuseeland fahren.

4 **Schreiben Sie einen kleinen Text über Sabine Herrmann und benutzen Sie dabei die Ausdrücke im Kasten.**

1995 – 1999: Schreibkraft bei AWA, Lübeck (Gehalt: 1700,– Euro/Monat)
2000 – 2005: Sekretärin bei ILL, Hamburg (Gehalt: 2200,– Euro/Monat)
2006 bis heute: Chefsekretärin bei der Firma Schulte, Rostock (Gehalt: 2800,– Euro/Monat).

> jetzt – früher
> heute – damals
> im Jahre … – davor
> zuerst – dann / danach

Sabine Herrmann arbeitet jetzt als ________ Früher ________

____________________

____________________

____________________

5 **Hören Sie das Jobinterview und ergänzen Sie die fehlenden Wörter.**

„Frau Herrmann, erzählen Sie uns doch bitte mal, was Sie bisher beruflich gemacht haben."

„Ja, also, ________ 1 war ich von 1995 bis 1999 bei AWA Lübeck, ________ 2 habe ich als Schreibkraft gearbeitet. Ich wollte mich aber weiterentwickeln und ________ 3 bei AWA bin ich dann ________ 4 zur Firma ILL in Hamburg gegangen. ________ 5 habe ich eine Stelle als Chefsekretärin bei der Firma Schulte in Rostock angenommen. Nun habe ich geheiratet und ________ 6 meiner Hochzeit suche ich ein neues Aufgabenfeld hier in Köln. Als Chefsekretärin möchte ich auch ________ 7 gern arbeiten, daher habe ich mich auf diese Stelle beworben."

# GRÜNDE UND FOLGEN

„Stau auf der A8 bei Köln. Wegen des Ferienbeginns kommt es auf der A8 Richtung Süden zu kilometerlangen Staus."

der Stau
der Ferienbeginn
es kommt zu (+ Dativ) (= es geschieht)
die Richtung
kilometerlang

## Gründe und Folgen

Antworten auf die Fragen: Warum? Weshalb? Wieso?
Es gibt mehrere Möglichkeiten, Gründe und Folgen auszudrücken:

| | |
|---|---|
| | **Konjunktionen, Subjunktionen** |
| Es kam zu kilometerlangen Staus, **denn** die Ferien hatten begonnen. | denn (mit Hauptsatz) |
| **Da** die Ferien begonnen hatten, kam es zu kilometerlangen Staus. | da (mit Nebensatz) |
| Es kam zu kilometerlangen Staus, **weil** die Ferien begonnen hatten. | weil (mit Nebensatz) In der gesprochenen Sprache hört man oft auch: Es gab lange Staus, weil – die Ferien hatten angefangen. |
| | **Präpositionen** |
| **Wegen** / **Aufgrund** des Ferienbeginns kam es zu langen Staus. | wegen / aufgrund (+ Genitiv; in der gesprochenen Sprache auch oft mit Dativ: „wegen starkem Regen …") |
| | **Adverbien** |
| Die Ferien hatten begonnen, **deshalb** / **deswegen** / **darum** / **daher** kam es zu kilometerlangen Staus. Die Ferien hatten begonnen, auf der Autobahn kam es **deshalb** / **deswegen** / **darum** / **daher** zu kilometerlangen Staus. | deshalb / deswegen / darum / daher |
| Die Ferien hatten begonnen, **aus diesem Grund** kam es zu kilometerlangen Staus. | aus diesem Grund |
| **Der Grund für** die kilometerlangen Staus war der Ferienbeginn. | der Grund für (+ Akkusativ) |
| | **Modalpartikeln** |
| Wir stehen seit fast einer Stunde im Stau! – Kein Wunder, die Ferien haben **ja** gerade begonnen. | ja |
| Ich gebe es auf, ich habe **halt** / **eben** kein Glück. | halt, eben (Diese Modalpartikeln drücken aus, dass man den Grund schon kennt.) |

**1** Was passt? Verbinden Sie.

a. Man sollte nicht zu viel fernsehen, — aus diesem Grund macht sie am Morgen Gymnastik.
b. Da sie kein Kleingeld hat, — denn das ist schlecht für die Augen.
c. Sie geht nicht auf das Geburtstagsfest, — deswegen kauft sie sich weite Röcke und Hosen.
d. Sie mag gern bequeme Kleidung, — darum hat sie niemandem etwas erzählt.
e. Die Party soll eine Überraschung werden, — kann sie sich keinen Kaffee aus dem Automaten kaufen.
f. Sie möchte fit bleiben, — weil sie lieber allein sein möchte.

**2** Hier sind noch acht Wörter versteckt. Markieren Sie die Wörter und schreiben Sie sie auf.

| | | | | | | | | | | | | | | | |
|---|---|---|---|---|---|---|---|---|---|---|---|---|---|---|---|
| C | H | A | N | D | U | S | F | J | H | I | L | M | O | R | W |
| N | U | A | T | F | E | U | D | D | A | R | C | H | G | E | S |
| O | Y | E | C | D | T | W | E | I | L | L | Z | N | W | W | E |
| E | S | T | H | A | Z | E | N | T | T | F | V | S | E | Ö | Z |
| D | E | S | W | E | G | E | N | A | B | S | R | ß | G | L | J |
| A | E | P | R | B | R | M | T | I | E | O | S | E | E | B | S |
| K | L | S | R | E | U | K | P | Ä | M | E | B | E | N | U | U |
| I | D | F | K | A | N | W | H | A | T | R | S | G | Ü | N | T |
| E | A | C | T | Ö | D | A | R | U | M | O | H | S | F | X | Y |

*denn*
_______________
_______________
_______________
_______________
_______________
_______________
_______________
_______________

**3** Wie können Sie die Gründe und Folgen ausdrücken? Es gibt mehrere Möglichkeiten.

a. Sie können nicht mit ins Schwimmbad, Sie haben noch viel zu tun.

⇨ Leider kann ich heute nicht mit ins Schwimmbad, *weil ich noch sehr viel zu tun habe / da ich noch ...*

b. Ihr Kind will draußen spielen, aber es ist sehr kalt.

⇨ Heute ist es sehr kalt, _______________

c. Sie haben alle Fenster geschlossen, weil es so kalt ist.

⇨ _______________ der Kälte habe ich alle Fenster zugemacht.

**4** Schreiben Sie diese Sätze richtig.

a. ESTUTMIRSOLEIDABERICHKONNTENICHTEHERKOMMENWEILICHDENBUSVERPASSTHABE.

⇨ _______________
_______________

b. BITTESEINICHTBÖSEICHHABEDENBUSVERPASSTUNDKONNTEDESHALBNICHTEHERKOMMEN.

⇨ _______________
_______________

**5** Man kann nicht immer Erfolg haben. Ergänzen Sie die fehlenden Wörter und kontrollieren Sie mit dem Hörtext.

*aufgrund* ~~*weil*~~ *denn* *deswegen* *Grund*

Auch sehr erfolgreiche Menschen haben ab und zu Misserfolge. Das passiert oft, *weil* sie sich selbst nicht richtig sehen und eine Situation falsch einschätzen. Ein weiterer _______________ 1 für Misserfolg ist Perfektionismus. Alles muss immer perfekt sein, _______________ 2 ist man nie zufrieden und es kommt zu Stress. Manche Menschen haben auch Angst vor bestimmten Situationen und versuchen _______________ 3 dieser Angst solche Situationen zu vermeiden, z. B. fliegen bei Flugangst. Andere produzieren ihren Stress selbst, _______________ 4 sie können nicht „Nein" sagen.

# GEGENSÄTZE

Max Thronau hatte nach 20 km eine Reifenpanne. Trotzdem wurde er noch Dritter.

## Gegensätze

| | |
|---|---|
| Es gibt mehrere Möglichkeiten, Gegensätze auszudrücken: | **Konjunktionen, Subjunktionen** |
| Thronau hatte eine Reifenpanne, **aber** er wurde noch Dritter. | aber (mit Hauptsatz) |
| Thronau wurde **zwar** nur Dritter, **aber** er freute sich sehr über diesen Erfolg. | zwar … aber |
| **Obwohl** Thronau eine Reifenpanne hatte, wurde er Dritter.<br>Thronau wurde Dritter, **obwohl** er eine Reifenpanne hatte. | obwohl (mit Nebensatz) |
| | **Präposition** |
| **Trotz** seiner Reifenpanne konnte Thronau noch den dritten Platz belegen. | trotz (+ Genitiv; in der gesprochenen Sprache steht trotz auch öfters mit Dativ: „trotz dichtem Nebel / trotz Regen …“) |
| | **Adverbien** |
| Thronau hatte eine Reifenpanne, **trotzdem** wurde er noch Dritter. | trotzdem |
| Thronau hatte eine Reifenpanne, er wurde **dennoch** Dritter. | dennoch / jedoch |
| Thronau hatte einige Probleme im Rennen, er wurde **aber trotz allem** noch Dritter. | trotz allem |
| **Im Gegensatz** zu seinem Kollegen Köhler hatte Thronau diesmal Glück. | im Gegensatz zu |
| Thronau war nicht enttäuscht. **Im Gegenteil**, er freute sich über seinen dritten Platz. | im Gegenteil (das Gegenteil) |
| Im letzten Jahr war es **umgekehrt** und Köhler hatte mehr Glück. | umgekehrt |
| | **Partikeln** |
| „Wenn es weiter regnet, gehe ich nicht zu dem Radrennen.“<br>„Ich gehe **aber** trotzdem!“ | aber (verstärkt den Gegensatz) |
| „Gehst du dieses Jahr nicht zu dem Radrennen?“<br>„**Doch**, natürlich!“ | doch (als Antwort auf eine negative Frage) |

**1** **Was sagen Sie?**

„Ich gehe aber trotzdem!“ „Aber das stimmt doch gar nicht!“ „Im Gegenteil, ich freue mich!“ „Es war trotz allem ein schöner Tag!“

a. An Ihrem Geburtstag hat es geregnet, sie konnten nicht im Garten feiern und haben das Fest im Haus gemacht.

⇨ ______________________________

b. Ihr Nachbar denkt, dass Sie seinen Hund schlecht behandelt haben.

⇨ ______________________________

c. Ihre Verwandten befürchten, ihr Besuch könnte Sie stören.

⇨ ______________________________

d. Wegen des kühlen Wetters möchte Ihr Freund nicht ins Schwimmbad gehen.

⇨ ______________________________

**2** **Was passt? Verbinden Sie.**

| | |
|---|---|
| a. Susanne hat sich erkältet, | trotzdem hat sie noch nicht viel abgenommen. |
| b. Hanna ist krank geworden, | obwohl sie sich immer warm angezogen hat. |
| c. Anna freut sich schon auf das Theater, | denn sie möchte andere Menschen kennenlernen. |
| d. Annette fährt gern in ferne Länder, | jedoch raten ihr ihre Eltern zu einem praktischen Fach. |
| e. Roswitha geht zur Arbeit – | weil sie nicht genügend Vitamine zu sich genommen hat. |
| f. Uschi macht eine Gemüse-Diät, | da sie moderne Stücke sehr gern hat. |
| g. Renate will gern Malerei studieren, | trotz ihrer Erkältung! |

**3** **Was passt nicht in die Reihe? Streichen Sie durch.**

a. weil – obwohl – da – denn
b. deswegen – trotzdem – darum – deshalb
c. deshalb – jedoch – aber – dennoch

**4** **Keine Rückenschmerzen mehr! Hören Sie und ergänzen Sie die fehlenden Wörter.**

Viele Menschen leiden unter Rückenschmerzen. Aber es gibt Hilfe für sie, zum Beispiel Schwimmen, ________ 1 das die Rückenmuskulatur stärkt. Auch die Matratze, auf der man schläft, ist wichtig, ________ 2 sollte man hier nicht sparen. Viel Gemüse mit Magnesium essen, ________ 3 Magnesium entspannt die Muskulatur. Auch Akupunktur hilft bei Rückenschmerzen. Aber ________ 4 diese natürlichen Mittel sehr gut helfen, lassen sich viele Menschen lieber operieren. ________ 5 der Warnungen mancher Ärzte vertrauen sie eher auf eine Operation als auf Naturheilmittel. ________ 6 natürlichen Hilfsmitteln hilft aber eine Operation oft nicht so gut – Rückenschmerzen sind nämlich oft psychisch bedingt …

# ART UND WEISE

## TV-Tipps für Verbraucher

„Lesen Sie die Beschreibungen der Urlaubsprospekte immer genau durch. So vermeiden Sie böse Überraschungen! Flüge und Bahntickets können Sie heutzutage bequem im Internet buchen."

der / das (Urlaubs-)Prospekt
durchlesen
vermeiden
die Überraschung, überraschen
der Tipp

### Art und Weise

| | |
|---|---|
| Es gibt mehrere Möglichkeiten, die Art und Weise auszudrücken: | **Subjunktionen** (mit Nebensatz) |
| Man kann böse Überraschungen im Urlaub vermeiden, **indem** man die Prospekte vorher gut durchliest. | indem |
| **Dadurch**, **dass** man die Beschreibungen immer genau liest, kann man böse Überraschungen vermeiden. | dadurch, dass |
| Er liest alles **so** genau durch, **dass** er immer gut informiert ist. | so … dass |
| Er liest alles genau durch, **sodass** er immer gut informiert ist. | sodass |
| | **Präpositionen** |
| **Durch** das genaue Lesen der Urlaubsprospekte konnte ich böse Überraschungen immer vermeiden. (Nominalstil, z. B. in einem Leserbrief) | durch (+ Akkusativ) |
| Am Abend kann ich nur noch **mit** der Lesebrille lesen. | mit (+ Dativ, Instrument) |
| | **Adverbiale Ausdrücke** |
| Lesen Sie die Urlaubsprospekte immer genau durch, **so** / **dadurch** vermeiden Sie böse Überraschungen. | so / dadurch |
| Bestellen Sie Ihre Flüge im Internet – Bahntickets können Sie **genauso** / **ebenso** online buchen. | genauso / ebenso (auf die gleiche Weise) |
| Lesen Sie die Beschreibungen genau durch, **auf diese Weise** vermeiden Sie böse Überraschungen. | auf diese Weise |
| Bahntickets können Sie jetzt **auf die gleiche Weise** / **auf dieselbe Weise** wie Flüge buchen. | auf die gleiche Weise / auf dieselbe Weise, mit der gleichen Methode (die Methode) |
| Die Online-Buchung funktioniert **normalerweise** problemlos. | normalerweise |

### So kann man etwas machen:

| | |
|---|---|
| Er schreibt seine E-Mails immer ganz **kurz und knapp** / sehr **individuell**. | kurz und knapp<br>individuell |
| Sie arbeitet gern **körperlich**. | körperlich |
| Machst du das **freiwillig** oder hat dein Chef dich aufgefordert? | freiwillig |
| Machst du das **heimlich**? | heimlich |
| Kannst du das **selber** machen oder brauchst du Hilfe? (selber / selbst) | |

Selbst ist der Mann! / Selbst ist die Frau!
‚Man kann das auch selbst machen.'

**Das sagt man oft:**
Mach es so, wie ich es dir gesagt habe!
Er macht es genauso wie ich.
Ich denke ebenso wie Sie.
Guten Appetit! – Danke gleichfalls / ebenso.

**1** Welches Wort passt? Unterstreichen Sie.

a. Indem – Weil – Obwohl er krank war, ging er zur Arbeit.
b. Denn – Dadurch, dass – Obwohl sie das Rezept genau befolgte, wurde der Kuchen sehr gut.
c. Die Reise nach Ägypten war sehr teuer. Trotzdem – Deshalb – Ebenso beschloss sie, die Reise zu buchen.
d. Indem – Weil – Obwohl es ihr im letzten Jahr so gut gefallen hatte, fuhr sie noch mal hin.

**2** Was sagen Sie?

„Ich denke ebenso wie Sie!" „Ich mache es genauso!" „Mach es doch einfach so, wie ich es dir gezeigt habe!" „Danke, gleichfalls!" „Indem ich die Anweisungen genau befolgt habe."

a. Jemand beschreibt Ihnen, wie er die Preise vergleicht, bevor er eine Reise bucht.

⇨ ______________________________

b. In einer Versammlung erklärt jemand etwas und Sie haben dieselbe Meinung.

⇨ ______________________________

c. Ihre Freundin fragt Sie, wie Sie das neue Regal gebaut haben.

⇨ ______________________________

d. Ihr Sohn kann die schwere Mathematikaufgabe immer noch nicht lösen.

⇨ ______________________________

e. Jemand wünscht Ihnen ein schönes Wochenende.

⇨ ______________________________

**3** Ergänzen Sie die Sätze.

obwohl weil indem

das ungesund ist alle neuen Wörter aufschreibt die Preise vergleicht ~~Mann wartet~~ es ist nicht gemütlich

a. Sie muss jetzt leider gehen, weil ihr Mann auf sie wartet.
b. Sie lernt die Vokabeln, ______________________________
c. Er nimmt das Zimmer, ______________________________
d. Sie spart viel Geld, ______________________________
e. Sie raucht ständig, ______________________________

**4** Wie kann man das auch sagen? Formulieren Sie die Sätze a. bis c. um.

a. Sie können die Unterschiede in der Aussprache erkennen, indem Sie genau zuhören.

Durch ______________ können Sie ______________.

b. Durch regelmäßiges Trainieren können Sie Ihre Leistungen im Sport sehr verbessern.

Sie könne Ihre Leistungen sehr verbessern, indem ______________.

c. Dadurch, dass sie ständig Fragen stellt, lernt sie viel über ihre neue Umgebung.

Durch ______________ lernt sie ______________.

**5** Wie baut man ein Regal? Hören Sie und ergänzen Sie.

„Sie brauchen ein neues Bücherregal? Arbeiten Sie gern ______ 1? Bauen Sie das Regal doch ______ 2! Das ist ganz einfach. Wichtig ist, dass Sie die Anweisungen genau beachten, ______ 3 vermeiden Sie böse Überraschungen. ______ 4 das funktioniert, sehen Sie im folgenden Video. Zuerst muss man die Bretter ______ 5 schneiden, ______ 6 sie ganz gerade sind. Dann macht man alle Bretter ganz glatt, ______ 7 man sie schleift. ______ 8 vielen Schrauben werden die Bretter befestigt. ______ 9 können Sie verschiedene ______ 10 von Regalen bauen. …"

# ARTIKEL UND SUBSTANTIVE

## Personen

**der**
(maskulin)
Wörter für Männer haben fast immer „der".

der Mann, Vater, Onkel

| | |
|---|---|
| -er | der Lehrer, Schüler, Sportler |
| -ent / -ant | der Student, Praktikant |
| -or | der Autor, Direktor |
| -ist | der Polizist, Sozialist |
| -e | der Pole, Franzose, Kollege |
| -mann | der Kaufmann, Geschäftsmann |
| -e /-er | der Angestellte, ein Angestellter |

⇔

**die**
(feminin)
Wörter für Frauen haben fast immer „die".

die Frau, Mutter, Tante

| | |
|---|---|
| -in | die Lehrerin, Schülerin, Sportlerin |
| | die Studentin, Praktikantin |
| | die Autorin, Direktorin |
| | die Polizistin, Sozialistin |
| | die Polin, Französin, Kollegin |
| -frau | die Kauffrau, die Geschäftsfrau |
| -e | die Angestellte, eine Angestellte |

**!** Alle Wörter mit „-chen" und „-lein" haben „das":
das Mädchen, das Fräulein (veraltet), das Männlein (= kleiner Mann), das Kindlein …

## Andere Wörter

| | | immer | oft |
|---|---|---|---|
| **der** | Diese Substantive haben „der": | | |
| -er | der Geschirrspüler, Computer, Stecker, …<br>(*aber*: die Butter, das Fenster, die Leiter) | | x |
| -ig / -ich | der König, Honig, Teppich, … | x | |
| Tageszeiten, Tage | der Morgen, Mittag, Abend (*aber*: die Nacht), der Montag, Dienstag, … | | x |
| Monate, Jahreszeiten | der Mai, Juni, …, der Frühling, Sommer, … | x | |
| **das** | Diese Substantive haben „das": | | |
| -chen / -lein | das Mädchen, Kindlein, Kätzchen, Märchen, … | x | |
| -um / -tum | das Studium, Zentrum, Altertum, … (*aber*: der Irrtum, der Reichtum) | | x |
| Infinitiv-Substantive | das Vertrauen (jemandem vertrauen), Malen, Lesen, Verhalten, … | x | |
| Sprachen | das Deutsche, Englische, Französische, Russische, … | x | |
| **die** | Diese Substantive haben „die": | | |
| -ung | die Wirkung (wirken), Ordnung, Erfahrung, Erfindung, Einführung, Reinigung, Umgebung, Versammlung … | x | |
| -heit / -keit | die Schönheit, Fröhlichkeit, Gerechtigkeit, Gewohnheit, Schwierigkeit, … | x | |
| -schaft | die Freundschaft, Feindschaft, Mannschaft, Lehrerschaft, … | x | |
| -e | Suche, Langeweile, Hitze, Mühe, Baustelle, Fliege, Mücke, Länge, …<br>(*aber*: der Junge, der Gedanke, das Auge) | | x |
| -ion | Diskussion, Evolution, Gratulation, Portion, … | x | |
| -ität, -ik, -ur | die Universität, Realität, Politik, Kultur, Natur, … | x | |

1 **Ergänzen Sie die Bezeichnungen für die männlichen bzw. weiblichen Personen.**

| | | | | | |
|---|---|---|---|---|---|
| a. der Vater | ⇨ die Mutter | f. der Arbeiter | ⇨ ____ |
| b. ____ | ⇨ die Kauffrau | g. der Franzose | ⇨ ____ |
| c. ____ | ⇨ die Polin | h. ____ | ⇨ die Bankkauffrau |
| d. der Kollege | ⇨ ____ | i. ____ | ⇨ die Angestellte |
| e. der Junge | ⇨ ____ | j. ____ | ⇨ die Hausfrau |

2 **Schreiben Sie die Wörter, die nicht maskulin / neutral / feminin sind, mit ihrem Artikel.**

a. Morgen - Computer - Mutter - Frühling - Teppich - Fenster - Arbeiter - Nacht - Bauer - Butter
Diese Wörter sind nicht maskulin:

die Mutter, ____

b. Malen - Altertum - Reichtum - Besen - Mädchen - Irrtum - Essen - Denken - Studium
Diese Wörter sind nicht neutral:

____

c. Universität - Sprache - Freude - Erde - Russe - Meinung - Freundlichkeit - Auge - Käse
Diese Wörter sind nicht feminin:

____

3 **Ergänzen Sie das Substantiv mit dem richtigen Artikel.**

a. Ja, sicher, alle wollen schön sein, aber die Schönheit ist eigentlich nicht wichtig im Leben.

b. Leider spreche ich nicht Polnisch - aber ____ klingt so schön!

c. Ich schaue gern fern - aber genau darum will ich (kein) ____.

d. Reich sein ist lange nicht so wichtig wie gesund sein: ____ ist für viele Leute extrem wichtig, aber irgendwann merken sie, dass man ____ nicht mit Geld kaufen kann.

4 **Manche Eltern benutzen oft „-chen" und „-lein", wenn sie mit kleinen Kindern reden. Formulieren Sie die unterstrichenen Wörter mit „-chen" und „-lein" und achten Sie auf die richtigen Artikel, Pronomen und Adjektivendungen. Kontrollieren Sie mit dem Hörtext.**

So, mein Kleines, hier ist deine Flasche (1). Nimm sie (2) nur fest in deine kleinen Hände (3). Ist es nicht süß, mein kleines Kind (4)? Oh, was ist denn das? Da müssen wir gleich den Mund (5) abwischen! Halt nur den kleinen Kopf (6) schön gerade! Ist dir kalt? Dann ziehen wir dir besser eine warme Hose (7) an. Und die grüne Jacke (8)! Oh, die kleinen Augen (9) schauen ja ganz müde aus, da geht's gleich ins kuschelige Bett (10)!

____

# TRENNBARE VERBEN

„Fassen Sie das gerne an!"
Flohmarkt
Beste Qualität Bester Preis
„Danke! Das hier ist sehr hübsch!"

„Ich steige hier aus!"

| Wichtige trennbare Präfixe | | Das können die Präfixe bedeuten |
|---|---|---|
| **auf-** | Kannst du das Papier bitte wieder **auf**heben?<br>Machst du bitte die Dose **auf**?<br>Bist du auch endlich **auf**gewacht?<br>Dieser Korruptionsskandal muss unbedingt **auf**geklärt werden. | *nach oben*: aufstehen, aufbauen, aufheben<br>*öffnen*: aufmachen, (den Wasserhahn) aufdrehen<br>*Anfang*: aufwachen, aufblühen<br>*etwas bis zu Ende machen*: (ein Zimmer) aufräumen, aufklären, aufhören (mit etwas), (mit dem Fuß) auftreten |
| **ab-** | Vorsicht auf Gleis 3, der Zug fährt jetzt **ab**!<br>Ich hol' dich nach der Arbeit **ab**, dann gehen wir ins Kino! Hebst du vorher noch Geld **ab**?<br>Mit dieser Diät nehmen Sie sofort 5 Kilo **ab**!<br>Ihr Antrag ist leider **ab**gelehnt worden. | *weg von etwas*: abfahren, abfliegen, abreisen, abholen, abgeben, abwischen, abheben<br>*nach unten / weniger*: abnehmen, absteigen<br>*etwas bis zu Ende machen*: ablehnen, abrechnen, abschließen, abtrocknen, abwaschen |
| **an-** | Wann kommt ihr denn morgen hier **an**?<br>Kann ich Ihnen noch etwas **an**bieten?<br>Bitte fass nicht immer alles **an**!<br>Warum schaltest du nicht das Licht **an**?<br>Als der Film aus war, ging das Licht wieder **an**. | *zum Ziel kommen*: ankommen, anreisen<br>*in eine Richtung*: anbieten, anschauen, ansehen<br>*Kontakt*: anfassen, anbinden<br>*Anfang*: (etwas) anmachen / anschalten, anbraten, angehen |
| **ein-** | Bitte alle **ein**steigen, Vorsicht bei der Abfahrt!<br>Ich würde dich gern **ein**laden!<br>Unsere Firma stellt zurzeit niemanden **ein**.<br>Seit Wochen kann ich nicht gut **ein**schlafen. | *in etwas hinein*: einsteigen, (jemanden) einladen, (etwas) einpacken, (etwas) (auf ein Konto) einzahlen<br>*Integration*: (jemanden) einstellen, einkaufen<br>*Anfang*: (das Licht) einschalten, einschlafen |
| **aus-** | Wir gehen heute Abend **aus** – ins Theater!<br>Bitte alle **aus**steigen, Endstation!<br>Vorhin ist das Licht plötzlich **aus**gegangen!<br>Ich muss noch dieses Formular **aus**füllen. | *nach außen*: ausgehen, (Geld) ausgeben, aussteigen, (einen Koffer) auspacken, ausfallen (die Haare)<br>*beenden*: (etwas) ausmachen / ausschalten / ausstellen, ausgehen (das Licht)<br>*etwas bis zu Ende machen*: ausfüllen, ausrechnen |

## Weitere trennbare Präfixe

**her-** (*zum Sprecher*): Komm doch mal her!
**hin-** (*weg vom Sprecher*): Karl macht ein Fest – geh'n wir hin?
**heraus- / raus- / hinaus- / herein- / rein- / hinein- / herauf- / rauf- / hinauf- / herunter- / runter- / hinunter-**: Komm doch mal raus da! Geh doch mal hinaus! Schau doch mal runter!

**vor-**: „Darf ich vorstellen: …"
**los-** (*Anfang von etwas*): Wann geht das Fest denn los?
**mit-** (*zusammen*): Kommt ihr mit?
**zu-**: zusehen / -hören (*Richtung*), zumachen (*schließen*), zugehen, zunehmen (*mehr werden/ dicker werden*)
**zurück-**: zurückkommen
**weg-**: wegfahren

**1** Was passt nicht? Streichen Sie durch.

a. die Tür — ~~ausmachen~~ – aufmachen – ~~mitmachen~~ – ~~einmachen~~ – zumachen

b. in den Bus — aufsteigen – einsteigen – ansteigen

c. den Fernseher — aufschalten – anschalten – wegschalten – ausschalten

d. den Freund vom Bahnhof — aufholen – wegholen – abholen – einholen

e. das Formular — einfüllen – auffüllen – ausfüllen – zufüllen

**2** Wie heißt das Synonym? Verbinden Sie.

a. aufmachen — anmachen

b. schließen — öffnen

c. anschalten — abnehmen

d. dünner werden — zumachen

e. abschalten — ausmachen

**3** Welche Wörter haben eine ähnliche Bedeutung? Ordnen Sie zu.

losfahren   einschalten   ausgehen   ~~abschalten~~   aufhören   abfliegen

| anmachen | weggehen | ausmachen |
|---|---|---|
| | | abschalten |
| | | |
| | | |

**4** Gegensätze: Ergänzen Sie die Dialoge und kontrollieren Sie mit dem Hörtext.

a. Ich muss jetzt leider los. ⇨ Wann ________ du ________?

b. Komm doch mal runter! ⇨ Nein, komm du lieber ______!

c. Kannst du heute Geld vom Konto ________? ⇨ Nein, da ist nichts mehr drauf, wir müssen erst wieder was ________.

d. Warum ________ du das Licht nicht ___? ⇨ Das geht nicht, es ist vorhin plötzlich ________ und geht nicht wieder ___.

e. Kannst du bitte die Tür ________? ⇨ Ist sie denn ________? Wer war das denn, normalerweise ist sie offen.

**5** Welche Perspektive? Sortieren Sie.

hinfahren   weggehen   ~~runterkommen~~   herschauen   hinfliegen   herkommen   hinschauen

a. zum Sprecher: runterkommen, ________

b. vom Sprecher weg: ________

# ADJEKTIVE AUS ANDEREN WÖRTERN

„Meine Großeltern waren sehr gegensätzlich: Er war immer vorsichtig, ängstlich, besorgt; sie war energisch, lebhaft, willensstark. Trotzdem waren sie glücklich zusammen!“

## Adjektive aus anderen Wörtern

| | | | | | |
|---|---|---|---|---|---|
| gegensätzlich | ⇦ der Gegensatz | musikalisch | ⇦ die Musik | vorsichtig | ⇦ die Vorsicht |
| ängstlich | ⇦ die Angst | energisch | ⇦ die Energie | lebhaft | ⇦ leben |
| menschlich | ⇦ der Mensch | | | dunkelrot | ⇦ dunkel + rot |
| | | | | willensstark | ⇦ der Wille + (ns) + stark |

## Einige Adjektive mit Suffixen

| | |
|---|---|
| **-ig** | bergig (der Berg), sonnig (die Sonne), eilig (die Eile), riesig (der Riese), zufällig (der Zufall), wahnsinnig (der Wahnsinn), ein langärmeliges Hemd (lange Ärmel) |
| **-lich** | ängstlich (die Angst), täglich (der Tag), künstlich (die Kunst / Künstlichkeit), nützlich (der Nutzen / jemandem nützen), rechtlich (das Recht), gewöhnlich (gewohnt) |
| **-isch** | demokratisch (die Demokratie), realistisch (die Realität), stilistisch (der Stil), theoretisch (die Theorie) |
| **-iv** | aktiv (die Aktion) ⇔ passiv, kooperativ (die Kooperation), negativ (die Negation) |
| **-ell** | kulturell (die Kultur), prinzipiell (das Prinzip) |
| **-haft** | lebhaft (leben), meisterhaft (der Meister), wohnhaft (wohnen) |
| **-bar** | essbar (*man kann es essen*), machbar (*man kann es machen*), sichtbar (*man kann es sehen*), haltbar (*etwas hält sich*) |
| **-los** | arbeitslos (die Arbeit; *ohne Arbeit*), mutlos (der Mut; *ohne Mut*), wolkenlos (die Wolke; *ohne Wolken*) |

**!** „-lich“ und „-isch“ können unterschiedliche Bedeutung haben:
Er ist sehr kindlich. (wie ein Kind, neutral) ⇔ Sei nicht kindisch! (wie ein Kind, negative Bewertung)

## Zusammengesetzte Adjektive

| | |
|---|---|
| Farben | |
| hell- / dunkel- | hellblau, hellrot, hellbraun, hellgrün, … |
| | dunkelblau, dunkelrot, dunkelbraun, dunkelgrün, … |
| Farbkombinationen: | rotgrün (*rot und grün*), rosarot (*ein rosa Rot*), blaugrau, … |
| intensive Farben: | knallrot, knallgelb; kunterbunt (sehr bunt), … |
| Vergleiche: | grasgrün (*grün wie das Gras*), pechschwarz (*schwarz wie Pech*), mausgrau, … |
| Verstärkung | |
| tod-: | todsicher (*sehr sicher*), todmüde (*sehr müde*), todschick, todunglücklich, … |
| super-: | superklug (*sehr klug*), superelegant (*sehr elegant*), superteuer, … |
| hyper-: | hypermodern (*sehr modern*), hypersensibel (*sehr sensibel*), hyperaktiv, … |
| *ohne / mit viel* | bleifreies Benzin (*ohne Blei*)<br>sinnvoll ⇔ sinnlos (*mit Sinn / ohne Sinn*), fantasievoll ⇔ fantasielos (mit Fantasie / ohne Fantasie), kalorienarmes ⇔ kalorienreiches Essen (*mit wenig / mit vielen Kalorien*), zahlreiche Probleme (*viele*)<br>ein willensstarker Mensch (*mit einem starken Willen*) |

## Adjektive mit Präfix

| | |
|---|---|
| **un-** | unfreundlich (*nicht freundlich*), unmöglich (*gar nicht möglich*), ungewöhnlich (*nicht gewöhnlich*), ungemütlich (*nicht gemütlich*), unbekannt (*nicht bekannt*), unglücklich (das Unglück; *nicht glücklich*) |

1 **Aus einem Roman: Unterstreichen Sie die Suffixe und Präfixe der Adjektive.**

Ein sonnig<u>er</u> Tag! Ein <u>un</u>freundlicher Mann betritt das schmucklose Restaurant. Atemlose Stille. Ein alter Mann schaut ängstlich aus dem Fenster. Was will der unbekannte Mann? Warum kommt er gerade jetzt in dieses rauchige Restaurant? Er setzt sich an einen Tisch und zündet sich eine Zigarre an. Keiner sieht hin, aber alle fühlen seinen zynischen Blick. Der alte Mann fällt fast von seinem dreibeinigen Hocker. Das ist doch unmöglich! Dieser Mann war einmal sein Kollege …

2 **Ergänzen Sie die Tabelle.**

| | | | |
|---|---|---|---|
| a. der Sozialismus | - / - | der Sozialist<br>die Sozialistin | sozialistisch |
| b. der Kapitalismus | - / - | | |
| c. - / - | die Akademie | der Akademiker<br>die Akademikerin | |
| d. | - / - | der Vegetarier<br>die Vegetarierin | |
| e. - / - | *die* | der Bürokrat<br>die Bürokratin | |
| f. der Realismus | - / - | | |
| g. *der* | - / - | der Feminist<br>die Feministin | |
| h. - / - | die Theorie | | |

3 **Was sind die richtigen Bedeutungen der Adjektive? Unterstreichen Sie.**

a. ein regnerischer Tag — Es regnet heute nicht. – Es regnet gerade. – <u>Wahrscheinlich regnet es heute öfters.</u>
b. ein willensstarker Mensch — Der Mensch ist stark. – Der Mensch hat einen starken Willen. – Der Mensch will stark sein.
c. ein wunderbares Konzert — Man wundert sich über das Konzert. – Das Konzert ist toll. – Man bewundert das Konzert.
d. Diese Suppe ist essbar. — Man kann diese Suppe essen. – Diese Suppe schmeckt gut. – Man muss diese Suppe essen.
e. Er ist todunglücklich. — Er stirbt und ist darum unglücklich. – Er ist sehr unglücklich. – Er ist unglücklich, weil jemand tot ist.

4 **Finden Sie die Gegensätze.**

~~fleißig~~ ängstlich ~~faul~~ unmöglich sorglos flach salzreich machbar unglücklich glücklich salzfrei mutig besorgt bergig

*fleißig* ⇔ *faul,* ______________________________

______________________________

5 **Was kann man kombinieren? Schreiben Sie alle möglichen Kombinationen auf.**

dunkel-, hell-, kunter-, maus-, pech-, feuer-

blau schwarz grün gelb rot weiß lila grau bunt

______________________________

6 **Hören Sie den Text und ergänzen Sie die fehlenden Wörter.**

Mensch, ich hatte gestern einen komischen Traum: Ich hatte es ______________ 1, aber ich wusste nicht, wohin ich gehen musste. Es war so ein ______________ 2 Tag mit einem ganz ______________ 3 Licht. Sehr ______________ 4, gar nicht ______________ 5! Obwohl ich in Eile war, war ich ganz ______________ 6, ich konnte mich kaum bewegen. Ich fühlte mich plötzlich ______________ 7, alles schien mir ______________ 8 zu sein. Da kam ______________ 9 meine beste Freundin um die Ecke und alles änderte sich: Die Welt war wieder so ______________ 10! Wirklich ein ______________ 11 Traum, sehr seltsam!

# RAUM-PRÄPOSITIONEN

„Ach ja, bevor Sie gehen: Legen Sie bitte die Briefe auf meinen Schreibtisch! Die Prospekte liegen im Schrank."

## Wohin?

A ———————→ B (Ziel)

*Bewegung zu einem Ziel*

**Legen Sie** die Briefe **auf meinen Schreibtisch / dahin**.
**Steck** bitte die Briefe **in den Briefkasten!**

## Wo?

*Etwas ist oder passiert an einem Ort / in einem Raum.*
*Das Ziel ist nicht wichtig oder es gibt kein Ziel.*
Die Prospekte **liegen im Schrank / dort**.
Wir fahren **auf einer Landstraße**.

| Wohin? | Wo? |
|---|---|
| legen (legte, hat gelegt) | liegen (lag, hat gelegen) |
| stellen (stellte, hat gestellt) | stehen (stand, hat gestanden) |
| setzen (setzte, hat gesetzt) / sich setzen | sitzen (saß, hat gesessen) |
| hängen (hängte, hat gehängt) | hängen (hing, hat gehangen) |
| stecken (steckte, hat gesteckt) | stecken (steckte, hat gesteckt) |

**!** In Österreich und Süddeutschland sagt man: ist gelegen / gestanden / gehangen / gesteckt.

| **Wohin? – Akkusativ** | | **Wo? – Dativ** |
|---|---|---|
| Es hat geklingelt, geh doch mal an die Tür! | an | An der Tür ist niemand! |
| Setz dich doch auf den neuen Stuhl! | auf | Danke, ich sitze am liebsten auf dem Fußboden. |
| Das Regal stellen wir hinter das Sofa. | hinter | Aber hinter dem Sofa ist doch kein Platz! |
| Steckst du bitte den Schlüssel ins Schloss? | in | Im Schloss steckt doch schon ein Schlüssel. |
| Stellen wir den Fernseher neben das Regal? | neben | Nein, der steht doch gut neben der Tür. |
| Die Esszimmerlampe kommt über den Tisch. | über | Ja, direkt über dem Tisch hängt sie gut. |
| Den Papierkorb – unter den Schreibtisch? | unter | Ja, unter dem Schreibtisch sieht man ihn nicht. |
| Stell bitte die Couch vor das Fenster! | vor | Vor dem Fenster steht doch schon das Regal! |
| Soll die Vase zwischen die Bücher? | zwischen | Ja, super Idee, da steht sie gut (zwischen den Büchern). |

## Das sagt man oft:

Die Jacken **gehören in den Schrank**. Sie müssen **auf den Knopf drücken**! Ich **werfe** die Briefe schnell **in den Briefkasten**! **Tu** die Milch bitte wieder **in den Kühlschrank**! **Bleiben** Sie **am Apparat**! Die Garderobe **befindet** sich **neben dem Eingang**. Ich **warte** an der Tür **auf dich**! Ich **wohne in der Blumenstraße**. Ich **besorge** schnell noch Blumen **im Blumenladen** und hole eine Zeitung **am Kiosk**. Der Rhein **fließt in die Nordsee**. Wir **haben** uns **am Eingang verabredet**. Ein Kind **schob** sein Fahrrad **im Park** – der Reifen war kaputt gegangen. Endlich **sind** wir **am See** – ich **spring** sofort **ins Wasser**!
„**Wohin** führt der Weg? – **In den Wald**."

die Decke ⇔ der (Fuß-)Boden
die Wand, das Fenster
das Schloss, die Vase, der Knopf
der Kiosk
die Nordsee, die Ostsee, die See

dahin, da, dort

drücken, werfen / einwerfen
sich befinden
etwas besorgen, etwas holen
fließen, führen, schieben
kaputtgehen
springen
sich verabreden

1 **Im Büro: Verbinden Sie.**

a. Die Sekretärin legt die Briefe
b. Die Prospekte befinden sich
c. Frau Schick sucht eine Telefonnummer
d. Die Telefonnummer steht
e. Frau Schick bleibt heute bis 18 Uhr
f. Um 18 Uhr geht sie zum Aufzug und drückt

im großen Aktenschrank.
ganz hinten im Buch.
auf den Knopf mit dem Zeichen ▼.
im Büro.
auf den Schreibtisch.
in ihrem Notizbuch.

2 **Wie heißt das Verb? Ergänzen Sie.**

a. Stell bitte den Topf auf den Tisch!

b. Setzen Sie sich bitte auf den Stuhl dort.

c. Sollen wir den Picasso über die Couch ______ ?

d. Die Messer ______ rechts neben dem Teller.

e. Nun hat er schon wieder den Autoschlüssel im Schloss ______ gelassen!

f. Vergiss nicht, den Pass in die Tasche zu ______ !

g. Hey, du ______ auf meinem Stuhl!

h. Wer hat die Schere auf das Klavier ______ ?

i. Warum ______ denn der Papierkorb auf dem Tisch?

j. Die Handtücher ______ am Haken neben der Tür.

3 **Was kann man setzen, legen, stellen, . . .? Ergänzen Sie die Tabelle.**

~~das Buch~~ der Schreibtisch der Computer die Puppe der Bleistift die Vase
der Schrank die Lampe der Schlüssel das Blatt Papier das Bild der Ausweis
der DVD-Player das Kind der Vorhang das Geld sich selbst der Prospekt

| setzen | legen | stellen | hängen | stecken |
|---|---|---|---|---|
| | das Buch | das Buch | | |
| | | | | |
| | | | | |

4 **Wohin gehört das? Ergänzen Sie.**

a. Der DVD-Player steht auf dem Schrank. Hanna stellt ihn wieder ______ Schrank.

b. Die DVDs liegen verstreut ______ . Stefan ordnet sie alle ______ Regal.

c. Einige Bücher liegen ______ . Benni stellt sie ______ Bücherregal.

d. Stifte und Papier liegen ______ großen ______ . Lisa legt die Stifte ______ Schublade und wirft das Papier ______ Papierkorb. Das schöne neue Plakat hängt sie ______ Wand.

e. Der Papierkorb steht ______ und ______ . Kai stellt ihn wieder ______ Tisch.

f. Zuletzt die Stühle: Sie stehen in einer Reihe ______ . Carlos stellt sie alle wieder ______ Tische.

5 **Ergänzen Sie die richtigen Präpositionen und Artikel. Kontrollieren Sie mit dem Hörtext.**

a. „Ja, hier Maier, einen Moment bitte – bleiben Sie ______ 1 Telefon, ich muss ganz kurz unterbrechen."

b. „Wohin geht es denn hier?" – „Da steht ein Schild, ich glaube, hier geht es ______ 2 Stadtzentrum."

c. „Treffen wir uns ______ 3 Eingang?" – „Ja, prima, ich warte ______ 4 Tür auf dich!"

d. „Wirfst du die Briefe bitte noch ______ 5 Briefkasten? Sie müssen noch diese Woche ______ 6 USA."

e. „Ich kann die Schlüssel nicht finden." – „Schau mal ______ 7 Regal, da lagen sie schon öfters!"

f. „Räum das bitte auf, das gehört nicht ______ 8 Tisch, das gehört ______ 9 Sofa!"

# NEGATIONEN

„Ach komm, lass uns doch mal Achterbahn fahren."
„Auf keinen Fall! Da wird mir immer schlecht."

Tim kann nicht gut Auto fahren. (Negation beim Verb: nicht)
Denise hat gar kein Auto. (Negation beim Nomen: kein)

## Nein-Sagen

Es gibt mehrere Möglichkeiten, etwas zu verneinen:

| | |
|---|---|
| Hat Laura Angst? – Das glaube ich **kaum**. / Das glaube ich **weniger**. | kaum / weniger (fast nicht) |
| Laura fährt **nicht** Achterbahn, weil ihr dabei schlecht wird. | nicht |
| Sie fährt **überhaupt nicht** / **gar nicht** gern schnell. | überhaupt nicht / gar nicht |
| Sie will **auf keinen Fall** Achterbahn fahren. | auf keinen Fall |
| Schriftlicher Stil: | |
| Die Konsequenzen seiner Handlung hatte er **keinesfalls** voraussehen können. | keinesfalls |
| Die Partei wird **unter keinen Umständen** ihre Haltung ändern. | unter keinen Umständen |
| Helga fährt manchmal Achterbahn, aber Laura fährt **nie** / **niemals**. | nie / niemals (zu keinem Zeitpunkt) |
| Klaus fährt nur **selten**. | selten (nicht oft) |
| **Niemand** hatte gesehen, wie der Einbrecher in die Wohnung kam. | niemand (keine Person) ⇔ (irgend-)jemand |
| Hanna suchte im ganzen Haus, aber die Brille war **nirgends** zu finden. | nirgends (an keinem Ort) ⇔ irgendwo |
| Möchten Sie noch **etwas** sagen? – Nein, ich möchte **nichts** mehr sagen. | etwas ⇔ nichts |
| Es gibt nur noch wenige Tickets, hast du schon **eins**? – Nein, ich hab noch **keins**! | eins / eines ⇔ keins / keines |
| Denise fährt **nicht** mit dem Auto, **sondern** mit dem Bus zur Arbeit. | nicht … sondern |
| Sie fährt gern Bus, da hat sie **weder** Stress **noch** hohe Benzinkosten. | weder … noch (beides nicht) |

**Das sagt man oft:**
Nie und nimmer! Das kommt gar nicht in Frage!
Das ist ja kaum zu glauben!
Das macht nichts!
Es gibt nur einen minimalen Unterschied.
(= kaum einen Unterschied; minimal)

1 **Ergänzen Sie „kein" oder „nicht".**

Letzte Nacht habe ich überhaupt nicht gut geschlafen. Ich habe einfach ______ 1 Ruhe gefunden. Immer musste ich daran denken, dass Harry nun schon seit zwei Monaten ______ 2 Arbeit mehr hat. Wie soll es denn weitergehen, wenn er ______ 3 bald eine neue Stelle findet?

2 **Was sagen Sie? Formulieren Sie und kontrollieren Sie dann mit dem Hörtext.**

nicht …, sondern | überhaupt nicht | noch nie | eher selten | niemand | weder … noch | ~~auf keinen Fall~~

a. Sie möchten nicht in dem kalten See schwimmen:
⇨ Ich möchte auf keinen Fall ins Wasser gehen!

b. Sie waren zu keinem Zeitpunkt in Ihrem Leben in einer Sauna:
⇨ ______

c. Sie möchten jemanden korrigieren: Die Wohnung ist nicht groß, sie ist klein.
⇨ ______

d. Sie haben im Unterricht den Text in keiner Weise verstanden:
⇨ ______

e. Sie wollen jemandem sagen, dass Sie keinen Menschen gesehen haben:
⇨ ______

f. Sie wollen ausdrücken, dass Sie keine Zeit und auch keine Lust haben, in die Disko zu gehen:
⇨ ______

g. Sie wollen sagen, dass Sie gar nicht oft fernsehen:
⇨ ______

3 **Paul und Doris lieben sich, aber sie haben ganz unterschiedliche Gewohnheiten. Ergänzen Sie.**

a. Paul sieht jeden Abend fern, Doris sieht fast nie fern, sie liest lieber.
b. Paul nimmt Milch und Zucker in seinen Kaffee, Doris nimmt ______, sie trinkt ihn schwarz.
c. Doris möchte im Urlaub ans Meer, Paul möchte am liebsten ______ hinfahren und zu Hause bleiben.
d. Wenn sie mit dem Zug fahren, spricht Doris mit vielen Leuten, Paul spricht mit ______ und versteckt sich hinter seiner Zeitung.
e. Aber beide sind sich einig, dass sie in den Ferien diesmal ______ viel besichtigen ______ viel einkaufen wollen, sondern nur einmal richtig faulenzen.

4 **Mit nichts zufrieden! Ergänzen Sie den Text mit Wörtern von der linken Seite.**

Elvira fühlt sich zurzeit ______ 1 wohl. Sie ist mit ______ 2 zufrieden. Morgens kommt sie ______ 3 aus dem Bett und würde am liebsten ______ 4 aufstehen. Vor dem Frühstück darf man sie ______ 5 ansprechen, sonst reagiert sie gleich sehr nervös. „So früh morgens will ich mit ______ 6 sprechen", meint sie, „da bin ich noch ______ 7 in Form". Und warum fühlt sie sich so? Weil sie für eine Prüfung lernt und abends sehr lange wach bleibt. Sie hat jetzt einfach ______ 8 Energie für andere Sachen. Hoffentlich ist die Zeit bald vorbei!

# UMGANGSSPRACHE, JUGENDSPRACHE

**!** In der Umgangssprache gibt es viele verkürzte Formen. Besonders oft verkürzt werden: es, ein, eine, ist, denn, du, wir. Statt ich mache, ich fahre etc. sagt man meistens ich mach', ich fahr' etc.

## Verkürzte Formen

| | |
|---|---|
| 'ne Party, 'n Fest | = eine Fete, ein Fest |
| Hier is' es. | = Hier ist es. |
| Wie geht's? | = Wie geht es dir? |
| Was machst'n morgen so? | = Was machst du denn morgen so? |
| Findste? | = Findest du? |
| Könn'wa mal anfangen? | = Können wir mal anfangen? |
| Was'n los? | = Was ist denn los? |
| aufm Tisch, inner Schule | = auf dem Tisch / in der Schule |

## Bewerten

| **Positive Bewertungen** ☺ | | | **Negative Bewertungen** ☹ | | |
|---|---|---|---|---|---|
| Das find' ich | echt | gut / klasse / super / prima / toll / krass! | Das find' ich | echt | blöd / öde / peinlich / |
| Das ist | richtig / total<br>sau- | gut / toll<br>cool ⚡ / geil / krass! | Das ist | richtig / total<br>sau- | bescheuert /<br>uncool ⚡<br>doof! |

**!** In der Jugendsprache wird besonders stark und emotional bewertet. Es gibt auch viele besondere Wörter, z.B.: abhängen (sich aufhalten, sein), chillen / abchillen (sich erholen / entspannen), übelst (sehr). Die Ausdrücke ändern sich ständig und sind auch regional oft unterschiedlich.

## Erstaunen

| **Positives Erstaunen** | **Negatives Erstaunen** |
|---|---|
| Echt krass, Alter! | Das ist total daneben! |
| Das ist sowas von cool! | Das ist sowas von daneben! |
| Wie gut / cool / verrückt ist das denn! („das" betont) | Wie peinlich / bescheuert ist das denn! („das" betont) |

## Fragepartikeln

„Is echt 'ne prima Fete, **ne**? „Klasse Stimmung hier, **nich**?" „Du kommst auch mit, **oder**?"

*Der Sprecher erwartet eine (positive) Antwort.*

**Das hört man oft:**

Das macht mich echt an / gar nicht an! (*Das finde ich sehr gut / gar nicht gut.*)

Das ödet mich dermaßen an! (öde / langweilig, sich langweilen, die Langeweile)

Der Typ / Die Frau ist echt süß! (*gefällt mir sehr*)

Ich bin der allercoolsten Frau begegnet! (aller- + *Superlativ*; begegnen)

Der Typ / Die Frau ist echt gut drauf! (gut drauf sein = hat gute Laune)

Ich bin total gespannt darauf, sie kennenzulernen.

„Bist du am Wochenende weggegangen?"
„Ja, wir war'n im El Pasa. War echt nett!"
„Da geh' ich nicht gern hin, da hängen so komische Leute ab."

**1** Unterstreichen Sie in den Sätzen alles, was die Aussage verstärkt.

a. Deine neue Frisur finde ich echt gut!
b. Heute bist du aber wirklich nicht gut drauf!
c. Die Hausaufgaben öden mich dermaßen an!
d. Diese Musik ist ja total uncool!
e. Die Stimmung gestern war saugut.
f. Arbeit finde ich richtig bescheuert.

**2** Was bedeutet das? Sagen Sie es anders. Benutzen Sie dabei die Ausdrücke im Kasten.

~~gute / schlechte Laune haben~~ | etwas langweilig finden | sich entspannen | etwas gefällt einem | etwas gefällt einem gar nicht

a. Ich bin heute nicht gut drauf. Ich habe heute schlechte Laune.
b. Das ödet mich echt an. ____________________
c. Das find' ich megageil. ____________________
d. Ich will heute nur chillen. ____________________
e. Das ist total peinlich. ____________________

**3** In diesem Dialog gibt es viele verkürzte Formen. Schreiben Sie den Dialog in der Standardform (ohne Verkürzungen) neu.

Tobi: Hallo Heinz, wie geht's?
Heinz: Super, das is' 'n tolles Café hier, was?
Tobi: Ja, echt gut. Du sag mal, was machst'n heut' Abend so?
Heinz: Heut' Abend? Weiß nich', vielleicht geh' ich noch weg, warum?
Tobi: Inne Kneipe?
Heinz: Nee, 's gibt 'ne Party bei Klaus, da will ich mal vorbeischaun. Und du?
Tobi: Keine Ahnung. Hab' irgendwie nich so 'ne Lust auf Feiern heut. Mal sehen.

Tobi: Hallo Heinz, wie geht es dir?
Heinz: ____________________
____________________
____________________
____________________
____________________
____________________

**4** Wie ist das in Ihrer Sprache? Gibt es auch besondere umgangssprachliche oder jugendsprachliche Wörter und Ausdrücke? Machen Sie eine Liste und vergleichen Sie mit einem Partner.

**5** Hören Sie den Dialog und ergänzen Sie die fehlenden Ausdrücke.

A: „Gestern habe ich einen Freund von Jonas kennengelernt – wirklich __________ (1), __________ (2)!"
B: „__________ (3)! Und, seht Ihr Euch wieder?"
A: „Keine Ahnung, ist __________ (4) zu früh, um das zu sagen, aber wär schon __________ (5)!"
B: „Wow. Klingt ja __________ (6). Aber immer schön __________ (7)!"
A: „Was heißt'n da chillen? Ich bin __________ (8). Da kann ich __________ (9) chillen!"

# FORMEN, ANORDNUNGEN, FARBEN

„Ich zeige Ihnen das kurz an diesem Modell: Auf einer sehr begrenzten Fläche haben wir einen offenen, freundlichen und sehr grünen Wohnkomplex geschaffen. Dabei nehmen wir spielerisch verschiedene Formen auf. Mehrere schmale Gebäude, teils mit spitzen Frontseiten, teilen den Raum in verschiedene Bereiche, die mittleren Gebäude sind mächtiger, setzen aber durch schiefe Fassaden das Spiel fort. Es ist ein Wohnkomplex der kurzen Wege. In der Mitte treffen sich die Wege in der Form eines Kreuzes. Was meinen Sie?"

## Formen

breit ⇔ schmal; die Breite
lang ⇔ kurz; die Länge
eckig ⇔ rund; spitz ⇔ rund
▲ ⇔ ●
offen ⇔ geschlossen
schief ⇔ gerade

✚ ○ ▬
das Kreuz, der Ring, die Rolle
der Inhalt, der Rand

**!** Die Farben finden Sie ganz hinten im Buch.

## Farben

blau, gelb, grau, grün, lila, orange, rot, violett
schwarz ⇔ weiß
hell- ⇔ dunkel- (hellblau, dunkelrot)

## Anordnungen

vorder-, mittler-, hinter-, äußer-, inner-

das vordere Gebäude
das mittlere Gebäude
das hintere Gebäude

ober- ⇔ unter- (das obere Fenster, das untere Fenster)

drin, drinnen ⇔ draußen
außen ⇔ innen
oben ⇔ unten
vorn(e) ⇔ hinten, in der Mitte
begrenzt, dicht, voll, eng
komplett, parallel, quer
senkrecht ⇔ waagerecht

## Aufzählungen und Nennungen

einige, mehrere, ein paar Gebäude
übrig- (die übrigen Gebäude), übrig
derselbe, dieselbe
besonder- (ein besonderes Merkmal / Detail)

der Weg, die Strecke
das Modell
fortsetzen
teilen (etwas in Stücke teilen)

## Das sagt / liest man oft:

| | |
|---|---|
| Außer den Grünanlagen gefällt mir das sehr gut. | außer |
| Der erste Eindruck ist äußerst positiv. | der Eindruck |
| Ist das alles in der richtigen Reihenfolge? | die Reihenfolge |
| Ist das nicht alles ein bisschen dicht / eng / voll? | |
| Wird das so viel kosten wie geplant? | so viel wie |
| Den Rest müssen wir noch genauer planen. | der Rest |
| Hier haben wir einige besondere Merkmale vorgesehen. | je |
| Die Kosten sind je Haus verschieden, vgl. dazu die beigelegte Aufstellung. | vgl. (= vergleiche) |

**1**  Was sind das für Formen?

| | | | |
|---|---|---|---|
| a. | ▬▬▬▬▬▬▬ lang | ▬▬ | kurz |
| b. | ● | ⬡ | |
| c. | ◩ | ■ | |
| d. | ▬▬ | ▮ | |

**2**  Wie heißt das Gegenteil?

a. spitz   ⟺   _rund_     e. obere   ⟺ _____

b. offen   ⟺ _____     f. inneres   ⟺ _____

c. drinnen   ⟺ _____     g. außen   ⟺ _____

d. vorderer   ⟺ _____     h. oben   ⟺ _____

**3**  Welche Farben haben diese Sachen? Ergänzen Sie.

a. Der Himmel ist bei schönem Wetter blau, wenn es bedeckt ist, ist er _____.

b. Zitronen sind _____, aber Limonen sind _____. Wie sind Orangen? _____ natürlich.

c. Die Mischung aus rot und blau ergibt _____ oder _____.

d. Wenn etwas in der Zeitung gedruckt ist, kann man das _____ auf _____ lesen.

**4**  Eine E-Mail, Betreff: Unser neues Haus. Ergänzen Sie.

```
                                                                    _ ▢ ✕
An:        frank.weber@7mailings.com
Betreff:   Unser neues Haus
```

Hallo Frank,

seit vier Wochen wohnen wir jetzt schon in unserem neuen Haus. Es ist supergroß! Wenn man von <u>draußen</u> reinkommt,

kommt man erst mal in einen sehr _____ $_1$ Flur – ich schätze, das sind mindestens 8 Meter. Im _____ $_2$

Stockwerk sind das Wohnzimmer, ein Arbeitszimmer, das Esszimmer und die Küche, im _____ $_3$ Stockwerk sind die

Schlafzimmer. _____ $_4$ ist auch ein großes Bad, _____ $_5$ nur eine Gästetoilette. Von den drei Kinderschlafzimmern

habe ich das _____ $_6$ bekommen, mein Bruder ist rechts, meine Schwester links von mir. _____ $_7$ dem

Haus haben wir einen schönen großen Garten, aber sogar _____ $_8$ beim Eingang ist ein Garten mit Blumenbeeten. Wann

kommst du uns mal besuchen?

Viele Grüße, Elsa

**5**  Hören Sie die kurzen Dialoge und ergänzen Sie die fehlenden Wörter.

a. „Die _____ $_1$ des Zimmers beträgt ungefähr 7 m, aber weißt du auch, wie _____ $_2$ es ist?" – „Ja, die _____ $_3$

beträgt 4,50 m."

b. „Guck mal, hier an dieser Stelle bilden die A4 und die A3 ein _____ $_4$. Dort musst du auf die Landstraße

runterfahren." – „Alles klar. Anscheinend fährt man dann eine Weile _____ $_5$ zur Autobahn, bis man an den

_____ $_6$ kommt."

c. „Kann ich mal bitte _____ $_7$ Schrauben haben?" – „Tut mir leid, ich habe keine mehr _____ $_8$."

d. „Guck mal, das ist _____ $_9$ Mann, den wir gestern in der U-Bahn gesehen haben!" – „Tatsächlich, was für ein Zufall."

e. „Der Weg ist nicht gerade _____ $_{10}$. Geh von der Post über den Neumarkt und dann an der Frauenkirche vorbei zur Uni." –

„Mhm, hoffentlich kann ich mir die _____ $_{11}$ merken."

# Alphabetische Wortliste

A

*der* Bäcker, - 12, 116
*die* Bäckerin, *-nen* 12, 116
*die* Bäckerei, *-en* 34
*der* Backofen, *~öfen* 42
*das* Backrohr, *-e* 42
*die* Backware, *-n* 34
*das* Bad, Bäder 68, 70, 84, 92
*der* Badeanzug, *~anzüge* 36
*die* Badehose, *-n* 36
baden 92
*die* Badewanne, *-n* 70, 92
*das* Badezimmer, - 84, 92
*das* Baguette [ba'gɛt], *-s* 34
*die* Bahn, *-en* 80
*der* Bahnhof, *~höfe* 74, 80
*der* Bahnsteig, *-e* 74
bald 8, 76, 132, 138
*der* Balkon [bal'kɔŋ/bal'ko:n], *-e* 68
*die* Balkonpflanze, *-n* 102
*der* Ball, *Bälle* 50
*das* Ballett, *-e* 54
*die* Banane, *-n* 34
*der* Bancomat, *-en* 24
*die* Bancomat-Karte, *-n* 24
*die* Band [bɛnt], *-s* 48
*die* Bank, *-en* 24, 38, 72
*die* Bank, *Bänke* 70
*die* Bankkauffrau, *-en* 12
*der* Bankkaufmann, *~männer* 12
*die* Bankleitzahl, *-en* 24
*der* Bankomat, *-en* 24
*die* Bankomat-Karte, *-n* 24, 38
*der* Banküberfall, *~überfälle* 148
bar 46, 128
*die* Bar, *-s* 48
*der* Bär, *-en* 56
*das* Bargeld *(nur Sg.)* 38
*der* Bart, *Bärte* 90
*der* Basketball, *~bälle* 50
*die* Basketballmannschaft, *-en* 50
*der* Basketballspieler, - 50
*die* Basketballspielerin, *-nen* 50
basteln 54
*die* Batterie, *-n* 138
*der* Bau, *Bauten* 68
bauen 68
*der* Bauch, *Bäuche* 90
*der* Bauer, *-n* 12, 86
*die* Bäuerin, *-nen* 12, 86
*der* Bauernhof, *~höfe* 86
*der* Baum, *Bäume* 86
*die* Baustelle, *-n* 74, 192
beabsichtigen 180
*der* Beamer ['bi:mɐ], - 106
*der* Beamte, *-n* 122
*die* Beamtin, *-nen* 122
beantragen 142, 152
beantworten 54
(sich) bedanken 102, 170
*der* Bedarf, *-e* 124
bedeckt 88
bedeuten 108, 174
*die* Bedeutung, *-en* 108
bedienen 136
*die* Bedienung, *-en* 184
*die* Bedienungsanleitung, -en 130
*die* Bedingung, *-en* 124
beeinflussen 128
(sich) beeilen 28
beenden 194
*die* Beerdigung, *-en* 60
(sich mit etw.) befassen 120
(sich) befinden, *befand (mich), habe (mich) befunden* 198
befreit sein (von einer Sache) 140
befreundet sein mit 20
befriedigend 112
(sich) begegnen 160
begeistert 56
*der* Beginn *(nur Sg.)* 184
beginnen, *begann, habe begonnen* 28, 48, 114
begleiten 82
begrenzt 204
begründen 166
*die* Begründung, *-en* 166
*die* Begrüßung, *-en* 8
behalten, *behielt, habe behalten* 118
*die* Behandlung, *-en* 154
behaupten 166
behindern 76
behindert 154
*der/die* Behinderte, *-n* 154
*die* Behörde, *-n* 140
bei 184
*der* Beifahrer, - 76, 80
*die* Beifahrerin, *-nen* 76, 80
*das* Beileid *(nur Sg.)* 60
*das* Bein, *-e* 50, 90
beinahe 52
*das* Beisl, *-n* 46
*das* Beispiel, *-e* 108
beißen, *biss, habe gebissen* 90
*der* Beitrag, *Beiträge* 154
beitreten, *trat bei, bin beigetreten* 158
*der* Beitritt, *-e* 158
bekannt 110
*der/die* Bekannte, *-n* 20
bekannt geben, *gab bekannt, habe bekannt gegeben* 158
*die* Bekanntschaft, *-en* 20
bekommen, *bekam, habe bekommen* 72, 128
belastbar 118
belästigen 156
*die* Belästigung, *-en* 156
*der* Beleg, *-e* 38
belegt 138
beleidigen 104
beleidigt 104
beliebt 50
bemerken 100
(sich) bemühen 160
benachteiligen 150
benachteiligt 150
*die* Benachteiligung, *-en* 150
benötigen 44, 120
benutzen 156
*das* Benzin *(nur Sg.)* 76
beobachten 90
bequem 36
beraten, *beriet, habe beraten* 144
*die* Beratung, *-en* 114, 144
berechnen 84
*der* Bereich, *-e* 120
bereits 30, 120
bereit (sein für etw.) 120
*der* Berg, *-e* 50, 86, 196
*die* Berghütte, *-n* 86
bergig 196
*der* Bericht, *-e* 88
berichten 136
*der* Beruf, *-e* 10, 12, 120
beruflich 120
*die* Berufsausbildung, *-en* 116
*die* Berufserfahrung, *-en* 120
*die* Berufsschule, *-n* 112, 116
berufstätig 12
(sich) beruhigen 56
berühmt 50
berühren 100
beschädigen 76
beschädigt 128
(sich) beschäftigen 114
*die* Beschäftigung, *-en* 124
*der* Bescheid, *-e* 66, 168
Bescheid sagen 172
bescheuert *(ugs.)* 202
beschließen, *beschloss, habe beschlossen* 144, 158
beschreiben, *beschrieb, habe beschrieben* 28
*die* Beschreibung, *-en* 120
(sich) beschweren (über) 146, 168
besetzt 138
besichtigen 66
besitzen, *besaß, habe besessen* 70
besonder- 204
besonders 176
besprechen, *besprach, habe besprochen* 168
*die* Besprechung, *-en* 168
bestätigen 166
*die* Bestätigung, *-en* 166
*das* Besteck, *-e* 42
bestehen, *bestand, habe bestanden* 114
bestellen 128, 172
*die* Bestellung, *-en* 128
bestimmen 126
bestimmt 22
bestrafen 148
bestreuen 44
*der* Besuch, *-e* 56
besuchen 112, 114, 116, 134
(sich) beteiligen 108
beten 62
betrachten 62, 86
*der* Betrag, *Beträge* 38
betreuen 154
*der* Betreuer, -
*die* Betreuerin, *-nen* 154
*die* Betreuung, *-en* 154
*der* Betrieb, *-e* 116, 124
*der* Betriebsrat, *~räte* 124
*die* Betriebswirtschaft, *-en* 114
*der* Betrug, *Betrüge* 148
betrügen, *betrog, habe betrogen* 148
*der* Betrüger,- 148
*die* Betrügerin, *-nen* 148
betrunken sein 44
*das* Bett, *-en* 28, 70, 178
*die* Bevölkerung, *-en* 62, 150
bevor 184
bewahren 160
bewegen 50
*die* Bewegung, *-en* 50
*der* Beweis, *-e* 148
beweisen, *bewies, habe bewiesen* 148
(sich) bewerben 118, 120, 124
*der* Bewerber, - 118
*die* Bewerberin, *-nen* 118
*die* Bewerbung, *-en* 118, 120, 124
*die* Bewerbungsunterlagen *(nur Pl.)* 118
*der* Bewohner, - 66, 150
*die* Bewohnerin, *-nen* 66, 150
bewölkt 88

fähig 178
*die* Fähigkeit, *-en* 118, 178
*die* Fahrbahn, *-en* 74
*die* Fähre, *-n* 80
fahren, *fuhr, bin gefahren* 48, 50, 54, 74, 78, 80, 82
*der* Fahrer, - 74, 76, 80
*die* Fahrerin, *-nen* 74, 76, 80
*die* Fahrkarte, *-n* 74, 80
*der* Fahrkartenautomat, *-en* 74
*die* Fahrkartenkontrolle, *-n* 80
*der* Fahrplan, *~pläne* 80, -n
*das* Fahrrad, *~räder* 74, 156
*der* Fahrradweg, *-e* 74
fair [fɛːʀ] 50
*der* Faktor, *-en* 126
fallen, *fiel, bin gefallen* 98
fällig 66
falls 120
falsch 108, 110, 174
familiär 84
*die* Familie, *-n* 8, 16
*der* Familienname, *-n* 10
*der* Familienstand *(nur Sg.)* 10
*die* Familienverhältnisse *(nur Pl.)* 16
*der* Fan [fɛn], -s 50
fangen, *fing, habe gefangen* 148
fantasielos 196
*die* Fantasie / Phantasie, *-n* 196
fantasievoll 196
fantastisch 40
*die* Farbe, *-n* 196
farbig 70
*das* Faschierte *(nur Sg.)* 32
*der* Fasching, *-e/-s* 60
fassen 90, 148, 180
fast 52, 72
*die* Fastnacht, *-en* 60
faul 112
faulenzen 54, 82
der Fauteuil [fo'tœj], -s 70
*das* Fax, *-e* 10, 132
faxen 132
*der* Feber, - 26
*der* Februar, *-e* 26
fehlen 94, 112
*der* Fehler, - 108, 110
*die* Feier, *-n* 40, 60
*der* Feierabend, *-e* 28
feiern 60
*der* Feiertag, *-e* 60
*der* Feind, *-e* 160
*die* Feindin, *-nen* 160
feindlich 160
*die* Feindschaft, *-en* 192
*das* Feld, *-er* 10, 86
*der* Feldweg, *-e* 86
*das* Fenster, - 192, 198
*die* Ferien *(nur Pl.)* 82
*der* Ferienbeginn 186
*der* Ferienjob, *-s* 12
fern 78
*die* Fernbedienung, *-en* 136
*die* Fernreise, *-n* 82
*die* Fernsehansage, *-n* 136
*der* Fernsehapparat, *-e* 136
fernsehen, *sah fern, habe ferngesehen* 48, 136
*das* Fernsehen *(nur Sg.)* 50, 128
*der* Fernseher, - 136
*der* Fernsehfilm, *-e* 136
fertig 184
fest 180
*das* Fest, *-e* 30, 202
*das* Festival, *-s* 60
(sich) festhalten, *hielt (mich) fest, habe (mich) festgehalten* 90
(etw.) festlegen 180
festnehmen, *nahm fest, habe festgenommen* 148
*das* Festnetz, *-e* 138
(etw.) festsetzen 140, 180
feststehen, *stand fest, hat festgestanden* 166
feststellen 170
*die* Feststellung, *-en* 170
*die* Fete, *-n* 30
fett 44
*das* Fett, *-e* 44
feucht 88
*das* Feuer, - 72
*die* Feuerwehr, *-en* 72
*das* Feuerzeug, *-e* 32
*die* FH (Fachhochschule) 114
*das* Fieber *(nur Sg.)* 94
*das* Fieberthermometer, - 94
*die* Figur, *-en* 50, 52
*der* Film, *-e* 48, 58, 136
*das* Finanzamt, ~ämter 142
finanziell 154
finanzieren 128
*die* Finanzierung, *-en* 128
(etw.) finden, *fand, habe gefunden* , 22, 140, 166
*der* Finger, - 90
*der* Fingernagel, *~nägel* 92
*die* Firma, *Firmen* 46, 122, 124, 126
*der* Fisch, *-e* 32
*die* Fisole, *-n* 34
fit 50
*die* Fitness *(nur Sg.)* 50
*das* Fitnessstudio, *-s* 50
flach 36, 136
*der* Flachbildschirm, *-e* 136
*die* Flasche, *-n* 32
*der* Fleck, *-en* 36
*das* Fleisch *(nur Sg.)* 32, 34, 44, 126
*die* Fleischerei, *-en* 34
*die* Fleischhauerei, *-en* 34
*der* Fleischhauer, - 116
*die* Fleischhauerin, *-nen* 116
fleißig 112
flexibel 118
*die* Flexibilität *(nur Sg.)* 118, 124
*die* Fliege, *-n* 192
fliegen, *flog, bin geflogen* 80, 164
fliehen, *floh, bin geflohen* 152
fließend 110
*die* Flöte, *-n* 54
*die* Flucht, *-en* 152
*der* Flug, *Flüge* 80
*der* Flugbegleiter, - 80
*die* Flugbegleiterin, *-nen* 80
*der* Flughafen, *~häfen* 80
*das* Flugzeug, *-e* 80
*der* Flur, *-e* 64
*der* Fluss, *Flüsse* 78, 86
*die* Flüssigkeit, *-en* 94
fördern 162
*die* Förderschule, *-n* 112
*die* Förderung, *-en* 162
fordern 124
*die* Forderung, *-en* 124
*die* Form, *-en* 204
formell 8
*das* Formular, *-e* 142
forschen 114
*der* Forscher, - 114
*die* Forscherin, *-nen* 114
*die* Forschung, *-en* 114
*die* Fortbildung, *-en* 116
*der* Fortschritt, *-e* 164
fortsetzen 120, 204
*die* Fortsetzung, *-en* 120
*das* Forum, *Foren* 134
*das* Foto, *-s* 134
*der* Fotoapparat, *-e* 58
*der* Fotograf, *-en* 12
*die* Fotografie, *-n* 58
fotografieren 58
*die* Fotografin, *-nen* 12
*die* Frage, *-n* 108, 170
fragen 110, 170, 172, 182
*das* Fragezeichen, - 110
*der* Franken, - 38
Frankreich 14
*der* Franzose, *-n* 192
*die* Französin, *-nen* 192
*das* Französische 192
*die* Frau, *-en* 30, 132, 150, 192
frech 56
frei 48, 118
*die* Freiheit, *-en* 148
(sich) frei machen 94
*der* Freiplatz, *~plätze* 50
freisprechen, *sprach frei, habe freigesprochen* 148
*der* Freitag, *-e* 26
freiwillig 190
*die* Freizeit, *-en* 20
*die* Freizeithose, *-n* 36
fremd 152
*die* Fremdsprache, *-n* 110, 118
*die* Fremdsprachenkenntnisse *(nur Pl.)* 118
*der* Fremdsprachenunterricht *(nur Sg.)* 110
fressen, *fraß, habe gefressen* 86
*die* Freude, *-n* 20, 102
(sich) freuen 102
*der* Freund, *-e* 8, 20, 56, 160
*die* Freundin, *-nen* 20, 54
freundlich 22, 84
*die* Freundschaft, *-en* 20, 192
*der* Frieden *(nur Sg.)* 160
frieren, *fror, habe gefroren* 88
frisch 34
*der* Friseur [fri'zøːr]/ Frisör, *-e* 92
*die* Friseurin [fri'zøːrɪn]/ Frisörin, *-nen* 92
*die* Frist, *-en* 66
*die* Frisur, *-en* 92
froh 60, 102
Frohe Ostern! 60
Frohe Weihnachten! 60
fröhlich 60, 102
*die* Fröhlichkeit *(nur Sg.)* 102, 192
*die* Frucht, *Früchte* 34
*der* Frühdienst, *-e* 96
früher 22, 184
frühestens 28
*der* Frühling, *-e* 26, 192
*das* Frühstück, *-e* , 28
frühstücken 28
*das* Frühstücksbuffet, [...by'feː/...'byfe], *-s/-e* 84
fühlen 90, 100, 152
führen 52, 120
*der* Führerausweis, *-e* 76
*der* Führerschein, *-e* 76
*die* Führung, *-en* 48, 52

*der* Grieche, *-n*
*die* Griechin, *-nen* 14
Griechenland 14
griechisch 162
*der* Grill, -s 40
grillen 40
grillieren 40
*die* Grillparty, *-s* 40
*die* Grippe, *-n* 94
groß 90, 124
Großbritannien 14
*die* Größe, *-n* 36
*die* Großeltern *(nur Pl.)* 16
*die* Großmutter, *~mütter* 16
*der* Großvater, *~väter* 16
Grüezi! 8
grün 146, 204
*der* Grund, *Gründe* 186
gründen 60
*das* Grundgesetz, *-e* 150
gründlich 70
*die* Grundschule, *-n* 112
*das* Grundstück, *-e* 68
*die* Gründung, *-en* 60
*der/die* Grüne, *-n* 146
*die* Gruppe, *-n* 62, 106
*das* Gruppenbild, *-er* 144
*der* Gruß, *Grüße* 132, 170
Grüß dich! 8
grüßen 20, 170
Grüß Gott! 8
gucken 100
günstig 46, 84, 128
*der* Gurt, *-e* 76
gut 36, 48, 124, 128, 202
gut aussehen 22
gute 128
Guten Abend! 8
Gute Nacht! 8
Guten Morgen! 8
Guten Tag! 8
gut gelaunt 22
*das* Gymnasium, *Gymnasien* 112
*die* Gymnastik [gʏm'nastɪk], *-en* 50

H

*das* Haar, *-e* 90
*die* Haarfarbe, *-n* 90
*die* Haarlänge, *-n* 90
Hab dich lieb 132
haben, *hatte, habe gehabt* 12, 30, 44, 52, 76
*das* Hackfleisch *(nur Sg.)* 32
*der* Hafen, *Häfen* 80
*der* Hagel *(nur Sg.)* 88
hageln 88
*das* Hähnchen, - 32
halb 28
*die* Halbpension [...paŋ'zi~o:n/ ...pɛn'zi~o:n], *-en* 84
halbtags 12
*die* Hälfte, *-n* 34
*die* Halle, *-n* 72
*das* Hallenbad, *~bäder* 72
Hallo! 8, 132
*der* Hals, *Hälse* 90, 94
*die* Halskette, *-n* 36
halt 186
haltbar 196
halten, *hielt, habe gehalten* 146, 166
*die* Haltestelle, *-n* 74
*die* Haltung, *-en* 200
*der* Hamburger, - 46
*der* Hammer, *Hämmer* 116
*die* Hand, *Hände* 8, 90
*der* Handel *(nur Sg.)* 126
handeln 58, 126
*der* Händler, - 122
*die* Händlerin, *-nen* 122
*die* Handlung, *-en* 58
*das* Handtuch, *~tücher* 92
*das* Handwerk *(nur Sg.)* 116
*der* Handwerker, - 116
*die* Handwerkerin, *-nen* 116
*das* Handy ['hɛndi], *-s* 138
*die* Handynummer, *-n* 24
hängen, *hing, habe gehangen* 198
hart 148
*der* Hase, *-n* 56
*der* Hass *(nur Sg.)* 18, 104
(sich) hassen 18, 104
hässlich 90
häufig 138
*der* Hauptbahnhof, *~höfe* 72
*die* Hauptrolle, *-n* 58
*die* Hauptsaison, *-s* 82
*der* Hauptschulabschluss, *~abschlüsse* 112
*die* Hauptschule, *-n* 112
*die* Hauptspeise, *-n* 46
*die* Hauptstadt, *~städte* 142
*das* Haus, *Häuser* 68, 86
*die* Hausarbeit, *-en* 114
*der* Hausarzt, *~ärzte* 94
*die* Hausärztin, *-nen*
*die* Hausaufgabe, *-n* 106, 112
*die* Hausfrau, *-en* 12
*der* Haushalt, *-e* 32
*der* Hausmann, *~männer* 12
*der* Hausmeister, - 68
*die* Hausmeisterin, *-nen* 68
*die* Hausnummer, *-n* 10, 24
*die* Hausordnung, *-en* 68
*das* Haustier, *-e* 56
*die* Haustür, *-en* 68
*die* Hausverwaltung, *-en* 68
*die* Haut, *Häute* 100
Hdl (Hab dich lieb) 132
*das* Heft, *-e* 106, 108
heilig 62
*der* Heilige Abend *(nur Sg.)* 60
*der/die* Heilige, *-n* 62
*die* Heimat, *-en* 152
heimlich 190
*das* Heimweh *(nur Sg.)* 82
heiraten 18, 142
heiß 88
heißen, *hieß, habe geheißen* 10, 174
heiter 88
heizen 66
*die* Heizung, *-en* 66
*der* Held, *-en* 58
*die* Heldin, *-nen* 58
helfen, *half, habe geholfen* 172
hell 66
hell- 196, 204
*das* Hemd, *-en* 36
*das* Hendl, - 32
herauf- 194
heraus- 194
herausfindenn, *fand heraus, habe herausgefunden* 54
*die* Herausforderung, *-en* 160
herauskommen, *kam heraus, ist herausgekommen* 148
*der* Herbst, *-e* 26
*der* Herd, *-e* 42, 44
herein- 194
*das* Herkunftsland, *~länder* 152
*der* Herr, *-en* 30, 132
*die* Herrentoilette, *-n* 64
herrlich 88
herstellen 126
*der* Hersteller, - 126
herunter- 194
herunterfahren, *fuhr herunter, ist heruntergefahren* 130
herunterladenn, *lud herunter, habe heruntergeladen* 52, 130
*das* Herz, *-en* 90
herzlich 22, 60, 132
Herzliche Grüße 132
Herzlichen Glückwunsch 30, 60
her- 194
heute 28, 184
heutig 150
heutzutage 86, 190
Hi! 8, 132
hier 56
hierher 56
*der* Hightech ['haɪ'tɛk] *(nur Sg.)* 126
*die* Hightech-Industrie *(nur Sg.)* 126
*die* Hilfe, *-n* 98
*das* Hilfsmittel, - 106
*der* Himmel, - 88
hin 48
hinauf 78
hinauf- 194
hinaufgehen, *ging hinauf, bin hinaufgegangen* 64
hinaus- 194
*der/die* Hindu, *-s* 62
*der* Hinduismus *(nur Sg.)* 62
hinduistisch 62
hinein 182, 194
hinein- 194
hinfahren, *fuhr hin, bin hingefahren* 80
*die* Hinfahrt, *-en* 80
hingehen, *ging hin, bin hingegangen* 48, 56
hingucken 100
hinhören 100
hinlegen 52
hinschauen 100
hinsehen, *sah hin, habe hingesehen* 100
hinten 204
hinter 198
hinter- 204
hinterher 184
hinterlassen, *hinterließ, habe hinterlassen* 138
hinüber 78
hinunter 78
hinunter- 194
hinuntergehen, *ging hinunter, bin hinuntergegangen* 64
hin- 194
*der* Hinweis, *-e* 108
hinweisen 108
hinzugeben, *gab hinzu, habe hinzugegeben* 44
*der* Hit, -s 54
*die* Hitze, *-n* 192
*das* Hobby, *-s* 54
hoch 36, 66, 124, 128
hochfahren, *fuhr hoch, ist hochgefahren* 130
*das* Hochhaus, *~häuser* 68
hochladen, *lud hoch, habe hochgeladen* 130
hochmotiviert 118
*die* Hochschule, *-n* 114

*das* Lammfleisch *(nur Sg.)* 86
*die* Lampe, *-n* 70
*das* Land, *Länder* 86, 160
landen 80
*der* Landeshauptmann, *~männer* 142
*die* Landeshauptfrau, *-en* 142
*die* Landesregierung, *-en* 142
*der* Landkreis, *-e* 142
*der* Landrat, *~räte* 142
*die* Landrätin, *-nen* 142
*das* Landratsamt, *~ämter* 142
*die* Landschaft, *-en* 86
*die* Landstraße, *-n* 76
*die* Landung, *-en* 164
*der* Landwirt, *-e* 86
*die* Landwirtin, *-nen* 86
*die* Landwirtschaft, *-en* 126
lang 52, 90, 204
langärmelig 196
lange 54, 132
*die* Länge, *-n* 192, 204
*die* Langeweile *(nur Sg.)* 192, 202
(sich) langweilen 202
langsam 74
längst 184
langweilig 22, 48, 58, 86, 202
*der* Laptop [ˈlɛptɔp], *-s* 130
*der* Lärm *(nur Sg.)* 156
lassen, *ließ, habe gelassen* 178
*der* Laster, *-* 76
*der* Lastkraftwagen, *-* 76
laufen, *lief, bin gelaufen* 48, 74, 82, 90
*das* Laufwerk, *-e* 130
*die* Laune, *-n* 100, 102
laut 84, 88
läuten 68, 138
*der* Lautsprecher, *-* 136
leben 10, 14, 196
*das* Leben, *-* 98
*die* Lebensgefahr, *-en* 98
lebensgefährlich 98
*der* Lebenslauf, *~läufe* 120
*das* Lebensmittel, *-* 32
*der* Lebensstandard, *-s* 154
*der* Lebensunterhalt *(nur Sg.)* 154
lebhaft 196
lecker 34, 40
*das* Leder, *-* 86
ledig 10
legal 148
legen 198
*das* Lehrbuch, *~bücher* 106
*die* Lehre, *-n* 112, 114, 116
lehren 112, 114
*der* Lehrer, *-* 12, 106, 108, 112
*die* Lehrerin, *-nen* 12, 106, 108, 112, 192
*die* Lehrerschaft, *-en* 192
*der* Lehrling, *-e* 116
*die* Lehrstelle, *-n* 116
leicht 108
leid 102
leiden, *litt, habe gelitten* 94, 104
etw./jmd. (gut) leiden können 104
leider 40, 64, 102
leidtun 172
leise 108
leisten 98
*die* Leistung, *-en* 124
leiten 136
*der* Leiter, *-* 106, 120, 192
*die* Leiterin, *-nen* 106
*die* Leitung, *-en* 138
lenken 76
*das* Lenkrad, *~räder* 76
lernen 110, 112, 114
*der* Lerner, *-* 110
*die* Lernerin, *-nen* 110
*die* Lernplattform, *-en* 106
lesen, *las, habe gelesen* 54, 58, 66, 108, 110, 112, 134
*der* Leserbrief, *-e* 132
*der* Leser, *-* 58
*die* Leserin, *-nen* 58
letzter, letztes, letzte 26, 49, 114, 174
*die* Leute *(nur Pl.)* 14, 18, 22, 82, 154
*das* Lexikon, *Lexika* 108, 110
LG (Liebe Grüße) 132
liberal 146
*der/die* Liberale, *-n* 146
*der* Liberalismus *(nur Sg.)* 146
*das* Licht, -er 70
*der* Lichtschalter, *-* 70
lieb 22
*die* Liebe *(nur Sg.)* 18, 104
Liebe Grüße… 132
(sich) lieben 18, 54, 90, 104
Liebe(r)… 132
Lieblings- 136
*die* Lieblingssendung, *-en* 136
*das* Lied, *-er* 48
liefern 128
*die* Lieferung, *-en* 128
liegen, *lag, habe gelegen* 66, 96, 198
*der* Lift, *-e* 64
liken [ˈlai̯kn̩] 134
lila 204
Limonade 32
*die* Linie, *-n* 72, 74, 174
*der* Link, *-s* 130, 134
*der/die* Linke, *-n* 146
links 64, 146
*die* Lippe, *-n* 90
*die* Liste, *-n* 32, 114
*der* Liter, *-* 32
live 54
*der* Livestream [lai̯fstriːm], *-s* 136
*der* Lkw, -s/- (Lastkraftwagen) 76
*das* Lob, *-e* 168
loben 168
*das* Loch, *Löcher* 156
locker 162
lockig 90
*der* Löffel, *-* 42
*der* Lohn, *Löhne* 118, 122, 124
(sich) lohnen 126
*die* Lohnerhöhung, *-en* 124
*das* Lokal, *-e* 46
los- 194
löschen 130
lösen 108, 178
losfahren, *fuhr los, bin losgefahren* 80
losgehen, *ging los, bin losgegangen* 48
*die* Lösung, *-en* 108
*der* Löwe, *-n* 56
*die* Luft, Lüfte 88
*die* Luftpost *(nur Sg.)* 38
*die* Lüge, *-n* 166
lügen 166
*die* Lust, *Lüste* 48, 104
lustig 40, 58
Lust haben auf 104
*der* Luxus *(nur Sg.)* 68

M

machbar 196
machen 80, 112
Mach's gut! 8
*das* Mädchen, *-* 30, 192
*das* Magazin, *-e* 134, 136
*der* Magen, *Mägen* 90
mager 44
*die* Mahlzeit, *-en* 28, 94
*die* Mahnung, *-en* 132
*der* Mai, *-e* 26, 192
*die/das* Mail, *-s* 132
*die* Mailbox, *-en* 132, 138
mailen 132
*der* Makler, *-* 66
*die* Maklerin, *-nen* 66
mal 22, 172
*das* Mal, *-e* 26, 52
mal eben 184
malen 58
*der* Maler, *-* 58
*die* Malerin, *-nen* 58
*die* Mama, *-s* 16
*der* Manager [ˈmɛnɪʤɐ], *-* 12
*die* Managerin [ˈmɛnɪʤərɪn], *-nen* 12
manche 90
manchmal 28, 110
*der* Mangel, *Mängel* 126
*der* Mann, *Männer* 30, 150, 192
*das* Männlein, *-* 192
männlich 150
*die* Mannschaft, *-en* 50, 192
*der* Mantel, Mäntel 36
*die* Mappe, *-n* 106
*das* Märchen, *-* 192
*die* Margarine, *-n* 32
*die* Marille, *-n* 34
*die* Marke, *-n* 76, 128
markieren 108
*der* Markt, *Märkte* 34
*die* Marmelade, *-n* 32
*der* Mars *(nur Sg.)* 164
*der* März, *-e* 26
*die* Maschine, *-n* 116
*der* Master, *-* 114
*das* Material, *-ien* 116
*die* Mathematik *(nur Sg.)* 114
*die* Matura *(nur Sg.)* 112
*die* Mauer, *-n* 56
*die* Maus, *Mäuse* 130
mausgrau 196
maximal 80
*die* Mechanikerin, *-nen* 12
*die* Mediathek, *-en* 136
*die* Medien *(Pl.)* 134
*das* Medikament, *-e* 34, 94, 126
*die* Medizin *(nur Sg.)* 114
*das* Meer, *-e* 82
*das* Mehl, *-e* 32
*die* Mehlspeise, *-n* 46
mehr 132
mehrere 204
*die* Mehrheit, *-en* 144
*die* Mehrwertsteuer, *-n* 142
mein 10
meinen 166, 174
meinetwegen 166
*die* Meinung, *-en* 166, 168
meist 60, 150
meistens 20, 28
*der* Meister, *-* 116, 196
*die* Meisterin, *-nen* 116
meisterhaft 196

nein 142, 168, 170, 176
jdm. auf die Nerven gehen 104
nervös 22, 104
nett , 22
*das* Nettogehalt, *~gehälter* 122
*der* Netz, *-e* 134, 138, 154
*das* Netzradio, *-s* 136
*das* Netzwerk, *-e* 54, 130
neu 60
*der* Neubau, *-ten* 68
*die* Neuigkeit, *-en* 134
*das* Neujahr 60
neulich 184
neunte 30
*der* Newsletter ['nju:s'lɛtɐ], - 134
nicht 200
*die* Nichte, *-n* 16
nichts 58, 132, 200
nicken 90
nie 28, 200
niedrig 128
niemals 200
niemand 200
nirgends 148, 200
nirgendwo 148
*das* Niveau, *-s* 110
noch 112, 114, 132, 136
*das* Nomen, - 110
Nord- 158
Nordamerika 56
*der* Norden *(nur Sg.)* 26
Nordeuropa 158
nordeuropäisch 158
*die* Nordsee *(nur Sg.)* 198
normal 38
normalerweise 190
*die* Not, *Nöte* 160
*die* Notaufnahme, *-n* 96, 98
*der* Notausgang, *~ausgänge* 64
*die* Note, *-n* 112
*das* Notebook ['noʊtbʊk], *-s* 130
*der* Notfall, *~fälle* 98
notieren 110
nötig 178
*der* Notruf, *-e* 98
*die* Notrufnummer, *-n* 98
notwendig 178
*die* Notwendigkeit, *-en* 178
*der* November, - 26
*die* Nudel, *-n* 32
*die* Nummer, *-n* 142
*das* Nummernschild, *-er* 24
nur 54
nur noch 22
nützen 196
*der* Nutzen, - 196
nutzen 54, 156
nützlich 196

O

ob 56, 138, 148
obdachlos 154
*der/die* Obdachlose, *-n* 154
oben 64, 204
ober- 204
*der* Ober, - 46
*das* Obergeschoss / ~geschoß, *-e* 64
*der* Oberkörper, - 94
*das* (Schlag-)Obers *(nur Sg.)* 46
*das* Objekt, *-e* 110
*das* Obst *(nur Sg.)* 34, 126
obwohl 188
öde 202
oder 202
*der* Ofen, *Öfen* 42
offen 70, 204
offenbar 180
öffentlich 74, 144
*die* Öffentlichkeit, *-en* 134
offiziell 28
öffnen 70, 130
oft 28
ohne 44
das Ohr, -en 90
o. k. [o'ke:] 78
okay [o'ke:/oʊ'keɪ] 78
Öko- 146
ökologisch 146
*der* Oktober, - 26
*das* Öl, *-e* 32
*die* Oma, *-s* 16
*die* Onkel, - 16, 192
online ['ɔnlaɪn] 52, 136
*das* Online Banking ['ɔnlaɪn'bɛŋkɪŋ] *(nur Sg.)* 38
*der* Opa, *-s* 16
*die* Oper, *-n* 48
*die* Operation, *-en* 96
operieren 96
*das* Opfer, - 148
*die* Opposition, *-en* 144
optimistisch 126
orange 204
*die* Orange, *-n* 34
*der* Orangensaft, *~säfte* 32
*das* Orchester, - 48
ordnen 108
*der* Ordner, - 130, 174
*die* Ordnung, *-en* 192
*das* Ordnungsamt, *~ämter* 142
*die* Organisation, *-en* 124, 158, 160
*das* Organisationstalent, *-e* 118
organisieren 124
*die* Orientierung, *-en* 118
original 140
*das* Original, *-e* 140
*der* Ort, *-e* 88, 118
örtlich 88, 118
*der* Ortsteil, *-e* 66
*der* O-Saft, *~Säfte* 32
Ost- 158
*der* Osten *(nur Sg.)* 158
östlich 158
*die* Osterferien *(nur Pl.)* 60
*der* Ostermontag, *-e* 60
*(das)* Ostern, - 26, 60
Österreich 14
*der* Österreicher, - 14
*die* Österreicherin, *-nen* 14
österreichisch 162
*der* Ostersonntag, *-e* 60
Osteuropa 158
osteuropäisch 158
*die* Ostsee 198
*der* Ozean, *-e* 156
*das* Ozon *(nur Sg.)* 156

P

ein paar 78, 204
*das* Paar, *-e* , 18
*das* Päckchen, - 38
packen 82
*die* Packung, *-en* 94
*die* Pädagogik *(nur Sg.)* 114
*das* Paket, *-e* 32, 38
*die* Palme, *-n* 82
*die* Panne, *-n* 76
*der* Papa, *-s* 16
*der* Papagei, *-en* 56
*das* Papier, *-e* 106
*die* Paprika, *-s* 44
*der* Paradeiser, - 34
parallel 204
*das* Parfüm, *-e/-s* 92
*der* Park, *-s* 54
parken 72
parkieren 72
*der* Parkplatz, *~plätze* 72, 74
*das* Parlament, *-e* 144, 158
*die* Partei, *-en* 146
*das* Parteiprogramm, *-e* 146
*der* Parteitag, *-e* 146
*der/die* Parteivorsitzende, *-n* 146
*das* Parterre [...'tɛr(ə)], *-s* 64
*der* Partner, - 16, 18, 20, 162
*die* Partnerin, *-nen* 16, 18, 20
*die* Partnerschaft, *-en* 162
*die* Partnerstadt, *~städte* 162
*die* Party, *-s* , 40, 30, 54, 202
*der* Pass, *Pässe* 24, 140
*der* Passagier [pasa'ʒi:ʀ], *-e* 80
*die* Passagierin [pasa'ʒi:ʀɪn], *-nen* 80
passen 36
passend 42
passieren 98
passiv 196
*die* Passnummer, *-n* 24
*die* Pasta, *-s* 32
*der* Patient [pa'tsi͜ɛnt], *-en* 94, 96
*die* Patientin [pa'tsi͜ɛntɪn], *-nen* 94, 96
*die* Pauschalreise, *-n* 82
*die* Pause, *-n* 80, 112, 124
*der* Pazifik *(nur Sg.)* 162
*der* PC, -s (Personal Computer) 130
*das* Pech *(nur Sg.)* 24, 52
pechschwarz 196
peinlich 202
*(die)* Pension 84, 122, 150
*der* Pensionär, *-e* 122
*die* Pensionärin, *-nen* 122
pensionieren 122
pensioniert 150
*der* Pensionist, *-en* 150
*die* Pensionistin, *-nen* 150
*die* Pension, *-en* [ paŋ'zi͜o:n/ pɛn'zi͜o:n] 84
per (Einschreiben / Express etc.) 38
*der* Perron [pɛ'ro:n], *-s* 74
*die* Person, *-en* 58
*das* Personal *(nur Sg.)* 126
*der* Personalausweis, *-e* 140
*der* Personalchef, *-s* 118
*die* Personalchefin, *-nen* 118
*die* Personalien *(nur Pl.)* 148
*der* Personenstand, *~stände* 10
persönlich 10, 120
pessimistisch 126
*die* Petersilie *(nur Sg.)* 44
*die* Pfanne, *-n* 42
*der* Pfeffer *(nur Sg.)* 32, 44
*der* Pfeil, *-e* 110
*das* Pferd, *-e* 86
*das* Pferdefleisch *(nur Sg.)* 86
*das* Pfingsten, - 60
pflanzen 86
*das* Pflaster, - 92
*die* Pflaume, *-n* 34

reinfahren, *fuhr rein, bin reingefahren* 76
*die* Reinigung, *-en* 192
*der* Reis *(nur Sg.)* 32, 44
*die* Reise, *-n* 80, 140
*der* Reiseanbieter, - 82
*das* Reisebüro, *-s* 80, 82
*der* Reiseleiter, - 82
*die* Reiseleiterin, *-nen* 82
reisen 82
*der* Reisepass, *~pässe* 140
*die* Reisezeit, *-en* 82
reiten, *ritt, bin geritten* 50, 86
*die* Reklame, *-n* 134
*die* Religion, *-en* 62
religiös 60, 62
rennen, *rannte, bin gerannt* 74
renovieren 70
*die* Rente, *-n* 122, 150, 154
*die* Rentenversicherung, *-en* 124, 154
*der* Rentner, - 150
*die* Rentnerin, *-nen* 150
*die* Reparatur, *-en* 76, 128
reparieren 76, 128
*die* Reportage [repɔr'ta:ʒə], *-n* 136
*der* Reporter, - 134
*die* Reporterin, *-nen* 134
*die* Republik, *-en* 144
*die* Republik Österreich 144
reservieren 48, 80, 84
*die* Reservierung, *-en* 80
*der* Rest, *-e* 204
*das* Restaurant, *-s* 46
*die* Rettung, *-en* 98
*das* Rezept, *-e* 44, 94
*die* Rezeption, *-en* 84
*der* Richter, - 148
*die* Richterin, *-nen* 148
richtig 22, 108, 110, 174, 202
*die* Richtung, *-en* 78, 186
riechen, *roch, habe gerochen* 90, 100
*der* Riese, *-n* 196
*die* Riesenfete, *-n* 130
riesig 196
*das* Rind, *-er* 86
*das* Rindfleisch *(nur Sg.)* 86
*der* Ring, *-e* 204
*das* Risiko, *Risiken* 154
*der* Rock, *Röcke* 36
*das* Rockkonzert, *-e* 48
*die* Rockmusik, *-en* 48
roh 44
*der* Rohstoff, *-e* 126
*die* Rolle, *-n* 204
*die* Rolltreppe, *-n* 74
*der* Roman, *-e* 58
romantisch 104
römische Zahlen 24
rosa 196
rot 204
rüber 78
*der* Rücken, - 90
*die* Rückfahrt, *-en* 80
*die* Rückkehr *(nur Sg.)* 80
*die* Rückmeldung, *-en* 132
*der* Rucksack, *~säcke* 82
*die* Rücksicht, *-en* 56
rückwärts 78
*das* Rüebli [ryɛ̃bli], - 34, 44
*der* Ruf, *-e* 170
rufen, *rief, habe gerufen* 170
*die* Rufnummer, *-n* 24
*der* Ruhestand *(nur Sg.)* 122
*die* Ruhe *(nur Sg.)* 96
ruhig 84, 86
rund 66, 204
*die* Runde, *-n* 136
*der* Rundfunk *(nur Sg.)* 136
runter 78
runter- 194
runtergehen, *ging runter, bin runtergegangen* 64
*der* Russe, *-n* 14
*die* Russin, *-nen* 14
Russland 14

S

*der* Saal, *Säle* 114
*der* Sachbearbeiter, - 132
*die* Sachbearbeiterin, *-nen* 132
*die* Sache, *-n* 128, 174
*der* Sack, *Säcke* 32
*der* Saft, *Säfte* 32, 46
sagen 58, 166, 168, 170
*die* (Schlag-)Sahne *(nur Sg.)* 46
*die* Saison [zɛ'zo~(:)/zɛ'zɔŋ] *(nur Sg.)* 82
*der* Salat, *-e* 44, 46
*die* Salbe, *-n* 94
*der* Salon, *-s* 92
*das* Salz, *-e* 32, 44
salzig 34, 44
sammeln 146
*der* Samstag, *-e* 26
*der* Sand, *-e* 82
*der/das* Sandwich, *-e* 46
*der* Sänger, - 48
*die* Sängerin, *-nen* 48
*der* Satellit, *-en* 164
*das* Satellitenbild, *-er* 164
*die* Satellitenschüssel, *-n* 164
satt 44, 160
*der* Saturn 164
*der* Satz, *Sätze* 108, 110
sau- *(ugs.)* 202
sauber 92
*die* Sauce ['zo:sə], *-n* 44
sauer 34, 44, 104
*die* S-Bahn, *-en* 74
*die* Schachtel, *-n* 32
schade 102
schaden 156
*der* Schaden, *Schäden* 156
schädlich 156
*der* Schadstoff, *-e* 156
*das* Schaf, *-e* 86
schaffen, *schuf, habe geschaffen* 160
*der* Schaffner, - 80
*die* Schaffnerin, -nen 80
*der* Schafskäse, - 86
*der* Schalter, - 38, 70, 140
scharf 44
*der* Schatten, - 88
schätzen 180
schauen 90
*der* Schauer, - 88
*das* Schaufenster, - 72, 128
*der* Schauspieler, - 12, 48
*die* Schauspielerin, *-nen* 12, 48
(sich) scheiden lassen, *ließ (mich) scheiden, habe (mich) scheiden lassen* 18
*die* Scheidung, -en 18
*der* Schein, *-e* 38
scheinen, *schien, hat geschienen* 88
schenken 60
*die* Schere, *-n* 92
*der* Schi, *-er* 82
schick 36, 128
schicken 128, 130
schief 204
schießen, *schoss, habe geschossen* 50, 164
*das* Schiff, *-e* 80
*das* Schild, *-er* 76
*die* Schildkröte, *-n* 56
schimpfen 168
*der* Schinken, - 32
*das* Schlafzimmer, - 66, 68
schlagen, *schlug, habe geschlagen* 52
*die* Schlagzeile, *-n* 134
*die* Schlange, *-n* 56
schlank 36, 90
schlecht 48, 128
schlecht gelaunt sein 22
schlendern 74
schlimm 172
schließen, *schloss, habe geschlossen* 70, 130
*der* Schlittschuh, *-e* 82
*das* Schloss, *Schlösser* 198
*der* Schluss, *Schlüsse* 44
Schluss machen 138
*der* Schlüssel, - 198
schmal 204
schmecken 40, 44, 100
*der* Schmerz, *-en* 94
*das* Schmerzmittel, - 94
(sich) schminken 92
*der* Schmuck, *-e (Pl. selten)* 36
*der* Schmutz *(nur Sg.)* 92
schmutzig 92
*der* Schnee *(nur Sg.)* 88
schneiden, *schnitt, habe geschnitten* 42, 44, 92
schneien 26, 88
schnell 74, 120
*das* Schnitzel, - 32, 46
*der* Schnupfen, - 94
*die* Schokolade, *-n* 32
schon 30, 132
schön 40, 60, 88, 90
*die* Schönheit, *-en* 192
*die* Schraube, *-n* 174
schrecklich 88
*der* Schrei, *-e* 170
*der* Schreibblock, *~blöcke* 106
schreiben, *schrieb, habe geschrieben* 58, 94, 108, 112, 130, 132
*der* Schreibtisch, *-e* 198
schreien, *schrie, habe geschrien* 170
*der* Schreiner, - 116
*die* Schreinerin, *-nen* 116
*die* Schrift, *-en* 62
schriftlich 12, 114, 200
*der* Schriftsteller, - 58
*die* Schriftstellerin, *-nen* 58
*der* Schritt, *-e* 78
*der* Schuh, *-e* 36
*das* Schuhgeschäft, *-e* 12
*die* Schularbeit, *-en* 112
schuld 98
*die* Schuld *(nur Sg.)* 98, 148
*die* Schulden *(nur Pl.)* 126
schuldig 148
schuldig sprechen, *sprach schuldig, habe schuldig gesprochen* 148
*die* Schule, *-n* 112
*der* Schüler, - 12, 112, 192
*der* Schüleraustausch, *-e* 162
*die* Schülerin, *-nen* 12, 112, 192
*das* Schulfach, *~fächer* 112

*das* Schuljahr, *-e* 112
*die* Schulnote, *-n* 112
*die* Schulter, *-n* 90
*die* Schüssel, *-n* 42
schütteln 8
*der* Schutz *(nur Sg.)* 150, 156
schützen 154, 156
*der* Schwager, *Schwäger* 16
*der/das* Schwammerl, *-/-n* 34
schwanger 150
*die* Schwangerschaft, *-en* 150
schwarz 90, 204
*das* Schwarze Brett 106
schweigen, *schwieg, habe geschwiegen* 170
*das* Schwein, *-e* 86
*das* Schweinefleisch *(nur Sg.)* 86
*die* Schweiz 14
Schweizer 162
*der* Schweizer, *-* 14
*die* Schweizerin, *-nen* 14
schwer 108, 118
*die* Schwester, *-n* 16
*die* Schwiegereltern *(nur Pl.)* 16
*die* Schwiegermutter, *~müt-ter* 16
*der* Schwiegersohn, *~söhne* 16
*der* Schwiegervater, *~väter* 16
schwierig 108
*die* Schwierigkeit, *-en* 192
*das* Schwimmbad, *~bäder* 50, 54, 72
schwimmen, *schwamm, bin geschwommen* 50, 54, 86
*der* Schwimmer, *-* 50
*die* Schwimmerin, *-nen* 50
sechste 30
*der* See, *-n* 54, 86, 198
*der* Seeweg, *-e* 38
sehen, *sah, habe gesehen* 58, 90, 100, 136
*die* Sehenswürdigkeit, *-en* 82
sehr 22, 58, 88, 120
Sehr geehrte(r) 132
sehr gut 40
*die* Seife, *-n* 32, 92
sein, *war, bin gewesen* 10
seit 120, 184
*die* Seite, *-n* 78
*der* Sekretär, *-e* 122
*die* Sekretärin, *-nen* 122
*die* Sekte, *-n* 62
*die* Sekundarstufe II 112
*die* Sekunde, *-n* 28
selber 190
selbst 190
*der/die* Selbstständige, *-n* 122
selbstverständlich 140, 182
selten 200
seltsam 22
*das* Semester, *-* 114
*das* Seminar, *-e* 114
*die* Semmel, *-n* 34
senden 128
*der* Sender, *-* 136
*die* Sendung, *-en* 128, 136
*der* Senior, *-en* 30, 150
*die* Seniorin, *-nen* 30, 150
senkrecht 204
*der* September, *-* 26
*die* Serie, *-n* 136
*der* Service ['søːɐvɪs], *-s* 84, 124
*der/die* Serviceangestellte, *-n* 46
Servus! 8
*der* Sessel, *-* 42
setzen 198
*die* Show, *-s* 54
sicher 180
sichtbar 196
Sie 8, 132
siebte 30
*der* Sieg, *-e* 144
siegen 144
*der* Sieger, *-*
*die* Siegerin, *-nen* 144
siezen 8
*das* Silber *(nur Sg.)* 116
Silvester, *-* 60
*die* SIM-Karte, *-n* 138
singen, *sang, habe gesungen* 90
*der* Single [sɪŋl], *-s* 18
*der* Singular, *Singularformen* 110
sinken, *sank, bin gesunken* 126, 154
*der* Sinn, *-e* 196
sinnlos 196
sinnvoll 124, 196
*die* Situation, *-en* 150, 154
*der* Sitz, *-e* 160
sitzen, *saß, habe gesessen* 198
*der* Ski [ʃiː], *-/-er* 50, 82
*der* Skifahrer, *-* 50
*die* Skifahrerin, *-nen* 50
*die* Skulptur, *-en* 58
Skype ['skaip] 138
skypen ['skaipn] 138
*das* Smartphone ['smaːɐtfoʊn], *-s* 138
*die/das* SMS, *-* 132, 138
*der* Snack ['snɛk], *-s* 28
so 190
sobald 184
*die* Socke, *-n* 36
so … dass 190
sodass 190
*das* Sofa, *-s* 70, 198
sofort 98, 148, 172
*die* Software ['sɔftwɛːʀ], *-s* 126
*der* Sohn, *Söhne* 16
solange 184
sollen 94, 178
*der* Sommer, *-* 26, 192
*der* Sommerurlaub, *-e* 82
*das* Sonderangebot, *-e* 32, 128
*die* Sondermarke, *-n* 38
*die* Sondermeldung, *-en* 134
sondern 200
*die* Sonderschule, *-n* 112
*der* Song [sɔŋ], *-s* 48
*der* Sonnabend, *-e* 26
*die* Sonne, *-n* 88, 196
*das* Sonnensystem, *-e* 164
sonnig 88, 196
*der* Sonntag, *-e* 26
*die* Sorge, *-n* 20, 102
(sich) sorgen 102
*die* Soße, *-n* 44
*das* Souvenir [zuvəniːʀ / suvəniːʀ], *-s* 82
sowas von *(ugs.)* 202
sozial 54, 124, 154
*der* Sozialarbeiter, *-* 116
*die* Sozialarbeiterin, *-nen* 116
*der* Sozialdemokrat, *-en* 146
*die* Sozialdemokratin, *-nen* 146
sozialdemokratisch 146
*der* Sozialismus *(nur Sg.)* 146
*der* Sozialist, *-en* 146, 192
*die* Sozialistin, *-nen*
sozialistisch 146
*die* Sozialleistung, *-en* 124
*die* Soziologie, *-n* 114
*die* Spaghetti [ʃpa'gɛti / spa'gɛti] *(nur Pl.)* 32
spannend 48, 58
*das* Sparbuch, *~bücher* 38
sparen 38, 126, 156
*die* Sparkasse, *-n* 72
*das* Sparkonto, *~konten* 38
sparsam 126
*der* Spaß, *Späße* 52
spät 28, 40, 48
spazieren 74
spazieren gehen, *ging spazieren, bin spazieren gegangen* 72
*der* Spaziergang, *~gänge* 82
speichern 130
*die* Speise, *-n* 46
*die* Speisekarte, *-n* 46
*der* Speisewagen, 80
*der* Spezialist, *-en* 96
*die* Spezialistin, *-nen* 96
*der* Spiegel, *-* 92
*das* Spiel, *-e* 50, 52
spielen 48, 50, 52, 54
*der* Spieler, *-* 52
*die* Spielerin, *-nen* 52
*der* Spielplatz, *~plätze* 68
*die* Spielregel, *-n* 52
*die* Spielsachen *(nur Pl.)* 52
*das* Spielzeug *(nur Sg.)* 52
*das* Spital, *Spitäler* 72, 98
spitz 204
*der* Spitzer, *-* 106
*der* Sport *(nur Sg.)* 50, 82
Sport treiben 82, 178
*die* Sporthalle, *-n* 50
*der* Sportler, *-* 22, 50, 192
*die* Sportlerin, *-nen* 50, 192
sportlich 50
*der* Sportplatz, *~plätze* 50
*die* Sportschau *(nur Sg.)* 136
*der* Spot [spɔt / ʃpɔt], *-s* 136
*die* Sprache, *-n* 158
*die* Sprachkenntnis, *-se* 10
*der* Sprachkurs, *-e* 10
sprachlich 158
*die* Sprachschule, *-n* 110
sprechen, *sprach, habe gesprochen* 90, 108, 110, 148, 168
sprechen über (etw. / jdn.) 20
springen, *sprang, bin gesprungen* 56
*die* Spritze, *-n* 98
*die* Spüle, *-n* 42
spülen 42, 92
*die* Spur, *-en* 148
spüren 94
spurlos 148
*der* Staat, *-en* 144, 150, 158, 160, 162
*die* Staatsangehörigkeit, *-en* 152
*die* Staatsgrenze, *-n* 140
*das* Stadion, *Stadien* 50
*die* Stadt, *Städte* 142
städtisch 140
*der* Stadtpark, *-s* 72
*der* Stadtplan, *~pläne* 72
*der* Stadtpräsident, *-en* 142
*die* Stadtpräsidentin, *-nen* 142

*die* Stadtrundfahrt, *-en* 72
*der* Stadtteil, *-e* 60, 66
*das* Stadtteilfest, *-e* 60
stammen aus 152
*der* Ständerat, *~räte* 144
*das* Standesamt, *~ämter* 142
ständig 80, 202
*der* Standpunkt, *-e* 166
stark 94
*der* Start, *-s* 164
starten 164
*die* Startseite, *-s* 134
*die* Statistik, *-en* 150
statistisch 150
statt 34
stattfinden, *fand statt, hat stattgefunden* 60
*der* Stau, *-s* 74, 186
*der* Staub *(nur Sg.)* 70
*das* Steak ['stɛ:k], *-s* 32
*die* Steckdose, *-n* 70
stecken 198
*der* Stecker, *-* 192
stehen, *stand, habe gestanden* 36, 74, 108, 198
stehlen, *stahl, habe gestohlen* 148
steigen, *stieg, bin gestiegen* 126, 154
steil 78
*die* Stelle, *-n* 12, 118, 120, 122
stellen 108, 198
*die* Stellenanzeige, *-n* 118
*die* Stellenbeschreibung, *-en* 120
*der* Stempel, *-* 140
sterben, *starb, bin gestorben* 150
*der* Stern, *-e* 164
*die* Steuer, *-n* 122, 142
*der* Steward ['stju:ɐt], *-s* 80
*die* Stewardess ['stju:ɐdɛs], *-en* 80
*der* Stiefel, *-* 36
*die* Stiege, *-n* 10, 64
*das* Stiegenhaus, *~häuser* 64
*der* Stift, *-e* 106
*der* Stil, *-e* 196
stilistisch 196
still 22
*die* Stille *(nur. Sg.)* 170
*die* Stimme, *-n* 170
stimmen 166
*die* Stimmung, *-en* 202
stinken 56
*der* Stock, *Stöcke* 24, 64
*das* Stockwerk, *-e* 64
stören 138
*die* Störung, *-en* 138
stolz 22
strafbar 148
*die* Strafe, *-n* 140, 148
*der* Strafzettel, *-* 140
*der* Strand, *Strände* 82
*die* Straße, *-n* 10, 74, 78
*die* Straßenbahn, *-en* 74
*der* Straßenverkehr *(nur Sg.)* 74
*die* Strecke, *-n* 204
*das* Streichholz, *~hölzer* 32
*der* Streik, *-s* 124
streiken 124
*der* Streit, *-s* 18
(sich) streiten, *stritt (mich), habe (mich) gestritten* 18, 20, 168
streng 22, 182
*der* Stress *(nur Sg.)* 200
*der* Strom, *Ströme* 42, 156
*die* Struktur, *-en* 108
*der* Strumpf, *Strümpfe* 36
*die* Strumpfhose, *-n* 36
*das* Stück, *-e* 34
*der* Student, *-en* 12, 114, 192
*die* Studentin, *-nen* 12, 114, 192
*die* Studienberatung, *-en* 114
*das* Studienfach, *~fächer* 114
studieren 12, 112, 114
*der/die* Studierende, *-n* , 8, 114
*das* Studium, *(Studien)* 112, 114, 120, 192
*die* Stufe, *-n* 64, 110
*der* Stuhl, *Stühle* 42
*der* Stuhlkreis, *-e* 106
stumm 154
*der/die* Stumme, *-n* 154
*die* Stunde, *-n* 28
*der* Stundenkilometer, *-* (km/h) 98
*der* Stundenlohn, *~löhne* 122
stündlich 28
*der* Sturm, *Stürme* 88
stürzen 98
*das* Subjekt, *-e* 110
*das* Substantiv, *-e* 110
*die* Suche, *-n* 118, 192
suchen 32, 118
*die* Sucht, *Süchte* 94
süchtig 94
*das* Suchtmittel, *-* 94
Süd- 158
Südamerika 56
*der* Süden *(nur Sg.)* 26
Südeuropa 158
südeuropäisch 158
südlich 158
super 40, 202
*der* Supermarkt, *~märkte* 32
*die* Suppe, *-n* 44, 46
surfen ['sə:fn] 54, 82, 134
süß , 34, 22, 56
*der* Swimmingpool ['svɪmɪŋpu:l], *-s* 84
sympathisch 22
*die* Synagoge, *-n* 62
*das* System, *-e* 144

T

tabellarisch 120
*die* Tabelle, *-n* 120
*das* Tablet ['tɛblət], *-s* 106, 130
*der* Tabletcomputer ['tɛblət'kɔm'pju:tɐ], *-* 130
*die* Tablette, *-n* 94
*die* Tafel, *-n* 32, 106
*der* Tafelwischer, *-* 106
*der* Tag, *-e* 26, 28, 196
Tag! 8
Tag der Arbeit 60
Tag der deutschen Einheit 60
*der* Tagesablauf, *~abläufe* 28
*die* Tageszeit, *-en* 28
*die* Tageszeitung, *-en* 134
täglich 196
tagsüber 28
*das* Tal, *Täler* 88
*das* Talent, *-e* 22, 118
*die* Talkshow ['tɔ:kʃo:], *-s* 136
tanken 76, 80
*die* Tankstelle, *-n* 76, 80
*die* Tante, *-n* 16, 192
*der* Tanz, *Tänze* 54
tanzen 54, 90
*der* Tarif, *-e* 124
*der* Tarifabschluss, *~abschlüsse* 124
*die* Tarifverhandlung, *-en* 124
*das* Taschentuch, *~tücher* 32
*die* Tasse, *-n* 42, 46
*die* Tastatur, *-en* 130
*die* Taste, *-n* 130
*die* Tat, *-en* 148
*der* Täter, *-* 148
*die* Täterin, *-nen* 148
*die* Tätigkeit, *-en* 118, 120
*die* Tatsache, *-n* 180
tatsächlich 180
taub 154
tauchen 82
tauschen 38
(ein)tausend 24
*das* Taxi, *-s* 74
*das* Team [ti:m], *-s* 116, 118
teamfähig [ti:m...] 118
*der* Teamgeist [ti:m...] *(nur Sg.)* 118
*die* Technik, *-en* 164
technisch 164
*die* Technische Hochschule, *-n* 114
*die* Technologie, *-n* 136
*der* Tee, *-s* 32, 46
*der* Teelöffel, *-* 42
*der* Teenager ['ti:ne:dʒɐ], *-* 30
*der* Teil,*-e* 76
(etw. in Stücke) teilen 24, 204
*die* Teilnahme, *-n* 116
teilnehmen, *nahm teil, habe teilgenommen* 116
*der* Teilnehmer, *-* 116
*die* Teilnehmerin, *-nen* 116
teils ... teils 88
*die* Teilzeit, *-en* 120
*das* Telefon, *-e* 10, 66, 138
*das* Telefonbuch, *~bücher* 138
*das* Telefongespräch, *-e* 138
*der* Telefonhörer, *-* 138
telefonieren 138
*die* Telefonnummer, *-n* 10, 24
*die* Telefonzelle, *-n* 138
*der* Teller, *-* 42
*der* Tempel, *-* 62
*die* Temperatur, *-en* 88
*das* Tempo, *-s/Tempi* 76
*das* Tennis *(nur Sg.)* 50
Tennis spielen 50
*der* Teppich, *-e* 70, 192
*der* Termin, *-e* 40, 120, 180
*der* Terminkalender, *-* 26
*die* Terrasse, *-n* 68
*der* Test, *-s* 114
testen 114
teuer 32, 34, 82, 128
*der* Text, *-e* 106, 108
*der* Textaufbau 108
*die* Textnachricht, *-en* 132
*das* Textverarbeitungsprogramm, *-e* 130
*das* Theater, *-* 48, 72
*das* Theaterstück, *~stücke* 48, 58
*das* Thema, *Themen* 58, 108, 132, 166
theoretisch 196
*die* Theorie, *-n* 196
*das* Thermometer, *-* 88
*die* Thora, *-s* 62
*das* Ticket, *-s* 80
tief 128
*die* Tiefgarage [...ga'ra:ʒə], *-n* 68
Tiefkühl- 32
*die* Tiefkühlkost *(nur Sg.)* 32
*das* Tier, *-e* 56, 86

*der* Tierpark, -s 56
*der* Tierpfleger, - 56
*die* Tierpflegerin, -*nen* 56
*der* Tiger, - 56
*der* Tipp, -s 190
tippen 132
*der* Tisch, -*e* 42, 46
*der* Titel, - 50
*die* Tochter, *Töchter* 16
*der* Tod, -*e* 98
todmüde 196
todschick 196
todsicher 196
todunglücklich 196
tödlich 98
*die* Toilette [to~a'lɛtə], -*n* 64, 66, 92
*das* Toilettenpapier *(nur Sg.)* 32
tolerant 152
*die* Toleranz, -*en* 152
toll 40, 48, 202
*die* Tomate, -*n* 34
*der* Topf, *Töpfe* 42
*das* Tor, -*e* 50, 68
*die* Torte, -*n* 34
tot 98
total 202
töten 148
*der* Touchscreen ['tatʃskriːn], -*s* 130
*die* Tour [tuːʀ], -*en* 80
*der* Tourismus [turɪsmʊs] *(nur Sg.)* 82
*der* Tourist [turɪst], -*en* 80
*die* Touristeninformation, -*en* 72
*die* Touristin [turɪstɪn], -*nen* 80
*die* Tradition, -*en* 162
traditionell 18
*die* Trafik, -*en* 34
tragen, *trug, habe getragen* 36
*die* Tragödie, -*n* 58
*der* Trainer, - 50
*die* Trainerin, -*nen* 50
trainieren [trɛ'niːrən/ treː'niːrən] 50
*das* Training ['trɛːnɪŋ/'treːnɪŋ], -*s* 50
*die* Tram, -*s* 74
*die* Träne, -*n* 104
*der* Transport, -*e* 80
transportieren 80
*das* Transportmittel, - 80
*die* Trauer *(nur Sg.)* 104
trauern 104
*der* Traum, *Träume* 176
Traum- 176
*der* Traumberuf, -*e* 176
träumen 176
traurig 104
treffen, *traf, habe getroffen* 54
*der* Treffpunkt, -*e* 54
(sich) trennen 18, 62, 156
*die* Trennung, -*en* 18
*die* Treppe, -*n* 64
*der* Treppenaufgang, *~aufgänge* 10
*das* Treppenhaus, *~häuser* 64
treu 104
trinken, trank, habe getrunken 42, 44
*das* Trinkgeld, -*er* 46
trocken 88
trocknen 92
*der* Tropfen, - 94
*das* Trottoir [trɔ'to~aːʀ], -s 74
trotz 188
trotz allem 188
trotzdem 166, 188
Tschau! 8
Tschüss! 8
*das* T-Shirt, -s 36
*die* TU (Technische Hochschule) 114
*das* Tuch, *Tücher* 36
*die* Tür, -*en* 70
*die* Türklinke, -*n* 70
*die* Türkei 14
*der* Türke, -*n* 14
*die* Türkin, -*nen* 14
*die* Türschnalle, -*n* 70
*die* Tüte, -*n* 32
*das* TV, -*s* 136
*die* TV-Komödie, -*n* 136
Twitter 132
twittern 132, 134
*der* Typ, -*en* 202

## U

*die* U-bahn, -*en* 74
übelst *(ugs.)* 202
üben 108, 110
über 78, 198
überall 60
*der* Überblick, -*e* 118
überfahren, *überfuhr, habe überfahren* 98
überfallen, *überfiel, habe überfallen* 148
überhaupt (nicht) 200
überholen 76, 98
übermorgen 28
übernachten 84
*die* Übernachtung, -*en* 84
übernehmen, *übernahm, habe übernommen* 118, 120
überprüfen 76
überqueren 98
überraschen 190
überrascht 102
*die* Überraschung, -*en* 102, 190
überreden 168
*die* Überschrift, -*en* 134
übersetzen 108, 110
*der* Übersetzer, - 122
*die* Übersetzung, -*en* 108
übersiedeln 66
übertragen, *übertrug, habe übertragen* 108
übertreiben, *übertrieb, habe übertrieben* 166
überweisen 38, 128
*die* Überweisung, -*en* 38
überzeugen 168
*die* Überzeugung, -*en* 146
üblich 196
übrig- 204
übrigens 166
*die* Übung, -*en* 106
*die* Uhr, -*en* 28
*die* Uhrzeit, -*en* 28
*die* Ukraine [ukra'iːnə/u'kreinə] 14
*der* Ukrainer, - 14
*die* Ukrainerin, -*nen* 14
ukrainisch [ukra'iːnɪʃ/u'krainɪʃ] 162
um 28
umarmen 102
*die* Umarmung, -*en* 102
*die* Umfrage, -*en* 128
*die* Umgangssprache *(nur Sg.)* 202
*die* Umgebung, -*en* 192
umgekehrt 188
umkreisen 164
*die* Umleitung, -*en* 74
(sich) ummelden 142
umrühren 42, 44
umschalten 136
umschreiben 174
umsteigen, *stieg um, bin umgestiegen* 80
*der* Umtausch, *Umtäusche/ Umtausche* 38, 128
umtauschen 128
*der* Umweg, -*e* 166
*die* Umwelt, -*en* 156
umweltfreundlich 156
umweltschädlich 156
*die* Umweltverschmutzung, -*en* 156
*der* Umweltschutz *(nur Sg.)* 156
umziehen, *zog um, bin umgezogen* 66, 118, 142
(sich) umziehen, *zog (mich) um, habe (mich) umgezogen* 36
um … zu … 174
*der* Umzug, *Umzüge* 66, 118, 142
*die* Umzugsfirma, *~firmen* 66
*der* Umzugswagen, - 66
unbedingt 44, 76, 118
unbekannt 110, 196
uncool 202
unentschieden 50
*der* Unfall, *Unfälle* 98
unfreundlich 22, 84, 196
ungeduldig 22
ungefähr 30, 56
ungefährlich 98, 102
ungemütlich 196
ungerade 24
ungerade Zahlen 24
ungerecht 160
ungewöhnlich 196
unglaublich 154
*das* Unglück, -*e* 196
unglücklich 22, 196
*die* Unglückszahl, -*en* 24
unheimlich 48
unhöflich 22
*die* Uni, -*s* 114
*die* Uniform, -*en* 148
uninteressant 58
*die* Union, -*en* 158
*die* Universität, -*en* 112, 114, 192
unmöglich 196
*die* UNO (die Vereinten Nationen) 160
*das* Unrecht *(nur Sg.)* 166
unregelmäßig 108
unreif 34
*die* Unschuld *(nur Sg.)* 148
unschuldig 148
*der* Unsinn *(nur Sg.)* 166
unsympathisch 22
unten 64, 204
unter 198
unter- 204
unterbrechen, *unterbrach, habe unterbrochen* 168
*das* Untergeschoss, -*e* 64
(sich) unterhalten, *unterhielt (mich), habe (mich) unterhalten* 108, 110, 168
unterhaltsam 58
*die* Unterhaltung, -*en* 58, 168
*die* Unterhaltungssendung, -*en* 136

# Lösungen

## 1

**1 | Was fehlt? Ergänzen Sie die Buchstaben.**
a. Ihnen, b. Auf Wiedersehen, c. bis bald, d. Guten Abend,
e. Grüß Gott! f. wie geht es dir

**2 | Begrüßung oder Abschied? Hören Sie und ordnen Sie zu.**
*Begrüßung*: Gruezi! Guten Tag! Grüß dich! Grüß Gott! Guten Abend!
*Abschied*: Bis bald! Adieu! Ciao! Servus baba! Auf Wiedersehen! Gute Nacht!

**3 | Was passt zusammen? Ergänzen Sie.**
b. Tschüss Uli, mach's gut / bis bald!
c. Auf Wiedersehen, Herr Seebald, und bis bald!
d. Hallo Christian, wie geht's?

**4 | Sortieren Sie die Sätze zu zwei Dialogen.**
*Dialog 1:*
• Grüß dich, Klaus, wie geht es dir?
– Hallo, Ute, danke gut. Und dir?
• Auch gut, danke, aber ich bin in Eile.
– Ja dann – mach's gut!
• Du auch, tschüss!
*Dialog 2:*
• Tag, Herr Wuttke!
– Guten Tag, Frau Doktor Welke! So ein schöner Tag – haben Sie Zeit für einen Kaffee?
• Ja, gern – hier ist ja schon ein Cafe. Oh, es ist heute geschlossen.
– Na dann – vielleicht morgen?
• Auf Wiedersehen und einen schönen Tag noch!
– Danke, ebenfalls! Auf Wiedersehen!

**5 | Sie sind Student / Studentin und treffen diese Leute am Nachmittag. Wie begrüßen Sie sie?**
a. auch: Hi, Sven! b. Hallo, Vera, wie geht's? / Grüß dich, Vera! / Hi, Vera! c. Guten Tag, Frau Mertens! d. Guten Tag, Herr (Dr.) Melcuk!
e. Grüß dich, Peter.

## 2

**1 | Was passt? Verbinden Sie.**
b. In Berlin. c. Ich bin Studentin. d. Ich bin aus Thessaloniki. e. Nein.

**2 | Was passt nicht?**
b. grüßen, c. Beruf, d. Adresse

**3 | Sortieren Sie die Wörter nach ihrem Artikel.**
*der:* Name, Wohnort, Punkt
*das:* Fax, Telefon, Alter
*die:* Adresse, Straße, Telefonnummer, Vorwahl

**4 | Kombinieren Sie Wörter.**
der Vorname, die Telefonnummer, die Hausnummer, der Bindestrich, der Unterstrich

**5 | Ergänzen Sie das Formular.**
Bewerbung für ein Stipendium

| | | | |
|---|---|---|---|
| Vorname: | Klaus | Mobil: | 0174 351351359 |
| Familienname: | Meyerthaler | E-Mail: | meyerthaler@ uni-münchen.de |
| Straße: | Geigerstr. 19 | Alter: | 25 Jahre |
| Postleitzahl: | 80689 | Beruf: | Student |
| Ort: | München | Familienstand: | ledig |
| Telefon-nummer: | 089 556871 | Sprachen: | Deutsch, Englisch |

**6 | Hören Sie und ergänzen Sie die Wörter.**
1 Name, 2 Beruf, 3 Wohnort, 4 Familienstand, 5 verheiratet

**7 | Notieren Sie Fragen.**
Wo wohnen Sie? / Wo wohnst du?, Woher kommen Sie? / Woher kommst du?, Wo arbeiten Sie? / Wo arbeitest du?, Wo studieren Sie? / Wo studierst du?
Wie ist Ihre / deine Adresse?, Wie ist Ihre / deine Telefonnummer?, Wie ist Ihre / deine E-Mail-Adresse? …

## 3

**1 | Berufe und Tätigkeiten: Markieren Sie die acht Wörter.**

| | | | | | | | | | | | | | |
|---|---|---|---|---|---|---|---|---|---|---|---|---|---|
| D | A | F | S | F | M | O | B | I | V | G | E | R | O |
| E | U | H | A | U | S | M | A | N | N | M | U | A | S |
| R | S | S | R | J | M | O | U | E | O | A | X | Z | Q |
| P | C | S | C | H | Ü | L | E | R | I | N | L | W | A |
| S | H | A | H | A | N | I | R | I | Y | A | F | R | I |
| P | O | L | I | Z | I | S | T | M | L | G | E | B | R |
| Z | Ü | R | S | C | V | J | W | Z | A | E | R | Ä | H |
| A | R | L | E | H | R | E | R | I | N | R | Q | C | N |
| R | E | S | K | A | L | X | H | F | L | Q | O | K | U |
| Z | G | S | T | U | D | I | E | R | E | N | D | E | D |
| T | R | S | U | C | E | K | E | N | T | S | I | R | Z |

*Waagerecht:* der Hausmann, die Schülerin, der Polizist, die Lehrerin, der / die Studierende
*Senkrecht:* der Bauer, der Manager, der Bäcker

**2 | Ergänzen Sie.**
die Managerin
der Architekt, die Architekten, die Architektinnen
der Verkäufer, die Verkäufer, die Verkäuferin
der Lehrer, die Lehrer, die Lehrerinnen
die Schüler, die Schülerin, die Schülerinnen
der Studierende, die Studierende, die Studierenden

**3 | Sagen Sie es anders. Achten Sie auf die Verbformen.**
b. Ich bin berufstätig. c. Ich studiere. d. Ich bin Hausfrau / Hausmann.
e. Ich bin Architekt/in.

**4 | Ergänzen Sie die passenden Ausdrücke.**
1 feste Stelle, 2 Einen Beruf, 3 Student, 4 Lehrer, 5 Beruf, 6 eine Stelle, 7 arbeitslos

## 4

**1 | Zu welchem Kontinent gehören diese Länder?**
*Asien:* die Mongolei, China, Indien, Afghanistan, Japan, Indonesien
*Afrika:* Südafrika, Ägypten, Nigeria, Namibia
*Europa:* die Ukraine, Dänemark, Griechenland, Island, Italien, Luxemburg, Rumänien
*Amerika:* Argentinien, Guatemala, Kanada, Ecuador, Peru

**2 | Wie heißt der Kontinent / das Land / die Stadt?**
b. Russland, c. Großbritannien, d. China, e. die Türkei, f. die USA, g. Polen, h. die Schweiz, i. Asien, j. Wien

**3 | Ich bin … Schreiben Sie Antworten.**
b. Ich bin Deutscher / Deutsche. c. Nein, ich bin Schweizer / Schweizerin. d. Ich bin Russe / Russin. e. Nein ich bin US-Amerikaner / US-Amerikanerin.

**4 | Hören Sie das Gespräch und ergänzen Sie die fehlenden Wörter.**
a. kommt, b. sind aus der, c. In die, d. Woher, e. wohne - komme - aus, f. nach

**5 | Wie heißt die Hauptstadt von ...?**
b. Lissabon, c. Berlin, d. Warschau, e. Bern, f. Stockholm, g. Kairo, h. Peking, i. Ottawa

## 5

**1 | Ergänzen Sie.**
*die Großeltern:* der Großvater, die Großmutter
*die Eltern:* der Vater, die Mutter
*die Kinder:* der Sohn, die Tochter
*die Enkel:* der Enkelsohn, die Enkeltochter
*die Schwiegereltern:* der Schwiegervater, die Schwiegermutter
*die Geschwister:* der Bruder, die Schwester

**2 | Ordnen Sie die Generationen aus der Perspektive von „ICH".**
*Generation 1:* Oma, Opa, Großeltern
*Generation 2:* Mama, Papa, Mutter, Vater, Eltern
*Generation 3:* Ich, Bruder, Schwester, Geschwister
*Generation 4:* Tochter, Sohn, Kinder

**3 | Wer ist das?**
*Waagerecht:* 1. Großmutter, 2. Enkelsohn, 3. Enkel, 4. Tante, 5. Papa, Papi
*Senkrecht:* 1. Geschwister, 2. Onkel, 3. Vetter, 4. Cousine, 5. Nichte, 6. Oma

**4 | Familienverhältnisse**
b. Enkel(sohn), c. Eltern, d. Großeltern, e. Kinder

**6 | Was sagt der Großvater? Hören Sie den Dialog und ergänzen Sie.**
1 ein Kind, 2 Mein Vater, 3 meine Mutter, 4 Geschwister, 5 Schwestern, 6 Brüder, 7 Schwester, 8 Großeltern, 9 Verwandtschaft

## 6

**1 | Finden Sie Gegensätze.**
streiten ⇔ sich gut verstehen, zusammenleben ⇔ allein leben, sich hassen ⇔ sich lieben, die Hochzeit ⇔ die Scheidung, Ehepartner ⇔ Single

**2 | Schreiben Sie die tragische Liebesgeschichte von Lara und Mark.**
2. Lara verliebt sich sofort in Mark und Mark verliebt sich in Lara.
3. Zwei Monate später verloben sie sich.
4. Am 27. August 2000 heiraten Lara und Mark.
5. Bald streiten sich Lara und Mark. / Bald streiten sie sich.
6. Im Januar 2002 trennen sich Lara und Mark / ... trennen sie sich.

**4 | Da stimmt etwas nicht! Bringen Sie den Text in die richtige Reihenfolge.**
Es ist wie in einem Film: Der Traummann lernt die Traumfrau kennen. Sie verlieben sich sofort ineinander. Ihre Eltern finden den Traummann nicht so sympathisch. Aber die Meinung der Eltern ist ihnen nicht wichtig! Er fragt sie: „Willst du mich heiraten?" und schenkt ihr einen Ring. Sie sagt sofort: „Ja!" Sie heiraten. Zur Hochzeit kommt die ganze Verwandtschaft. Er versteht sich mit seinen Schwiegereltern nicht so gut. Deswegen streiten sie sich immer wieder. Dann trennen sie sich. Bald lassen sie sich scheiden. Zum Glück haben sie keine Kinder! Zehn Jahr später treffen sie sich zufällig wieder. Sie verstehen ihre alten Probleme nicht mehr. Sie ziehen wieder zusammen ...

**5 | Nachrichten aus der Promi-Welt ...**
1. streiten sich, 2. sind ineinander verliebt, 3. heiraten, 4. trennen sich

## 7

**1 | Ergänzen Sie.**
a. ein Freund, eine Freundin
b. die Bekannte, eine Bekannte
c. die Kollegin, ein Kollege
d. die Kommilitonin, ein Kommilitone, eine Kommilitonin
e. die Mitschülerin, eine Mitschülerin

**2 | Wie heißt der Plural?**
b. die Freundinnen, c. die Mitschüler, d. die Bekannten, e. die Nachbarn

**Wie heißt der Genitiv?**
g. die Tochter meiner Freundin, h. die Eltern meines Mitschülers, i. die Freundin meines Bekannten, j. die Kinder meines Nachbarn

**3 | Soziale Beziehungen: Ergänzen Sie.**
1 bekannt, 2 Mein Freund, 3 Freund, 4 befreundet, 5 Kollege, 6 Nachbar, 7 Nachbarschaft

**4 | Welche Verben passen? Ergänzen Sie.**
b. Duzt, c. sprechen, d. streitet, e. vertragen

**5 | Hören Sie die Texte und ergänzen Sie die Wörter.**
1 guter, 2 Bekannter, 3 seine, 4 Freundin, 5 Meine, 6 Kollegin, 7 anderen, 8 Kollegen, 9 meinen, 10 neuen, 11 Nachbarn, 12 Freunde, 13 Bekannte

## 8

**1 | Veränderungen: Wie ist Karl jetzt?**
1 unfreundlich, 2 unhöflich, 3 unsympathisch, 4 langweilig / uninteressant, 5 alt, 6 arm

**2 | Wie heißen die Substantive, die zu diesen Adjektiven passen?**
b. das Interesse, c. das Glück, d. die Neugierde, e. die Höflichkeit, f. die Langeweile

**3 | Hier sind noch elf Wörter versteckt.**

| | | | | | | | | | | | | | |
|---|---|---|---|---|---|---|---|---|---|---|---|---|---|
| C | H | A | N | D | U | S | F | J | O | H | U | S | W |
| N | U | N | F | R | E | U | N | D | L | I | C | H | O |
| N | Y | E | R | L | Ä | C | H | E | L | N | G | Ö | S |
| O | S | T | C | H | T | W | Q | U | M | T | E | F | E |
| E | I | T | A | L | E | N | T | A | B | E | C | L | Z |
| X | E | R | B | I | U | M | S | E | W | R | W | I | J |
| N | L | P | G | E | D | U | L | D | A | E | V | C | S |
| K | D | I | U | B | W | H | A | R | K | S | A | H | U |
| I | A | F | T | K | N | E | R | V | Ö | S | F | E | T |
| E | D | C | T | Ö | P | L | B | R | G | A | R | M | Y |
| V | E | N | S | M | C | I | L | A | U | N | E | R | S |
| T | S | E | R | R | Q | A | T | Z | K | T | Y | Q | W |

*Waagerecht:* unfreundlich, lächeln, (das) Talent, die Geduld, nervös, arm, (die) Laune
*Senkrecht:* gut, lieb, interessant, höflich

**4 | Susi hat ihren Traummann kennengelernt ...**
b. Er hat einen sehr guten / tollen Charakter. c. Er hat viel Geduld. d. Er ist sehr sportlich. e. Er ist sehr reich. f. Er ist sehr verständnisvoll. g. Er hat immer gute Laune. h. Er ist leider nicht sehr intelligent.

**6 | Hören Sie und ergänzen Sie.**
1 finde, 2 langweilig, 3 ist, 4 gut, 5 gelaunt, 6 sieht, 7 gut, 8 aus, 9 finde, 10 unwichtig, 11 hat, 12 Humor, 13 Das, 14 finde, 15 lächelt

## 9

**1 | Ein kleiner Test.**
a. 244, 890, 3456, 1114, b. Die Zahl hat 9 Ziffern, c. 187, d. arabische Zahlen

**2 | Richtig oder falsch?**
*richtig:* a., c.
*falsch:* b., d.

**3 | Ergänzen Sie die fehlenden „Zahl-Wörter".**
a. Postleitzahl, b. Geheimzahl - Code, c. roten Zahlen, d. Ziffern

**4 | Was passt nicht in die Reihe? Streichen Sie durch.**
a. buchstabieren, b. Adresse, c. teuer

**5 | Ordnen Sie die Wörter in die Tabelle ein.**
*Das kann man zählen:* Geld, Lehrbücher, Menschen auf einem Kongress, Klavierstunden, Brot(e), Bonbons, Küsse, die Blumen auf der Wiese
*Das kann man zahlen:* ein Essen im Restaurant, einen Sprachkurs, Lehrbücher, Klavierstunden, Brot(e), Bonbons

**7 | Hören Sie und notieren Sie die Telefonnummern.**
a. 089 87 45 33 95, b. 983 766 89, c. 613 774 21 43, d. 13 25 38 99

## 10

**1 | Was fehlt? Ergänzen Sie die Buchstaben.**
b. Vorige Woche, c. samstags oder dienstags, d. nächstes Jahr

**2 | Ergänzen Sie die Jahreszeiten.**
b. Im Herbst, c. Im Frühling, d. Im Winter

**4 | Terminplanung: Ergänzen Sie den Dialog.**
1 am Samstag, 2 am Sonntag, 3 sonntags, 4 letzten, 5 diesen, 6 freitags / wochentags, 7 Feierabend

**5 | Finden Sie noch sieben Monate...**

| | | | | | | | | | | | | | | | | | |
|---|---|---|---|---|---|---|---|---|---|---|---|---|---|---|---|---|---|
| U | A | X | S | F | M | O | V | F | E | O | L | B | G | X | N | O | R |
| E | J | H | A | C | S | M | R | N | N | U | A | S | E | M | Y | K | D |
| J | U | S | J | M | O | J | R | E | S | E | P | T | E | M | B | E | R |
| P | L | E | J | A | N | U | A | R | S | T | I | N | L | I | A | U | U |
| S | I | C | A | N | I | N | T | S | K | O | K | T | O | B | E | R | K |
| Z | Ü | R | S | C | V | I | W | Z | A | T | R | H | D | I | W | F | O |
| M | A | E | H | R | E | A | U | G | U | S | T | I | S | M | U | R | A |
| E | B | F | E | B | R | U | A | R | Q | O | K | G | D | A | R | A | Q |
| O | R | A | D | K | E | N | Z | C | W | E | A | T | E | I | Z | U | E |

*Waagerecht:* der Januar, der August, der Februar, der September, der Oktober
*Senkrecht:* der Juni, der Mai

**6 | Ergänzen Sie die fehlenden Wörter.**
a. Jahresurlaub, b. Lieblingsjahrzehnt, c. monatlich, d. wöchentlich

## 11

**1 | Wie bitte? Trennen Sie die Wörter und schreiben Sie den Text noch einmal richtig.**
Jeden Morgen stehe ich um Viertel vor acht auf. Nach dem Duschen fahre ich ins Büro.
Dort frühstücke ich erst mal und lese die Zeitung. Zu Mittag essen meine Kollegen und ich in der Cafeteria.
Nachmittags trinken wir am Schreibtisch einen Kaffee. Um Viertel nach sechs gehe ich nach Hause.

**2 | Wie sagt man diese Uhrzeiten?**
*offiziell:* b. Es ist 24 Uhr, c. Es ist fünfzehn Uhr fünfzehn.
*privat:* c. Es ist Viertel nach drei.

**3 | Wie sagt man diese Uhrzeiten privat?**
b. Es ist fünf vor eins. c. Es ist Viertel vor elf. d. Es ist halb vier.

**4 | Was macht man wann? Ergänzen Sie die Tabelle.**
*morgens:* aufwachen, aufstehen, sich rasieren, frühstücken
*vormittags:* in die Schule gehen, zur Arbeit gehen, einen Imbiss einnehmen, arbeiten
*mittags:* kochen
*nachmittags:* spielen, Kaffeetrinken, Schularbeiten machen, arbeiten, nach Hause fahren
*abends:* ins Bett gehen, zu Abend essen, ins Konzert gehen
*nachts:* schlafen, träumen

**6 | Wie spät ist es? Hören Sie und ergänzen Sie den Dialog.**
1 wie spät es ist, 2 Uhr, 3 Viertel vor sechs, 4 um wie viel Uhr, 5 halb sieben, 6 um Viertel nach sieben

## 12

**1 | Ergänzen Sie die Endungen.**
b. der achtundzwanzigste, c. Den zweiten oder den dritten?

**3 | Wünsche und Träume: Ergänzen Sie die Begriffe.**
1 Jugendliche / Mädchen / Jungen, 2 Erwachsenen, 3 Kind, 4 Jugendliche, 5 Erwachsene, 6 Erwachsenen, 7 Jungen, 8 Mädchen

**4 | Hören Sie und ergänzen Sie die Lücken.**
1 Geburtstag, 2 Jahre alt, 3 erwachsen, 4 schon, 5 jünger, 6 Februar, 7 Riesenfete, 8 kürzlich, 9 zwölf, 10 Kind

## 13

**1 | Wo finde ich was? Ergänzen Sie.**
*Milch, Eier, Käse:* Butter, Joghurt
*Getränke:* Mineralwasser, Orangensaft, Tee
*Gewürze:* Salz, Pfeffer
*Fleisch, Fisch:* Schnitzel, Wurst, Braten
*Nudeln, Reis:* Spaghetti, Basmatireis, Lasagne

**2 | Was passt nicht in die Reihe?**
a. Wurst, b. Öl, c. Regal

**3 | Wissen Sie das? Ergänzen Sie.**
a. Glace / Glacé, b. Taschentuch, c. Nudeln, d. Käse - Joghurt, e. Fleisch - Wurst - Fisch

**4 | Frau Andres schreibt einen Einkaufszettel und denkt laut.**
1 Pfund, 2 Essig, 3 Eier, 4 Milch, 5 Käse, 6 Chips, 7 Cola

**5 | Maßeinheiten und Verpackungen. Ergänzen Sie.**
a. 150g / 15dag, b. 2 l, c. 1 Pfd., d. 1 Paket, e. 1 Kasten, f. 1 Tüte, g. ein Sack Kartoffeln

**6 | Hören Sie den Dialog und ergänzen Sie.**
1 Waschpulver, 2 im zweiten Gang rechts, 3 der Kakao,
4 der Marmelade, 5 die Getränke

## 14

**1 | Obst oder Gemüse? Ordnen Sie zu.**
*Obst:* der Apfel, die Apfelsine, die Birne, die Marille
*Gemüse:* der Salat, der Blumenkohl, die Karotte, die Bohne, die Kartoffel, die Fisole (= die Bohne)

**2 | Süß oder salzig? Ordnen Sie zu.**
*Süß:* die Torte, das Gebäck (D)
*Salzig:* das Brötchen, die Brezel, das Baguette, das Gebäck (A), die Semmel

**3 | Was hätten Sie gern? Ergänzen Sie.**
a. „Ich hätte gern eine Brezel, ein Baguette und drei Brötchen."
b. „Ich möchte bitte ein Stück Torte, zwei Croissants und ein halbes Brot."

**4 | Was passt nicht in die Reihe?**
a. Birne, b. Brezel, c. Pflaume

**5 | Auf dem Markt. Hören und ergänzen Sie den Dialog.**
1 Kilo, 2 Aprikosen, 3 frisch, 4 Möhren, 5 hätte ich gern, 6 Ist das alles, 7 vielen Dank, 8 macht, 9 Auf Wiedersehen.

## 15

**1 | Schreiben Sie die Substantive mit dem richtigen Artikel in die Tabelle.**
*der:* Schuh, Rock, Mantel, Hut, Stiefel, Pullover
*das:* Kostüm, Hemd
*die:* Hose, Bluse, Jacke, Socke, Freizeithose, Mütze

**2 | Welche Kombinationen sind möglich?**
der Winterstiefel, der Wintermantel, die Winterjacke, die Sommerhose, das Sommerhemd, die Unterhose, das Unterhemd, die Freizeithose, das Freizeithemd, das Halstuch, der Wollstrumpf, der Wollmantel

**3 | Schreiben Sie die Kleidungsstücke von der linken Seite in die richtige Spalte.**
Das bedeckt ...
*den Oberkörper:* die Bluse, die Jacke, das Hemd, der Pullover, das T-Shirt, das Unterhemd
*die Beine:* der Rock, der Jupe (CH), die Hose, die Freizeithose, die Jeans, die Strumpfhose
*die Füße:* die Schuhe, die Sandalen, die Stiefel, die Socken
*den Kopf:* der Hut, die Mütze

**4 | Schreiben Sie auf, welche Kleidungsstücke man anziehen kann, wenn es kalt ist.**
warme Winterschuhe, warme Winterstiefel, ein warmer Winterhut, eine warme Wintermütze, ein dicker Pullover, ein warmer Wintermantel, warme Unterwäsche, eine dicke Jacke, eine warme Hose, eine Mütze

**5 | Was sagen Sie in diesen Situationen?**
a. Der Anzug steht dir aber gut! / Du siehst aber schick aus!
b. Darf ich dieses Kleid einmal anprobieren? / Kann ich dieses Kleid in Größe ... anprobieren?
c. Du siehst aber schick aus! Hast du etwas vor? / Gehst du heute aus? / Du hast dich aber schön gemacht! Was ist los?

**6 | Was ist normal, möglich, eher selten oder nicht akzeptabel?**
a. selten, b. normal, c. nicht akzeptabel, d. selten, e. möglich

**7 | Zwei Freundinnen unterhalten sich. Hören und ergänzen Sie den Dialog.**
1 gekauft, 2 Kostüm, 3 schick, 4 steht, 5 bequem, 6 Der Rock, 7 eng, 8 die Bluse, 9 die Jacke, 10 Schuhe, 11 sehr teuer, 12 elegant, 13 einen Hut

## 16

**1 | Geld, Geld, Geld: Ergänzen Sie die passenden Verben.**
b. aufnehmen, c. wechseln, d. überweisen

**2 | Silbenrätsel: Bilden Sie Wörter und ergänzen Sie den richtigen Artikel.**
die Einzahlung, der Geldautomat, das Konto, das Paket, die Briefmarke, der Briefträger, das Bargeld, der Beleg

**3.1 | Kombinieren Sie die Verben mit dem richtigen Präfix.**
b. einzahlen, c. überweisen, d. aufnehmen, e. eröffnen, f. anlegen

**3.2 | Ordnen Sie den Nomen passende Verben zu.**
Geld einzahlen, Geld überweisen, Geld anlegen, ein Konto eröffnen, einen Kredit aufnehmen

**4 | Sie wollen Firma Gereke 60 € ...**
*Empfänger:* Firma Gereke
*BIC / BLZ:* RADUIFZE769
*IBAN / Kontonummer:* DE45 5809 1128 1234 98765
*Betrag:* 60,00
*Verwendungszweck:* Zeitschriftenabonnement

**5 | Auf der Post. Ordnen Sie den Dialog ...**
- • Guten Tag, was kostet ein Brief nach Spanien?
- – Einen Euro.
- • Dann hätte ich gern fünf Briefmarken zu einem Euro.
- – Möchten Sie Sondermarken?
- • Nein danke. Und dann möchte ich dieses Paket aufgeben, nach Mexiko.
- – Per Luftpost oder auf dem Seeweg?
- • Wie lange dauert das?
- – Luftpost eine Woche, Seeweg bis zu zwei Monaten.
- • Dann bitte per Luftpost.
- – Das macht insgesamt 48 Euro 50.

## 17

**1 | Was ist wann? Ordnen Sie zu.**
a. am Nachmittag, b. am Mittag, c. am Morgen, d. am Abend

**2 | Ergänzen Sie die Substantive mit dem richtigen Artikel.**
b. das Mittagessen, c. das Grillen, die Grillparty, d. das Abendessen, e. der Geschmack, f. die Geburtstagsfeier

**3 | Welche Wörter passen dazu? Ergänzen Sie.**
*die Party:* lustig, nett, angenehm, langweilig, gemütlich
*das Essen:* lecker, gut, interessant, satt, köstlich

**4 | Welche Kombinationen sind möglich?**
die Abschiedsparty, die Abschiedsfeier, das Abschiedsfest, das Abschiedsessen, die Gartenfeier, das Kaffeetrinken, das Arbeitsessen, das Festessen, die Geburtstagsparty, die Geburtstagsfeier, das Geburtstagsfest, das Geburtstagsessen

**5 | Small Talk: Ergänzen Sie.**
b. ausgezeichnet, c. gemütlich, d. angenehm, e. zu spät, f. pünktlich

**6 | Wie kann man das sagen?**
a. Vielen Dank für die Einladung. b. Tut mir leid, da kann ich nicht. c. Das Essen schmeckt fantastisch. d. Entschuldigen Sie bitte, wir sind spät dran.

**7 | Hören Sie die Dialoge und ergänzen Sie die fehlenden Wörter.**
1 zum, 2 leider, 3 spät, 4 herein, 5 etwas, 6 satt

## 18

**1 | Ordnen Sie die Wörter nach ihrem Artikel.**
*der:* Topf, Ofen, Tisch, Stuhl, Herd, Teller, Schrank
*das:* Messer, Glas, Geschirr
*die:* Küche, Tasse, Spüle, Pfanne, Gabel

**2 | Was gehört zusammen?**
der Geschirrspüler, der Kochtopf, das Brotmesser, der Kühlschrank

**3 | Was passt nicht? Streichen Sie durch.**
a. essen, b. Tasse, c. Teelöffel, d. Tisch

**4 | Womit oder worin macht man das?**
b. Mit dem Besteck isst man. c. Im Ofen backt man. d. Mit dem / In dem Kochtopf kocht man. e. Mit dem Geschirrspüler wäscht man ab. f. Mit dem Teelöffel rührt man den Tee um.

**5 | Rund um die Küche: Ergänzen Sie das Rätsel.**
*Waagerecht:* 1. Brotmesser, 2. Herd, 3. Pfanne, 4. Sessel, 5. trinken, 6. Spüle, 7. Ofen
*Senkrecht:* 1. braten, 2. Töpfe, 3. schneiden, 4. Teller

**6 | Hans zeigt seiner Freundin Claudia seine neue Küche. Hören Sie und ergänzen Sie die Wörter.**
1 Küche, 2 schicke Herd, 3 Backofen, 4 Töpfen und Pfannen, 5 Geschirrspüler, 6 spült, 7 neue Teller, 8 neues Besteck, 9 alles

## 19

**1 | Wie schreibt man das? Ergänzen Sie die Buchstaben.**
b. Isst, c. süß, d. Reis, e. ist, f. salziges, g. Mittagessen, h. fett, i. Frühstück

**2 | Was passt zusammen? Schreiben Sie Sätze.**
Der Kuchen ist süß. Der Kaffee ist bitter. Die Soße ist salzig / fett / süß. Die Suppe ist salzig / süß / fett. Das Gemüse ist roh. Das Fleisch ist mager / fett.

**3 | Finden Sie Gegensätze.**
süß ⇔ salzig / sauer / bitter, fett ⇔ mager, lecker ⇔ schlecht / bitter, mild ⇔ scharf, roh ⇔ gekocht

**4 | Wie kann man noch sagen?**
a. Sie ist Vegetarierin. b. Er macht eine Diät. c. …, er ist satt.

**5 | Finden Sie die Bedeutung der unterstrichenen Ausdrücke.**
b. attraktiv, c. wütend, d. aggressiv, e. schlecht

**6 | Hören Sie die Kochsendung und ergänzen Sie die Wörter.**
1 machen, 2 benötigen, 3 Zutaten, 4 Eier, 5 Öl, 6 Pfeffer, 7 schneiden, 8 Essig, 9 Geschmack, 10 frisches

## 20

**1 | Die Speisekarte: Ordnen Sie zu und ergänzen Sie den richtigen Artikel.**
*Vorspeisen:* die Suppe, der kleine Salat
*Hauptspeisen:* Pommes frites, Würstchen, Hamburger, die Pizza, die Mehlspeise
*Nachspeisen:* das Zitroneneis, die Schokoladencreme, der Obstsalat, die Mehlspeise
*Getränke:* das Bier, der Saft, das Mineralwasser, der Rotwein, der Kaffee mit Schlagobers

**2 | Wohin gehen sie?**
b. Sie geht zur Imbissbude „Bei Hilda".
c. Er geht / Sie gehen in das Restaurant „Aubergine".
d. Sie gehen ins Cafe „Mozart".
e. Er geht in die Uni-Mensa.

**3 | Hier fehlt etwas: Ergänzen Sie die fehlenden Wörter …**
a. Ich möchte für heute Abend um 20 Uhr einen Tisch reservieren.
b. Haben Sie außer Salat und Suppe auch andere Vorspeisen?
c. Hans isst Würstchen mit Senf und Pommes frites.
d. Darf ich Ihnen noch ein Glas Wein / Wasser / … anbieten?
e. Geht das zusammen oder getrennt?
f. Zahlen Sie bar oder mit Kreditkarte?

**4 | Wie kann man das höflicher sagen?**
a. „Entschuldigung, können wir bitte bestellen?"
b. „Könnte ich bitte die Speisekarte bekommen?"
c. „Frau Ober, können Sie mir bitte noch ein Bier bringen?"
d. „Entschuldigung, kann ich bitte bezahlen?"

## 21

**1 | Was passt? Ergänzen Sie die Verben.**
b. sich eine Ausstellung ansehen.
c. Eine Ballettgruppe tritt im „Deutschen Theater" auf.
d. Karten fürs Kino reservieren.
e. Heute spielt eine deutsche Rockband in der Uni-Mensa.

**2 | Ordnen Sie zu. Manche Wörter passen mehrmals**
*Theater:* der Schauspieler, die Aufführung, die Eintrittskarte
*Museum:* die Fotos, die Eintrittskarte, die Ausstellung, die Eröffnung, die Bilder
*Kino:* die Filmvorstellung, die Eintrittskarte, die Bilder, der Schauspieler
*Konzerthalle:* die Band, die Sängerin, die Eintrittskarte

**3 | Wo macht man was? Ergänzen Sie.**
b. zu Hause, c. im Kino / zu Hause, d. im Museum

**4 | Hier stimmt etwas nicht. Bringen Sie die Erzählung in die richtige Reihenfolge.**
Gestern wollte ich mit einem Freund ins Kino gehen. Ich habe angerufen und zwei Karten reserviert. Ich war pünktlich beim Kino, aber mein Freund kam nicht. Darum musste ich mir den Film allein ansehen. Es war eine tragische Liebesgeschichte. Der Mann liebte eine Frau, die einen Mann liebte, der eine andere Frau liebte. Sehr kompliziert. Am Schluss waren alle allein. Ich war ganz traurig und bin gleich nach Hause gegangen. Das nächste Mal schaue ich mir einen lustigeren Film an!

**5 | Hören Sie die Sätze und ergänzen Sie die Wörter.**
1 läuft, 2 anschauen, 3 gehen, 4 reservieren, 5 spielt, 6 treten, 7 auf, 8 hingehen, 9 bleibe, 10 Eintritt, 11 frei

## 22

**1 | Ergänzen Sie die Sätze mit Wörtern von der linken Seite.**
a. fit, b. spiele - gucke / schaue, c. joggen, d. fahren, e. Runde, f. hältst - trainiere

**2 | Wie sagt man dazu?**
a. die Schwimmerin, b. das Fahrrad, c. der Freiplatz / die Sporthalle, d. der Fußballer / der Fußballspieler, e. die Ski, f. der Fußballfan

**3 | Hier sind noch neun Wörter versteckt. Markieren Sie die Wörter und schreiben Sie sie auf.**

| | | | | | | | | | | | | | | | | | | |
|---|---|---|---|---|---|---|---|---|---|---|---|---|---|---|---|---|---|---|
| T | E | N | N | I | S | P | L | A | T | Z | Y | D | W | Z | U | I | O | D |
| D | S | C | E | C | S | K | I | F | A | H | R | E | N | E | R | S | C | V |
| W | Q | V | D | Ü | H | N | Z | T | R | E | D | S | M | I | O | P | P | E |
| E | R | K | O | P | W | A | N | D | E | R | N | W | E | F | F | F | D | X |
| A | S | T | R | A | I | N | I | N | G | X | V | B | B | I | X | S | M | K |
| Q | S | R | Z | O | M | A | N | N | S | C | H | A | F | T | S | D | E | B |
| M | E | Q | Y | C | M | B | U | J | K | L | Ö | L | E | N | W | P | M | C |
| W | M | C | K | R | E | I | T | E | N | E | L | W | E | E | Q | Ü | O | Ä |
| J | O | G | G | E | N | R | K | L | M | F | D | W | E | S | P | O | R | T |
| Y | Ü | B | R | T | Z | J | K | D | E | A | O | B | D | S | W | S | D | X |
| A | D | F | J | X | L | R | M | Y | Z | B | C | N | O | T | H | Q | R | S |

*Waagerecht:* (der) Tennisplatz, (das) Skifahren, (das) Training, (die) Mannschaft, reiten, joggen, (der) Sport
*Senkrecht:* (die) Fitness, (der) Mord

**4 | Sport ist Mord: Ergänzen Sie die fehlenden Wörter. Kontrollieren Sie dann mit dem Hörtext.**
1 Sport, 2 Tennis spielen, 3 Skifahrern, 4 fahren, 5 schwimmen, 6 Gymnastik, 7 gesund sein, 8 verletzen, 9 guck, 10 Figur

## 23

**1 | Wie heißt das? Schreiben Sie die Substantive mit Artikel auf.**
b. der Würfel, c. die Karten, d. die Puppe, e. die Spielanleitung / die Spielregel

**2 | Kombinieren Sie Wörter.**
die Spielzeugeisenbahn, der Puppenwagen, das Würfelspiel, die Spielregel, das Spielbrett, das Schachspiel, das Schachbrett, das Video-Spiel

**3 | Wie sagt man das? Ergänzen Sie.**
b. So, jetzt bist du dran. c. Wer teilt aus? d. Jetzt darfst du mal anfangen.

**4 | Was passt nicht?**
b. angegeben - vergeben, c. anmachen - gehen, d. gewinnt - gewannt - gewinnen

**5 | Die folgenden Sprichwörter gibt es im Deutschen. Was bedeuten Sie? Ordnen Sie zu.**
a. Wer im Spiel viel Erfolg hat, hat nicht immer Erfolg im Privatleben.
b. Mut wird belohnt.
c. Man verliert oft genauso schnell, wie man etwas gewinnt.

## 24

**1 | Was gehört zusammen? Ergänzen Sie.**
b. Zeitung lesen, c. Mountainbike fahren, d. auf Partys feiern, e. im Internet surfen, f. sich mit Freunden treffen, g. Anfragen beantworten, h. Musik hören, i. tanzen gehen

**2 | Ordnen Sie die Substantive von der linken Seite dem richtigen Artikel zu.**
*der:* Hit, Kontakt, See, Park, Tanz, Auftritt
*das:* Hobby, Schwimmbad, Mountainbike, Klavier, Ballett, Vergnügen, (soziale) Netzwerk
*die:* Aktivität, Wanderung, Flöte, Gitarre, Biene, Show, Presse, Party, Musik, Zeitung, Katze

**5 | Was passt? Ergänzen Sie die Wortigel.**
*sich erholen:* lesen, tanzen, basteln, kochen, wandern
*Sport:* wandern, schwimmen, Mountainbike fahren, tanzen

**6 | Ich mag... Was kann man sagen, wenn man etwas gerne tut?**
*mögliche Antworten:*
Ich liebe meine Freundin. Ich liebe es zu tanzen. Ich spiele gerne Gitarre. Ich habe Katzen gern. ...

**7 | Vorschläge: Hören Sie und ergänzen Sie den Dialog.**
a. • Geh doch schwimmen, das macht Spaß und ist gesund!
– Gute Idee, ich war schon lang nicht mehr im Schwimmbad!
b. • Schlaf doch mal morgens länger aus, dann entspannst du besser!
– Nein, nein, ich bin morgens immer unruhig, ich muss früh aufstehen!
c. • Willst du nicht Ballett tanzen? Das hält auch fit!
– Tanzen ist gar nichts für mich, lieber gehe ich wandern!
d. • Du solltest mal wieder ein gutes Buch lesen und schöne Musik hören, das tut gut!
– Ich schau mir lieber Musikvideos im Internet an und lese Online-Nachrichten!

## 25

**1 | Welche Tiere sind das? Ergänzen Sie mit dem Artikel.**
a. die Affen, (die Bären)
b. die Elefanten, die Löwen, die Affen, die Papageien
c. *vier Beine:* die Bären, die Elefanten, die Löwen, die Tiger, die Giraffen, die Hasen, die Krokodile, die Schildkröten
*zwei Beine:* die Affen, die Papageien, die Pinguine
*keine Beine:* die Delfine, die Schlangen
d. *gefährlich:* die Bären, die Löwen, die Tiger, die Krokodile, die Schlangen
*nicht gefährlich:* die Elefanten, die Affen, die Giraffen, die Hasen, die Papageien, die Pinguine, die Delfine, die Schildkröten
e. die Giraffen, die Hasen, die Papageien, die Schildkröten

**2 | Wie heißen die Substantive?**
b. die Ernährung, c. der Besuch, d. die Fütterung

**3 | Formulieren Sie Antworten mit passenden Verben von der linken Seite und den Ausdrücken in Klammern.**
b. Nein, sie ernähren sich vegetarisch.
c. Nein, sie leben in Afrika und Indien.
d. Super, da will ich hingehen.
e. Die Tiere sind schon nervös, beruhige dich bitte.

**4 | Ordnen Sie zu.**
a. als ob sie sich streiten würden.
b. ob wir noch zu den Hasen gehen können.
c. wie die kleinen Giraffen laufen.
d. als ob sie Fische wären.
e. sie sehen sehr gefährlich aus.

**5 | Eine Tierfütterung: Hören Sie und ergänzen Sie die fehlenden Ausdrücke.**
1 füttern, 2 hungrig, 3 springen, 4 ernähren sich, 5 gefährlich, 6 Fische, 7 dort drüben, 8 kleine Delfin, 9 springen, 10 hierher, 11 süß, 12 komisch, 13 Besuch

## 26

**1 | Buchwerbung: Ergänzen Sie.**
1 spannend, 2 gut, 3 brutal, 4 unterhaltsam, 5 lustig

**2 | Ergänzen Sie.**
a. der Autor, die ~in (der Schriftsteller, die ~in) - der Leser, die ~in
b. der Film - der Zuschauer, die ~in (das Publikum)
c. der Maler, die ~in / der Künstler, die ~in

**3 | Was tun die Personen?**
a. dreht, b. sieht / schaut, c. malt, d. schreibt, e. liest

**4 | Wovon handeln diese Filme und Bücher?**
b. Das Buch „Die Blechtrommel" handelt von einem kleinen Jungen in Nazi-Deutschland. / Das Thema des Buches „Die Blechtrommel" ist das Leben eines kleinen Jungen in Nazi-Deutschland. Das Thema von „Die Blechtrommel" ist ...
c. Der Film „Jerichow" handelt von zwei Männern und einer Frau in einer Kleinstadt im Nordosten von Deutschland.

**5 | Welche Kategorien auf der linken Seite passen zu diesen Filmtiteln?**
b. Western, c. Actionfilm, d. Science-Fiction-Film, e. Komödie, f. Zeichentrickfilm, g. Kriminalfilm / Krimi, h. Liebesfilm

**7 | Eine Nachricht auf dem Anrufbeantworter. Ergänzen Sie die Wörter.**
1 wirklich, 2 gesehen, 3 Regisseur, 4 Personen, 5 Hauptrolle, 6 Liebesfilm, 7 Tragödie, 8 Kriminalfilm, 9 spannend, 10 ansehen

## 27

**1 | Welche Feste und Feiern sind in den deutschsprachigen Ländern offiziell, welche sind privat?**
*offiziell:* der 1. Mai, Ostern, Neujahr, Weihnachten, Tag der deutschen Einheit, (Heilige Drei Könige)
*privat:* der Hochzeitstag, die Taufe, der Namenstag, der Geburtstag, die Beerdigung

**2 | Besondere Tage: Sammeln Sie alle Wörter auf der linken Seite, die auf Tag enden.**
der Feiertag, der Nationalfeiertag, der Weihnachtsfeiertag, der Karfreitag, der Ostersonntag, der Ostermontag, der Geburtstag, der Namenstag

**3 | Wie sagt man das? Unterstreichen Sie das passende Verb.**
b. wünschen, c. anstoßen, d. feiern

**4 | Ergänzen Sie.**
b. gutes / glückliches, c. Frohe / Fröhliche, d. Prost

**5 | Was wird gefeiert? Ordnen Sie zu.**
1 e., 2 d., 3 b., 5 c.

**6 | Geschenke und Gratulationen: Ergänzen Sie.**
b. zur, c. zum, d. zum

**8 | Was sagt man in diesen Situationen? Hören Sie und ergänzen Sie.**
a. Glückwunsch, b. schönes neues, c. Ostern, d. gratulieren, e. Beileid

## 28

**1 | Wie heißen die Substantive? Ergänzen Sie.**
b. das Christentum, c. der Islam, d. das Gebet, e. der Glaube

**2 | Wie schreibt man das?**
b. Synagoge, c. Moschee, d. Buddhismus

**3 | Ordnen Sie zu. Manche Wörter passen mehrfach.**
*Christentum:* der Glaube, die Kirche, der Gott, das Gebet
*Islam:* der Moslem, der Glaube, der Koran, die Moschee, der Gott, das Gebet
*Judentum:* die Synagoge, der Glaube, die Thora, der Gott, das Gebet

**4 | Was passt nicht in die Reihe? Streichen Sie durch.**
a. Humanismus, b. das Rathaus, c. romanisch

**5 | Religionen in Deutschland: Hören Sie und ergänzen Sie die fehlenden Wörter.**
a. Christen, b. Kirche, c. Sekten, d. Koran, e. Judentums, f. Buddhismus

## 29

**1 | Sortieren Sie die Wörter nach ihrem Artikel.**
*der:* Aufzug, Gang, Eingang, Stock, Lift
*das:* Zimmer, Gebäude, Erdgeschoss, Stockwerk, Parterre, Eck, EG, WC
*die:* Treppe, Stufe, Toilette, Etage, Ecke

**2 | Wie heißt das Gegenteil?**
a. nach oben, b. unten rechts, c. der Ausgang, d. die Treppe hinuntergehen (runtergehen), e. das Untergeschoss

**3 | Schreiben Sie einen Dialog.**
- Entschuldigen Sie, wo ist bitte das Bauamt?
- – Im dritten Stock, Zimmer 311.
- Und wo ist der Lift? / Gibt es hier einen Lift?
- – (Ja.) Im Gang hinten rechts, gegenüber der Treppe.
- Vielen Dank.

**4 | In einem Gebäude kann man ...**
b. den Lift nehmen, c. die Treppe hinaufgehen, d. auf dem Gang (entlang) gehen / warten, e. um die Ecke gehen / biegen (aber nicht abbiegen)

**5.1 | Sie sind zum ersten Mal in Ihrem Sprachinstitut. Was sagen Sie in folgenden Situationen?**
a. Wo ist bitte die Information?
b. Können Sie mir sagen, wo ich mich anmelden kann?
c. Entschuldigung, gibt es hier einen Aufzug?
d. Verzeihung, wo ist bitte die Toilette?
e. Das weiß ich leider nicht.

## 30

**1 | Wie heißen die Substantive?**
b. die Kündigung, c. die Besichtigung, d. die Entfernung, e. die Erhöhung, f. der Bewohner, die ~in

**2 | Welches Verb passt? Verbinden Sie.**
a. mieten, b. kündigen, c. wohnen, d. antworten, e. ausziehen, f. einziehen, g. umziehen, h. besichtigen / einrichten

**3 | Ergänzen Sie die Wörter in der richtigen Form.**
1 Wohnungsanzeigen / Anzeigen, 2 Zimmer, 3 Wohnungen, 4 Wohngemeinschaften, 5 Chiffre, 6 Vermieter, 7 angesehen, 8 Kaution, 9 Strom, 10 Wasser, 11 Heizung, 12 Mietvertrag, 13 einziehen

**4 | Hören Sie die folgenden Wörter und schreiben Sie.**
a. die Wohnungsbesichtigung, b. der Mietvertrag, c. der Umzugswagen, d. der Hausmeister, e. die Wohnungsanzeige

**5 | Ergänzen Sie die Fragen eines Wohnungssuchenden an den Vermieter.**
a. Ist die Wohnung noch frei?
b. Wie viel kostet die Wohnung?
c. Muss man eine Kaution bezahlen?
d. Wo liegt die Wohnung genau?
e. Kann ich die Wohnung besichtigen?

## 31

**1 | Wie schreibt man das?**
b. Aussicht, c. Tiefgarage, d. geklingelt

**2 | Wohnung oder Haus? Ordnen Sie die Wörter zu.**
a. Terrasse, Keller, Garage, Klingel, Aufzug, Wohnungstür, Hausordnung
b. Garten, Terrasse, Keller, Dachgeschoss, Garage, Tor, Haustür, Einfahrt, Klingel, Hof

**3 | Welche Wörter haben eine besondere Aussprache?**
a., b.

**4 | In welchem Gebäude kann man übernachten?**
*übernachten:* Hochhaus, Ferienhaus, Bungalow, Villa, Hotel, Reihenhaus, Einfamilienhaus
*nicht übernachten:* Opernhaus, Rathaus, Jugendzentrum, Museum

**5 | Wie sagt man das?**
a. Eigentumswohnung, b. Hausordnung, c. Hof, d. klingeln

**6 | Unsere neue Wohnung: Hören Sie und ergänzen Sie die fehlenden Ausdrücke.**
1 ins Esszimmer, 2 in der Küche, 3 das Wohnzimmer, 4 auf den Balkon, 5 Garten, 6 Wohnung, 7 die Kinderzimmer, 8 im Flur

## 32

**1 | Welche Gegenstände passen in welchen Raum?**
*Wohnzimmer:* der Esstisch, das Klavier, der Sessel, der Teppich, das Sofa, der Fernseher, das Bücherregal, der Fauteuil, die Couch, der Vorhang, der Hocker, der Stuhl
*Flur, Küche:* die Garderobe, der Spiegel, der Hocker, der Stuhl, der Mülleimer
*Arbeitszimmer:* der Schreibtisch, das Bücherregal, der Stuhl, der Vorhang, der Teppich
*Schlafzimmer:* der Polster, der Kasten, der Spiegel, das Bett, der Teppich, der Kleiderschrank, der Vorhang

**2 | Welche Verben passen zu den Substantiven?**
a. putzen, kaufen, anschaffen
b. anmachen, einschalten, ausmachen
c. putzen, einrichten, aufräumen, heizen

**3 | Kombinieren Sie Wörter. Ergänzen Sie auch den Artikel.**
b. das Bücherregal, c. die Steckdose, d. der Kleiderschrank, e. das Kinderzimmer, f. die Küchenuhr, g. die Elektroheizung, h. die Wohnungstür

**4 | Live aus der Wohnung meines Freundes: Hören Sie und ergänzen Sie die fehlenden Wörter.**
1 Garderobe, 2 Couch, 3 roten Kissen, 4 Stühle, 5 Esstisch, 6 Kleiderschrank, 7 Dusche, 8 Badewanne, 9 Bücherregale

## 33

**1 | Sie sind Tourist / Touristin in einer fremden Stadt und haben einige Pläne für den Tag. Wo finden Sie was?**
b. eine Bank / eine Sparkasse, c. Touristen-Information, d. Kunstmuseum, e. Buchhandlung, f. Fußgängerzone

**2 | Wo sind Sie und wohin wollen Sie noch? Ergänzen Sie.**

| Wo? | Wohin? |
|---|---|
| Ich bin gerade im Kaufhaus | und dann gehe ich noch zur Sparkasse. |
| Ich bin gerade im Rathaus | und dann gehe ich noch zur Post. |
| Ich bin gerade im Krankenhaus | und dann gehe ich noch zur Apotheke. |
| Ich bin gerade im Theater | und dann gehe ich noch in die Bar. |

**3 | Silbenrätsel: Bilden Sie Wörter aus diesen Silben.**
das Rathaus, das Krankenhaus, die Sparkasse, die Buchhandlung, die Bibliothek, die Apotheke

**4 | Eine E-Mail nach Hause: Ergänzen Sie.**
1 ausleihen, 2 eröffnet, 3 Post, 4 Ausstellung

**5 | Henri telefoniert mit Isabelle: Hören Sie und ergänzen Sie die fehlenden Wörter.**
1 Stadtpark spazieren, 2 Hallenbad, 3 Fußgängerzone, 4 interessant, 5 ins Theater, 6 ins Kino, 7 in der Bibliothek, 8 Burgen

## 34

**1 | Was passt wohin? Ergänzen Sie die Tabelle.**
*U-Bahn:* Fahrkarte, Fahrbahn, Bahnhof, Bahnsteig, Rolltreppe, Haltestelle
*zu Fuß:* Ampel, Rolltreppe, Zebrastreifen, gehen, Verkehr
*Bus:* Fahrkarte, Ampel, Bahnhof, im Stau stehen, fahren, Zebrastreifen, Haltestelle, Verkehr
*Auto:* Einbahnstraße, Fahrbahn, Ampel, Parkplatz, im Stau stehen, fahren, Zebrastreifen, Verkehr, Umleitung
*Fahrrad:* radeln, Ampel, fahren, Zebrastreifen, Verkehr

**2 | Was passt nicht?**
a. stehen, b. Rolltreppe (bewegt sich selbst), c. Lehrer

**3 | Silbenrätsel: Bilden Sie Wörter aus den Silben.**
das Auto, die Straße, der Zebrastreifen, der Automat, die Fahrkarte, der Parkplatz, die Ampel, der Bahnhof, das Fahrrad, der Radweg, der Fahrradweg

**4 | Öffentlicher Verkehr. Ergänzen Sie die Lücken mit Wörtern von der linken Seite.**
1 steht, 2 Fahrkarte, 3 fahren, 4 S-Bahn, 5 Fahrrad, 6 radeln, 7 Fahrradweg, 8 bummeln, 9 joggt

**5 | Monika spricht auf den Anrufbeantworter und erzählt vom Wochenende. Hören und ergänzen Sie.**
1 gar kein Auto, 2 mit der U-Bahn, 3 im Stau, 4 billiger, 5 Monatskarte, 6 Ermäßigung, 7 öffentlichen Verkehrsmittel, 8 Fahrräder, 9 Fahrradwege

## 35

**1 | Wie heißen die Nomen? Ergänzen Sie.**
b. die Bremse, c. die Ausfahrt, d. die Fahrt

**2 | Gespräch im Auto: Ergänzen Sie.**
b. leer, c. beschädigt, d. überprüft, e. kaum noch, f. vorsichtig

**3 | Welche Verben passen zu den Nomen?**
*Man kann einen Wagen:* fahren, reparieren, lenken, beschädigen, aufräumen, bremsen, lieben (?), tanken, überholen, mieten
*Man kann eine Wohnung:* einrichten, beschädigen, aufräumen, renovieren, lieben (?), besichtigen, mieten

**4 | Was sagt der Fahrlehrer?**
b. die Vorfahrt beachten. c. überholen! d. rausfahren. e. bremsen und anhalten.

**5 | In der Autowerkstatt: Sechs Wörter im Text gibt es im Deutschen nicht.**
b. Lenkrad, c. Lastwagen / LKW, d. Abgasen, e. Ersatzteile, f. Wagen

## 36

**1 | Sortieren Sie die Wörter nach ihrem Artikel.**
*der:* Kanal, Fluss, Marktplatz
*die:* Nähe, Straße, Allee, Gasse, Ampel, Kreuzung, Seite

**2 | Wie heißt das Gegenteil?**
a. fern / weit, b. auf der rechten Seite, c. die Straße runterfahren (hinunterfahren), d. aufwärts

**3 | Ordnen Sie die Wegbeschreibung.**
Zum Elisabeth-Krankenhaus? Da können Sie leicht zu Fuß gehen. Gehen Sie zuerst hier die Opernallee entlang. Nach etwa 150 m kommen Sie an eine Kreuzung. Dort biegen Sie nach links ab. Danach immer geradeaus, bis Sie an eine Tankstelle kommen. Rechts von der Tankstelle geht die Sylvia-Straße ab. Das Krankenhaus ist auf der linken Seite, ein kleines Stück weiter.

**4 | Welche Verben passen? Ergänzen Sie.**
b. gehen, c. fahren, c. nehmen, d. abbiegen

**5 | Entschuldigung, wo ist bitte die Post?**
1 in der Nähe, 2 entlang, 3 Kreuzung, 4 links, 5 bis, 6 Ampel, 7 rechten, 8 Okay / O.k.

## 37

**1 | Wie bewegen sie sich? Ergänzen Sie.**
b. gehen / laufen, c. fahren, d. fahren, e. fliegen, f. laufen, rennen, joggen, gehen, fahren, fliegen (je nach Sportart)

**2 | Mit welcher Bahn kann man nicht fahren?**
Kegelbahn, Fahrbahn

**3 | Was macht man da?**
b. sich orientieren, c. Benzin tanken, d. einen Flug buchen, e. umsteigen, f. Pause machen

**4.1 | Anfang und Ende. Was ist die richtige Reihenfolge?**
a. im Internet nachschauen → einen Flug buchen → einsteigen → abfliegen → landen
b. auf den Fahrplan schauen → eine Fahrkarte kaufen → einsteigen → umsteigen → ankommen

**4.2 | Wie ist die Reihenfolge bei einer Schifffahrt / Autofahrt?**
*Mögliche Lösungen:*
*Schifffahrt:* Zuerst gehe ich an Bord. Nachdem alle Passagiere eingestiegen sind, legt das Schiff ab. Es fährt eine Zeit lang über das Meer. Am Ziel legt das Schiff an. Ich und alle anderen steigen nun aus und gehen von Bord.
*Autofahrt:* Zuerst steige ich in mein Auto ein. Dann fahre ich los. Nach einer Weile muss ich tanken. Danach kann ich weiterfahren bis ich an meinem Ziel ankomme. Dort steige ich wieder aus meinem Auto aus.

**5 | Was machen diese Leute?**
b. kontrolliert die Fahrkarten. c. macht eine Reise / geht ins Reisebüro. d. bedient die Passagiere im Flugzeug.

**7 | Eine Durchsage am Bahnhof. Hören Sie und ergänzen Sie.**
1 ICE 29031, 2 fährt, 3 Bordrestaurant, 4 des Zuges, 5 Ankunft, 6 Abfahrt

## 38

**1 | Wie heißen die Verben?**
b. spazieren gehen, c. reisen, d. Schlittschuh fahren / laufen

**2 | Unterstreichen Sie das passende Wort.**
a. erholt, b. kennengelernt, c. preiswert

**3 | Wie schreibt man das? Ergänzen Sie.**
b. Rhythmen, c. das Richtige, d. abenteuerlich

**4 | Was passt? Verbinden Sie.**
b. fahren, c. tanzen, d. gehen, e. tauchen, f. laufen, g. spielen, h. tun

**5 | Frau Zett macht gern aktiven Urlaub ...**
*Frau Zett:* fährt Motorboot, tanzt in der Disko bis spät in die Nacht, taucht im Meer, spielt Golf, läuft Schlittschuh
*Herr Ypsilon:* macht einen Spaziergang, geht früh am Abend schlafen, faulenzt und tut oft nichts

**5 | Ergänzen Sie den Dialog.**
*Mögliche Lösung:*
1 In der Nebensaison, da ist es billiger.
2 Ich möchte etwas erleben, aktiv sein.
3 Ich fahre lieber mit der Bahn, also keine Fernreise. Ich möchte die Reise auch gern alleine organisieren.
4 Dann wäre die Ostsee genau das Richtige für Sie.

**7 | Reisewerbung im Radio: Hören Sie und ergänzen Sie.**
1 aktiv sein, 2 erholen, 3 viel neues entdecken, 4 kennenlernen, 5 Reisebüro, 6 preiswerte Pauschalreisen, 7 Ausflüge, 8 Sehenswürdigkeiten, 9 Nebensaison, 10 572 333 445, 11 buchen

## 39

**1 | Sortieren Sie die Wörter nach dem Artikel.**
*der:* Komfort, Preis, Fernseher, Service
*das:* Hotel, Zimmer, Bad, Frühstücksbuffet, Frühstück
*die:* Lage, Pension, Atmosphäre, Verkehrsverbindung, Zimmervermittlung

**2 | Wie sagt man das?**
b. die Halbpension, c. die Pension, d. das Einzelzimmer, e. die Zimmervermittlung, f. das Frühstücksbuffet, g. die Hotelkette

**3 | Hier stimmt etwas nicht: Schreiben Sie die Substantive mit den passenden Adjektiven neu.**
großer Komfort, freundliche / familiäre Atmosphäre, gute Verkehrsanbindung, freundliche Unterkunft, vernünftige Preise

**4 | Schreiben Sie die Gegensätze.**
a. leise, b. anonym, c. freundlich, d. günstig / billig

**5 | Ergänzen Sie die Fragen in dem Dialog. Kontrollieren Sie mit dem Hörtext.**
1 Wie lange wollen Sie bleiben? 2 Was kostet das Zimmer?
3 Gibt es einen Hotelparkplatz? 4 Sind die Zimmer ruhig gelegen?
5 Um wie viel Uhr muss ich das Zimmer verlassen?

## 40

**1 | Was kann man hier machen? Verbinden Sie.**
a. wandern, b. die Ferien verbringen, c. schwimmen, d. essen, e. zelten / campen, f. reiten, g. Boot fahren, h. spazieren gehen, i. wohnen

**2 | Was passt nicht?**
a. Frühstück, b. Papagei, c. Schülerin

**3 | Ergänzen Sie die Sätze mit den Adjektiven von der linken Seite.**
b. erholsam - langweilig, c. gesund, d. anstrengend, e. einfach

**4 | Ordnen Sie die Wörter in drei Gruppen.**
*Aktivitäten:* schwimmen, sich ausruhen, Picknick machen, wandern, Golf spielen
*Tiere:* das Schwein, das Rind, der Hund, das Pferd, das Huhn
*Teile der Landschaft:* der Berg, der Feldweg, der See, das Feld, der Fluss

**5 | Erkennen Sie diese Tiere?**
a. Hund, b. Pferd, c. Kuh, d. Schaf, e. Hahn, f. Katze

## 41

**1 | Welches Wort passt? Kreuzen Sie an.**
a. Gewitter, b. bedeckt, c. gibt

**2 | Was passt nicht in die Reihe?**
a. nass, b. Mauer, c. feucht

**3 | Finden Sie die Fehler? Korrigieren Sie die Sätze.**
a. Die Sonne scheint.
b. Die Straße ist immer noch nass, aber jetzt regnet es nicht mehr.
c. Wenn die Temperatur unter null Grad sinkt, friert es.
d. Es blitzt und donnert, ein sehr starkes Gewitter.

**4 | Lösen Sie das Kreuzworträtsel.**
*Waagerecht:* 1. Wolken, 2. nass, 3. Temperatur, 4. Grad, 5. Schnee
*Senkrecht:* 1. Wetter, 2. Sonne, 3. Regen, 4. kalt, 5. Sturm

**5 | Ordnen Sie zu.**
a. etwas Regen, b. teils heiter, teils bewölkt, c. sonnig, d. bewölkt

**6 | Hören Sie den Wetterbericht und ergänzen Sie die fehlenden Wörter.**
1 Wettervorhersage, 2 heiteres Wetter, 3 Schauern, 4 örtlich, 5 hageln, 6 Tageshöchsttemperaturen, 7 gefühlte, 8 Wind

## 42

**1 | Ordnen Sie zu.**
*der Kopf:* die Augen, das Kinn, der Mund, die Ohren
*die Hand:* die Finger, der Daumen
*das Bein:* das Knie

**2 | Ein Kreuzworträtsel.**
*Waagerecht:* 1. Daumen, 2. Haare, 3. Auge, 4. Hand, 5. Bein, 6. Kinn, 7. Knie, 8. Finger
*Senkrecht:* 1. Mund, 2. Nase, 3. Herzen, 4. Arm, 5. Magen, 6. Kopf, 7. Ohr

**3 | Suchen Sie die Gegensätze.**
a. dünn, b. hässlich, c. kurz, d. groß, e helle, f. lockige Haare

**4 | Ordnen Sie den Verben die Körperteile zu.**
b. mit der Hand, c. mit dem Kopf, d. mit dem Mund, e. mit dem Finger / mit der Hand, f. mit den Beinen / mit den Füßen, g. mit den Händen, h. auf den Beinen / auf dem Kopf

**5 | Hören Sie ein Gespräch zwischen zwei Freundinnen und ergänzen Sie die fehlenden Wörter.**
1 Augen, 2 schöne Nase, 3 super Körper, 4 attraktiv, 5 Zähne, 6 Lächeln, 7 Haare, 8 lang, 9 ein bisschen lockig, 10 dunkel

## 43

**1 | Was passt? Verbinden Sie.**
a. putzen, b. nehmen, c. gehen, d. kämmen, e. rasieren, f. schneiden lassen, g. schneiden, h. auftragen

**2 | Welche Wörter haben eine besondere Aussprache?**
a., d., e.

**3 | Was kann man schneiden, waschen, putzen?**
*schneiden:* die Haare, den Bart, die Fingernägel
*waschen:* die Haare, das Handtuch, den Bart, die Hände, die Ohren
*putzen:* das Badezimmer, das WC, die Zähne

**4 | Womit macht man das?**
b. mit der Zahnbürste, c. mit der Seife, d. mit der Schere

**5 | Ihre Freundin wird Sie besuchen und Sie beschreiben ihr einen typischen Morgen. Ergänzen Sie.**
1 duschen, 2 zu schminken, 3 ein Bad, 4 Kämmen, 5 Kämmen, 6 Bürsten, 7 die Zähne zu putzen

**7 | 7 Uhr 45 bei Familie Saubermann. Hören Sie und ergänzen Sie.**
1 mich, 2 rasieren, 3 Körperpflege, 4 die Zähne geputzt, 5 dringend aufs Klo

## 44

**1 | Wie heißt das Gegenteil?**
b. ausatmen, c. der Facharzt, d. sich (wieder) anziehen

**2 | Unterstreichen Sie den passenden Ausdruck.**
a. krankgeschrieben, b. frei machen, c. gehustet

**3 | Ergänzen Sie die passenden Wörter.**
b. gemessen, c. verschreiben, d. Tropfen, e. Apotheke

**4 | Was sagt der Arzt? Ergänzen Sie.**
b. (Wo) Haben Sie Schmerzen?
c. Machen Sie bitte den Oberkörper frei. / Machen Sie sich bitte frei.
d. Sie haben (hohes) Fieber.
e. Ich muss Ihren Hals untersuchen.

**5 | In der Arztpraxis: Hören Sie den Dialog und ergänzen Sie die fehlenden Wörter.**
1 Schmerzen, 2 Ja, es tut mir weh, 3 ausatme, 4 Fieber gemessen, 5 hohes Fieber - 40 Grad, 6 starke Infektion, 7 verschreiben, 8 krankschreiben, 9 diese Tabletten, 10 jeweils, 11 Flüssigkeit, 12 Schmerzmittel aufschreiben

## 45

**1 | Wo passiert das? Verbinden Sie.**
b. in der Röntgenstation, c. in der gynäkologischen Station, d. in der Notaufnahme, e. auf der Intensivstation

**2 | Was passt nicht in die Reihe?**
a. die Verletzung, b. leiden, c. der Schmerz

**3 | Schreiben Sie diese Sätze korrekt.**
a. Guten Tag! Ich möchte meine Schwester besuchen. Sie liegt auf der Intensivstation. Sie wurde gestern am Magen operiert.
b. Dann fahren Sie bitte mit dem Aufzug in den vierten Stock. Besuchszeit ist bis achtzehn Uhr.

**4 | Wer macht das? Ordnen Sie zu.**
*der Arzt / die Ärztin:* einen Patienten entlassen, bei der Geburt helfen, einen Patienten behandeln
*der Krankenpfleger / die Krankenschwester:* eine Patientin röntgen, einem Patienten Tabletten bringen, einen Patienten waschen, das Bett machen

**5 | Dieser Ausdruck wird auch bildlich benutzt. Was bedeutet er?**
Diese Aktion war sehr anstrengend.

**6 | Eine Ärztin berichtet am Abend ihrem Mann ...**
1 Krankenhaus, 2 Notaufnahme, 3 checken, 4 eine Wunde behandeln, 5 operiert, 6 Vermutlich, 7 Intensivstation, 8 mich erholen

## 46

**1 | Unterstreichen Sie das passende Wort.**
a. gebrochen, b. Verletzte, c. leicht

**2 | Wie sagt man dazu?**
b. Geschwindigkeitsbeschränkung, c. Notaufnahme, d. Erste Hilfe leisten

**3 | Ergänzen Sie die E-Mail mit passenden Wörtern von der linken Seite.**
1 km/Stunde / km/h, 2 Geschwindigkeitsbeschränkung, 3 Kurve, 4 sehen, 5 bremsen, 6 leicht, 7 Krankenhauses, 8 untersucht, 9 Gehirnerschütterung

**4 | Die Polizei stellt Klaus Fragen. Ergänzen Sie den Dialog.**
1 überholt, 2 bremsen, 3 schnell, 4 60 km/h, 5 irgendeinen, 6 Verletzte, 7 leicht, 8 Notaufnahme

## 47

**1 | Mit allen Sinnen: Ergänzen Sie.**
b. angenehm, c. interessant, d. süß

**2 | Womit macht man was?**
*schmecken:* mit dem Mund
*riechen:* mit der Nase
*fühlen:* mit den Händen, mit den Fingern, mit der Haut
*sehen:* mit den Augen
*hören:* mit den Ohren

**3 | Ergänzen Sie die Verben aus dem Kasten in der richtigen Form.**
b. Sehen, c. Fühl, d. aufgefallen, e. schmeckt, f. anfassen, g. bemerkte, h. hören

**4 | Ergänzen Sie an-, hin-, weg- oder zusehen / zuschauen.**
1 wegsehen / wegschauen, 2 hingesehen / hingeschaut, 3 hinsehen / hinschauen / zuschauen / zusehen

**5 | Ergänzen Sie die Lücken und kontrollieren Sie mit dem Hörtext.**
1 anhören, 2 aufhören, 3 zuhören, 4 nicht sehen, 5 Sieh mal da hin, 6 seh

## 48

**1 | Welche Gefühle sind das?**
b. Bedauern, c. Hoffnung, d. Freude, e. Sorge, f. Schreck

**2 | Ergänzen Sie die passenden Verben in der richtigen Form.**
b. tut, c. macht, d. freue, e. erschrecke, d. hoffe

**3 | Was sagen Sie?**
b. „Ich freue mich schon riesig darauf."
c. „Das freut mich sehr." / „Das ist ja toll!"
d. „Wie schade!"
e. „Das tut mir sehr leid."
f. „Ich mache mir Sorgen."

**4 | Ihre Freundin Sabine erzählt Ihnen von ihrem Leben in einer neuen Stadt. Reagieren Sie auf ihre Äußerungen.**
1 Das ist aber schade!
2 Super, da bin ich aber froh!
3 Mach dir keine Sorgen, er wird bestimmt neue Freunde finden.
4 Ich hoffe, dass die Schule gut ist.
5 Ja, ganz herzlichen Dank.

## 49

**1 | Welche Gefühle sind das?**
b. Wut, c. Enttäuschung, d. Ärger, e. Liebe

**2 | Leserbrief: Ergänzen Sie das Substantiv oder Adjektiv und wenn nötig auch die Präposition.**
1 ärgerlich / wütend, 2 enttäuscht / ärgerlich über, 3 Wut, 4 traurig, 5 entschuldigt, 6 beleidigt

**3 | Wie reagieren Sie? Ordnen Sie den Sätzen die Äußerungen zu. Kontrollieren Sie mit dem Hörtext.**
b. „Ich hasse das!"
c. „Bist du immer noch sauer?"
d. „Doch, doch, ich habe dich sehr gern."
e. „Da bin ich aber sehr enttäuscht!"
f. „Das ist aber traurig!"
g. „Ich wollte mich bei dir entschuldigen, das tut mir wirklich leid!"

**4 | Welche Gefühle drücken Sie hier aus?**
a. Sie ärgern sich.
b. Sie hassen etwas.
c. Sie lassen sich etwas nicht gefallen.
d. Sie sind traurig.
e. Sie sind enttäuscht.

## 50

**1 | Ordnen Sie zu. Manche Wörter passen mehrfach.**

a. im / mit dem Lehrbuch / Heft, mit dem Mitschüler / der ~in, mit dem Lehrer / der ~in
b. mit dem Lehrer / der ~in, mit dem Mitschüler / der ~in
c. mit dem Kuli, im Arbeitsbuch, im Heft
d. mit dem Radiergummi, im Heft, mit dem Lehrer / der ~in, mit dem Mitschüler / der ~in
e. mit dem Kuli, mit dem CD-Player, im Heft, im Lehrbuch, im Arbeitsbuch, mit dem Lehrer / der ~in
f. im Lehrbuch, im Arbeitsbuch
g. mit dem CD-Player, mit dem Lehrer / der ~in

**2 | Ordnen Sie die Wörter von der linken Seite in die Tabelle.**

*Geräte:* das (interaktive) Whiteboard, der Beamer, der Monitor, der CD-Player, der DVD-Player, das Tablet
*Möbel:* die Tafel, das Schwarze Brett, (der Tisch, der Stuhl)
*Arbeitsmittel:* die Tafel, der Tafelwischer, die Kreide, die CD, die DVD, der Zettel, das Lehrbuch, das Heft, der Kuli / der Kugelschreiber, der Stift / der Bleistift, der Spitzer, der Radiergummi, der Schreibblock, das Blatt Papier, die Mappe, das Poster

**3 | Was ist das? Kreuzen Sie an.**

1. ein Blatt Papier, 2. ein Kuli / ein Kugelschreiber

**4 | Was brauchen die Personen zum Deutschlernen?**

b. Vokabelheft, c. Computer, d. Papier

**5 | Das sagt der Lehrer / die Lehrerin oft. Hören Sie zu und ergänzen Sie.**

1 Lehrbücher, 2 mit dem neuen Kapitel, 3 Informationen, 4 die Hausaufgaben, 5 Heft, 6 Gruppen, 7 Projekt, 8 Klassenzimmer, 9 Geräte

## 51

**1 | Unterstreichen Sie die Adjektive.**

leicht, schwierig, richtig

**2 | Ordnen Sie die Sätze: Wer sagt das normalerweise?**

*Lehrer / ~in:* Bitte wiederholen Sie. Hören Sie bitte zu. Welchen Satz verstehen Sie nicht? Machen Sie bitte Aufgabe 2. Bitte setzten Sie die fehlenden Wörter ein.
*Kursteilnehmer /~in:* Könnten Sie das bitte noch einmal erklären? Entschuldigung, ich habe eine Frage.
*beide:* Ist das Verb regelmäßig? Sind Sie verheiratet? Wie bitte? Ich weiß nicht. Wie finden Sie Rockmusik? Wo wohnen Sie?

**3 | Ergänzen Sie die Fragen.**

b Wie schreibt / buchstabiert man „See"?
c. Welche Übungen (machen wir)? / Welche Übungen sind Hausaufgaben?
d. Wo steht (ist) die Übung? / Wo sind wir jetzt?
e. Heißt es „du sprechst"?
f. Können Sie den Komparativ (das) noch einmal erklären?

**4 | Was sagen Sie in dieser Situation?**

b. Wo stehen bitte die Lösungen?
c. Wie spricht man dieses Wort aus?
d. Können Sie die Regel bitte noch einmal erklären?
e. Ich habe eine Frage.
f. Wie heißt der Plural von „Baum".
g. Wie heißt „Rockband" auf Deutsch?

## 52

**1 | Was für Wörter sind das? Ordnen Sie zu.**

*Substantive:* das Fragezeichen, die Fremdsprache, der Text, das Adjektiv, die Sprache, das Wörterbuch, die Regel, der Fehler, das Verb, die Übung, der Plural, die Ausnahme, die Muttersprache, das Wort, der Buchstabe, die Angst, der Artikel, der Punkt
*Verben:* übersetzen, lernen, machen, lesen, üben, sich unterhalten, sprechen, nachschlagen, reden
*Adjektive:* schwer, neu, leicht, schwierig, richtig, unbekannt, klug
*Adverbien:* dort, zuerst, hier, heute, gern

**2 | Wo ist das Subjekt, wo ist das Objekt?**

b. S: ich (2x) O: einen Text, wenige Wörter
c. S: Max, O: Regeln - S: er, O: sein Deutsch

**4 | Wählen Sie aus „Was tut man im Fremdsprachenunterricht?" auf der linken Seite und Übung 3 aus.**

b. Ich notiere es und lerne es auswendig. / Ich schreibe es in eine Vokabelliste.
c. Ich übersetze ihn in meine Muttersprache.
d. Ich suche eine Tabelle mit der Adjektivdeklination in einer Grammatik. / Ich versuche, mir selbst eine Tabelle zu machen und mich an die Formen zu erinnern.
e. Ich höre oft deutsche Radiosendungen (Deutsche Welle) und sehe mir interessante deutsche Fernsehsendungen an. / Ich versuche, so viel wie möglich mit Muttersprachlern zu sprechen.

**5 | Meine Lernstrategien: Hören Sie und ergänzen Sie.**

1 Erstsprache, 2 Wörter, 3 aufmerksam, 4 anzuwenden, 5 Bedeutung, 6 nachschlagen, 7 aufschreiben, 8 Vokabellisten, 9 Aussprache, 10 üben, 11 Muttersprachlern

## 53

**1 | In welcher Schule sind diese jungen Leute wahrscheinlich?**

b. auf dem / im Gymnasium, c. in der Berufsschule, d. an der Universität / an der Fachhochschule

**2 | Was passt nicht in die Reihe?**

a. die Matura, b. Zeugnis, c. zahlen

**3 | Eltern sprechen über ihre Kinder. Ergänzen Sie.**

b. Gymnasium, c. Schuljahr, d. Lehre, e. Studium

**4 | Die Lehrerin kommt in ihre 5. Klasse. Ergänzen Sie.**

a. setzt euch bitte!
b. eine Englischarbeit.
c. die neuen Wörter gelernt.
d. könnt ihr in die Pause gehen.

**5 | Ein Lebenslauf. Ergänzen Sie die fehlenden Wörter.**

1 Abitur, 2 Universität, 3 studierte, 4 Lehrer, 5 Geografie

**6 | Ursula ruft ihre Cousine an und hinterlässt eine Nachricht auf dem Anrufbeantworter.**

1 Klassenarbeit, 2 gefehlt, 3 Gymnasium, 4 Noten, 5 „befriedigend" 6 Schuljahr, 7 Realschule

## 54

**1 | Was kann man an der Universität studieren?**

Soziologie, Anglistik, Chemie, Jura, Medizin, Wirtschaftswissenschaften, Psychologie, Rechtswissenschaften, Informatik

**2 | Studienberatung: Ergänzen Sie.**

b. Mathematik, c. Erziehungswissenschaften, d. Biologie

**3 | Was gehört zur Schule und was zur Universität?**
*Schule:* das Zeugnis, das Abitur, die Lehrerin, lernen, das Schuljahr, die Mitschüler, die Matura, die Klassenarbeit, die Klausur, die Klasse, die Note, die Prüfung
*Universität:* das Semester, studieren, der Titel, der Doktor, lernen, die Professorin, der Kommilitone, das Seminar, die Klausur, die Note, die Vorlesung, die Prüfung, die Forschung

**4 | Was passt? Unterstreichen Sie das richtige Wort.**
b. gewusst, c. lernen, d. ablegen

**5 | „Kennen" oder „wissen"?**
1 weiß, 2 weiß, 3 kennt, 4 weiß, 5 kennt

**6 | Harry bereitet ein Video von sich vor. Hören Sie und ergänzen Sie.**
1 Studium, 2 Betriebswirtschaft, 3 Universität, 4 zweiten Semester, 5 Vorlesungen, 6 Seminare, 7 Prüfungen, 8 Klausuren, 9 lernen, 10 bestehen, 11 Noten, 12 Abschluss, 13 Bachelor

## 55

**1.1 | Ordnen Sie die Wörter nach ihrem Artikel.**
*der:* Beruf, Auszubildende, Ausbilder, Lehrer
*das:* Praktikum, Silber, Gold
*die:* Prüfung, Auszubildende, Berufsschule, Weiterbildung, Lehre

**1.2 | Ergänzen Sie.**
der; Beispiele für Ausnahmen: das Silber, das Fenster, das Messer, die Butter, die Leiter, ...

**2 | Ausbilder, Ausbildung, Auszubildende, ausbilden: Ergänzen Sie.**
b. auszubilden, c. Ausbilder, d. Ausbildung

**3 | Was passt nicht in die Reihe?**
a. das Metall, b. Zertifikat, c. ausziehen

**4 | Was gehört dazu?**
*Berufsausbildung:* die Lehre, der Betrieb, das Abschlusszeugnis, der Zahntechniker
*Weiterbildung:* das Zertifikat, der Kursleiter, der Kurs, die Volkshochschule, der / die Teilnehmer

**6 | Traumberuf Koch: Hören Sie und ergänzen Sie die fehlenden Wörter.**
1 Ausbildung, 2 Lehrstelle, 3 Ausbilder, 4 Koch, 5 Lehrer, 6 Team, 7 Berufsschule, 8 ausgebildete

## 56

**1 | Wie heißen die Substantive?**
b. die Bewerbung, c. die Kenntnisse, d. die Jobsuche, e. der Verdienst, f. der Umzug

**2 | Wie heißen die Adjektive?**
b. belastbar, c. motiviert, d. teamfähig, e. kooperativ, f. engagiert

**3 | Was passt zusammen? Schreiben Sie Sätze.**
b. Ich bin bereit, Verantwortung zu übernehmen.
c. Ich könnte auch meine Arbeitsstelle wechseln / die Stelle wechseln / in eine andere Stadt umziehen.
d. Ich möchte gern in eine andere Stadt umziehen / meine Arbeitsstelle wechseln / die Stelle wechseln.
e. Ich kann in eine andere Stadt umziehen / meine Arbeitsstelle wechseln / die Stelle wechseln / Englisch und Russisch sprechen.
f. Ich möchte mich um die Stelle / eine Tätigkeit als Ingenieur bewerben.

**4 | Hören Sie den Dialog und ergänzen Sie.**
1 interessiert, 2 suche eine feste Stelle, 3 Welche Ausbildung, 4 Sind Sie flexibel, 5 Organisationstalent, 6 in verschiedenen Teams, 7 sehr kooperativ, 8 Computerkenntnisse, 9 hochmotiviert, 10 Verantwortung übernehmen

**5 | Ergänzen Sie.**
1 suchte, 2 beworben, 3 frei / selbst

## 57

**1 | Was passt? Wählen Sie Wörter aus, die zu einem Lebenslauf passen.**
(Grundschule, Gymnasium,) Abitur, Studium, Praktikum, Auslandsaufenthalt, Diplom, Tätigkeit, Berufserfahrung, Stelle, Abteilungsleiter

**2 | Was kann man hier kombinieren?**
b. der Lebenslauf, c. der Auslandsaufenthalt, d. der Abteilungsleiter, e. die Fremdsprachenkenntnisse, f. die Ingenieurswissenschaften, g. der Personalchef, h. das Arbeitsteam

**3 | Wie schreibt man das?**
b. schloss, c. Ingenieur, d. halbjähriges

**4 | Ergänzen Sie die passenden Verben in der richtigen Form.**
b. gemacht, c. begann, d. machen, e. erwarb

**7 | Anruf bei einer Firma: Ergänzen Sie die Lücken und kontrollieren Sie mit dem Hörtext.**
1 Anzeige vom 7. Januar, 2 der Stelle, 3 sehr großes Interesse an der Stelle, 4 sehr gut qualifiziert bin, 5 Aufgaben, 6 Erfahrungen, 7 Bereich, 8 Verantwortung übernehmen, 9 kurzfristig verfügbar, 10 flexibel, 11 Lebenslauf, 12 Bewerbungsschreiben, 13 zu einem persönlichen Gespräch ein

## 58

**1 | Wer arbeitet wo? Verbinden Sie.**
b. Stadt Bonn, c. Rechtsanwaltspraxis Berlin-Mitte, d. Touristik-Unternehmen

**2 | Ergänzen Sie.**
die Angestellte, die Angestellten
der Beamte, die Beamten, die Beamtinnen
die Rechtsanwältin, die Rechtsanwälte, die Rechtsanwältinnen
der Selbstständige, die Selbstständige, die Selbstständigen
die Rentnerin, die Rentner, die Rentnerinnen

**3.1 | Bei diesen Wörtern sind die Silben vertauscht ...**
b. das Monatsgehalt, c. der Ruhestand, d. die Arbeitgeberin, e. der Stundenlohn, f. die Sekretärin, g. die Karriere

**4 | Ergänzen Sie.**
a. eine Rentnerin / Pensionistin
b. ein Abteilungsleiter / eine Abteilungsleiterin
c. ein Unternehmer / eine Unternehmerin / ein Selbstständiger / eine Selbstständige
d. ein Kollege / eine Kollegin
e. ein Arbeiter / eine Arbeiterin

**5 | Was passt? Unterstreichen Sie.**
b. zahlen, c. kündigen, d. wechseln

**6 | Was gehört zusammen? Verbinden Sie.**
b. die Abteilung, c. das Büro, d. die Firma

**7 | Ergänzen Sie die fehlenden Ausdrücke und kontrollieren Sie mit dem Hörtext.**
1 Praktikum, 2 feste Stelle, 3 keine große Karriere, 4 Stelle wechseln, 5 bis zur Rente bleiben, 6 Chefin, 7 Abteilung, 8 mein Büro, 9 dem Abteilungsleiter

## 59

**1 | Welche Adjektive passen zu welchen Substantiven?**
ein gutes / geringes / hohes / sicheres Gehalt,
gute / sichere Arbeitsbedingungen,
eine gute / sichere / sinnvolle Beschäftigung,
ein geringer / großer / hoher / guter / sicherer Profit,
kurze / lange / gute Arbeitszeiten, gute Produkte,
ein guter / sicherer Arbeitsplatz, geringe / große / hohe Flexibilität,
geringe / hohe / große Kosten

**2 | Wie heißt das Substantiv?**
b. die Forderung, c. die Organisation, d. der Streik, e. das Interesse, f. die Bewerbung

**3 | Welches Wort mit „Arbeit" passt?**
b. der / die Arbeitslose, die Arbeitslosigkeit, c. der Arbeitgeber, die Arbeitgeberin, d. das Arbeitslosengeld, e. die Arbeitszeit

**4 | Ergänzen Sie die passenden Verben.**
b. melden, c. verhandeln, d. fordern, e. bieten, f. streiken

**5 | Die Gewerkschaften fordern... Ergänzen Sie.**
b. kürzere Arbeitszeiten! c. sichere Arbeitsplätze! d. bessere Arbeitsbedingungen!

**6 | Anna skypt mit ihrer Freundin Elma ...**
1 Firma, 2 Abteilung, 3 haben die mich entlassen, 4 die Kosten, 5 die Einnahmen, 6 die Gewerkschaft, 7 überall beworben, 8 Entlassung, 9 neue Stelle, 10 Mein Gehalt, 11 die Arbeitszeiten

## 60

**1 | Wer macht was?**
b. macht / produziert, c. verkaufen

**2 | Ergänzen Sie.**
b. der Import, c. der Kauf, d. handeln, e. der Verkauf, f. der Export, g. herstellen

**3 | Was passiert in einer Krise, was passiert bei einem Boom?**
1 kaum Aufträge, 2 produziert weniger Waren, 3 kaufen mehr Produkte, 4 viele Aufträge, 5 produziert mehr Waren

**4 | Wie sagt man das?**
b. exportiert, c. Verluste / Schulden, d. großes Angebot (von Waren), e. macht Gewinn(e), f. importiert, g. Das Unternehmen ist pleite, h. die Konkurrenz

**5 | Wer produziert das?**
b. die Hightech-Industrie, c. die Pharmaindustrie, d. die Autoindustrie

**6 | Wie heißt das Gegenteil?**
a. die (Wirtschafts-)Krise, b. der Gewinn, c. die Nachfrage steigt.
d. verkaufen

**7 | Hören Sie die Wirtschaftsnachrichten. Beantworten Sie dann die Fragen.**
a. der starke Euro, weniger Nachfrage im Inland, mehr internationale Konkurrenz (alle drei)
b. Europa führt immer mehr Autos aus dem Ausland ein.
*Text:* Berlin / München. Für die Krise der europäischen Autoindustrie sind laut Experten viele Faktoren verantwortlich. Zum einen der starke Euro: Die Autos werden im Ausland teurer und es werden weniger PKW exportiert. Auch die Nachfrage im Inland ist gesunken, denn die Menschen haben in der Wirtschaftskrise weniger Geld für Konsum und Luxus. Zusätzlich gibt es immer mehr internationale Konkurrenz: Vor allem aus Asien werden immer mehr Autos importiert. Aber die Erfahrung zeigt: der nächste Boom kommt bestimmt!

## 61

**1 | Was passt nicht in die Reihe?**
a. das Sonderangebot, b. die Kreditkarte, c. schick

**2 | Schlechter Service: Ergänzen Sie.**
a. Überweisungen, b. Umtausch, c. Reparaturen, d. Service

**3 | Werbung oder keine Werbung? Sortieren Sie.**
*Werbung:* kostenlose Reparatur, gute Marke, prima Qualität, schnelle Lieferung, gute Beratung
*keine Werbung:* langsamer Service, kein Umtausch möglich, hohe Preise, Verkauf nur bei Barzahlung

**4 | Werben und Verkaufen. Kombinieren Sie die Wörter und ergänzen Sie die Artikel der Substantive.**
der Sonderverkauf, die Kreditkarte, das Werbeangebot, die Werbeanzeige, die Werbesendung, der Werbeprospekt, das Schaufenster, der Schlussverkauf

**5 | Wie wirbt man? Ergänzen Sie.**
b. die Zeitungsanzeige, c. das Schaufenster, das Plakat, d. der Werbeprospekt

**7 | Werbung im Radio: Ergänzen Sie die Lücken und kontrollieren Sie mit dem Hörtext.**
1 Hohe Qualität, 2 teuer, 3 besonders niedrige Preise, 4 Finanzierung, 5 kostenlos umtauschen, 6 die Quittung aufbewahren, 7 liefern, 8 umsonst, 9 unseren Katalog, 10 schicke, 11 günstig

## 62

**1 | Welche Wörter haben eine besondere Aussprache?**
(WLAN), der Laptop, die Software, die DVD, das Tablet, das Notebook, der User

**2 | Was kann man anfassen? Sortieren Sie.**
*Das kann man anfassen:* den Monitor, den Chip, die Maus, die DVD, die Festplatte, das Terminal
*Das kann man nicht anfassen:* das Programm, die Software, den Link, das Dokument, den Ordner

**3 | Worauf kann man etwas speichern?**
auf der Festplatte, auf dem USB-Stick, auf der CD, (auf dem Laufwerk)

**4 | Was passt zusammen?**
b. öffnen, (erstellen), anklicken, einschalten
c. einschalten, hochfahren
d. anlegen, erstellen, (ab)speichern, öffnen, anklicken
e. erstellen, (ab)speichern, öffnen
f. erstellen, (ab)speichern, öffnen, anklicken

**5 | Computerarbeit: Bringen Sie die Tätigkeiten in die richtige Reihenfolge.**
den Computer einschalten → das Programm öffnen → einen Text schreiben → den Text speichern → den Text ausdrucken / den Text als Anlage verschicken → den Computer ausschalten

**7 | Wie füge ich eine Tabelle ein? Hören Sie und ergänzen Sie.**
1 schalten, 2 ein, 3 Textverarbeitungsprogramm, 4 einfügen, 5 klicken, 6 Erstellen, 7 Speichern, 8 Festplatte, 9 USB-Stick, 10 Datei, 11 Anlage, 12 E-Mail

## 63

**1 | Wie schreibt man das?**
b. die Adresse, c. Herzliche Grüße, d. Lieber, e. geehrte, f. Ihnen

**2 | Wann schreibt man was?**
*Anredeformeln:*
persönlich: Liebe …, Lieber …, Hallo …, Hi …
offiziell: Sehr geehrte Frau …, Sehr geehrter Herr …, Sehr geehrte Damen und Herren
*So kann man mit dem Text anfangen:*
persönlich: Wie geht es dir? Wie geht es Ihnen? Ich habe schon lange nichts mehr von dir / Ihnen gehört. Jetzt habe ich endlich Zeit dir / Ihnen zu antworten.
offiziell: Mit Bezug auf Ihr Schreiben / Ihre Anzeige / Ihren Anruf / Ihre E-Mail …
*Abschiedsformeln:*
persönlich: Herzliche Grüße, Herzlich, Bis bald (dein/e …), Liebe Grüße (LG), Mit freundlichen Grüßen (MfG)
offiziell: Mit freundlichen / besten Grüßen

**3 | Wie sagt man dazu?**
b. die Adresse, c. der Empfänger, d. der Computer

**4 | Persönlich und offiziell: Sortieren Sie die Ausdrücke und finden Sie die richtige Reihenfolge. Setzen Sie Satzzeichen.**
*persönlicher Brief:*
Lieber Thomas,
vielen Dank für deine nette Postkarte aus Freiburg. Ich habe mich sehr darüber gefreut. Mir geht es gut, aber ich habe nicht viel Zeit. Ich rufe dich bald mal an!
Herzlich
deine Sabine
*offizieller Brief:*
Sehr geehrte Damen und Herren,
ich würde gerne einen Französischkurs machen. Könnten Sie mir Informationsmaterial zu Ihrem Kursangebot und den Kurspreisen zuschicken?
Vielen Dank im Voraus.
Mit freundlichen Grüßen
Simon Grandi

**5 | Ihr Freund Peter hat Sie eingeladen, ihn in Hamburg zu besuchen. Schreiben Sie eine kurze E-Mail.**
*Mögliche Lösung:*
a. Lieber Peter,
b. vielen Dank für deine E-Mail und die Einladung, dich in Hamburg zu besuchen.
c. Ich möchte dich ja wirklich sehr gern besuchen / Ich würde sehr gern kommen,
d. aber ich habe zurzeit sehr viel Arbeit.
e. Vielleicht kann ich dich in zwei, drei Monaten besuchen, wenn ich weniger zu tun habe.
f. Hoffentlich sehen wir uns bald wieder. / Ich hoffe, dass wir uns bald wiedersehen.
g. Herzlichen Gruß dein … / deine …

## 64

**1 | Da stimmt etwas nicht! Wie heißen die Wörter richtig?**
b. die Pressekonferenz, c. die Überschrift, d. die Schlagzeile, e. der Zeitungsartikel, f. die Öffentlichkeit

**2 | Welche Wörter haben eine besondere Aussprache?**
a. surfen, e. das Interview, f. mailen, g. der Journalist, j. chatten

**3 | Wie sagt man dazu?**
b. der Journalist / die Journalistin, c. der Link, d. der Zeitungsartikel, e. die Anzeige, f. die Schlagzeile (die Überschrift)

**4 | Was gehört zusammen?**
a. klicken, b. lesen, c. mailen, d. öffnen

## 65

**1 | Sortieren Sie die Substantive nach ihrem Artikel.**
*der:* Fernseher, Kanal, Fernsehsender, (TV), Radiosender, Film
*die:* Sendung, Nachricht, Fernbedienung
*das:* Radio, TV, Fernsehen, Programm

**2 | Formulieren Sie zwei Regeln**
a. Substantive mit der Endung -er haben häufig den Artikel „der".
b. Substantive mit der Endung -ung haben immer den Artikel „die".

**3 | Was passt? Ergänzen Sie.**
b. anschauen / ansehen, c. umschalten, d. anschalten / einschalten / anmachen, e. anschauen

**4 | Welche Verben passen zu den Substantiven?**
a. (das) Radio anschalten / ausschalten, hören
b. den Fernseher anschalten / ausschalten
c. einen Film sehen / aufnehmen / ansehen, (auswählen)

**6 | Was ist die Deutsche Welle? Hören Sie und ergänzen Sie.**
1 (Auslands)rundfunk, 2 Senders, 3 sendet, 4 Fernsehen, 5 Radio, 6 Sendung, 7 Fernsehprogramm, 8 empfangen, 9 gesendet, 10 Magazin, 11 Spielfilme

## 66

**1 | „Telefonwörter" …**
*Telefon:* das Telefongespräch, der Telefonhörer, das Telefonbuch, das Mobiltelefon, die Telefonzelle, das Münztelefon
*phone:* das Smartphone

**2 | Wie sagt man das?**
b. verbinde, c. besetzt, d. aufgelegt, e. die Störung

**3 | Wie kann man noch sagen?**
b. besetzt, c. klingelt, d. spricht … (mein Name ist …), e. Handy / Smartphone, f. Einen Moment

**4 | Wann sagen Sie das? Verbinden Sie.**
b. Sie wollen das Telefongespräch beenden.
c. Sie bitten jemanden zu warten.
d. Sie rufen bei einer Firma an.
e. Sie rufen jemanden an, eine andere Person meldet sich.
f. Sie können den anderen nicht hören.

**5 | Ein Anruf bei der Freundin. Ergänzen Sie die fehlenden Wörter und kontrollieren Sie mit dem Hörtext.**
1 ist, 2 störe, 3 sprechen, 4 Augenblick, 5 anrufst, 6 im Moment, 7 Handy, 8 SMS, 9 bis, 10 aufgelegt

## 67

**1 | Wie heißen die Substantive? Ergänzen Sie.**
b. die Erlaubnis, c. die Verlängerung, d. die Ausreise, e. die Vorschrift

**2 | Kombinieren Sie. Manchmal gibt es mehrere Möglichkeiten.**
*ein-:* einlaufen
*be-:* (bereisen), befragen, bekommen, beantragen, befreien
*ver-:* verzollen, verreisen, verlängern
*nach-:* nachlaufen, nachfragen, nachkommen
*aus-:* ausreisen, auslaufen, (ausfragen), (auskommen)
*ab-:* abreisen, ablaufen, (abfragen)

**3 | Sortieren Sie die Substantive nach dem Artikel.**
*der:* Zoll
*das:* Portemonnaie, Visum
*die:* Aufenthaltserlaubnis, Änderung, Arbeitsgenehmigung, Reise, Grenze, Ausreise, Brieftasche, Verlängerung

**4 | Ergänzen Sie die Regeln.**
a. Substantive mit der Endung -ung haben immer den Artikel „die".
b. Substantive mit der Endung -e haben meistens den Artikel „die".

**5 | Was stimmt?**
a. gültig, b. zeigen, c. bekommen, d. an der Reihe

**6 | Auf dem Amt: Hören Sie und ergänzen Sie den Dialog.**
1 ist der Nächste, 2 der Nächste, 3 Wartenummer, 4 warte schon ewig, 5 sind Sie noch nicht an der Reihe, 6 Termin vereinbart, 7 selbstverständlich

**7 | An der Grenze: Sortieren Sie die Dialogteile.**
- „Guten Tag, die Ausweise bitte."
- – „Einen Moment – hier bitte."
- „Haben Sie etwas zu verzollen?"
- – „Nein."
- „Na dann – gute Fahrt!"
- – „Danke sehr."

## 68

**1 | Was gehört wohin? Sortieren Sie.**
*das Dorf:* die Gemeindeverwaltung, der Ammann, die Bürgermeisterin
*die Stadt:* die Bürgermeisterin
*der Landkreis:* das Landratsamt, die Landrätin
*das Bundesland:* der Landtag, der Ministerpräsident

**2 | Wohin müssen Sie? Ergänzen Sie.**
b. Standesamt, c. Meldeamt, d. Standesamt

**3 | Wie sagen die Bürokraten korrekt?**
a. ausfüllen, b. stellen, c. anmelden

**4 | Was passt nicht?**
a. das Bundesland, b. der Einwohner, c. der Landkreis

**5 | Erteilen Sie Ratschläge: Spielen Sie diesen Dialog mit einem Partner oder schreiben Sie ihn auf.**
a. Sie müssen zur Kfz-Zulassungsstelle gehen und Ihr Auto anmelden.
b. Sie müssen sich beim Meldeamt in der neuen Stadt anmelden.
c. Ja, natürlich. Sie müssen für das Kind beim Standesamt eine Geburtsurkunde beantragen.

**6 | Hören Sie den Dialog und tragen Sie die fehlenden Wörter ein.**
1 zieht, 2 um, 3 zieht, 4 hin, 5 umgezogen, 6 Füllen, 7 Formular aus, 8 melden, 9 an, 10 holen, 11 ab, 12 Gemeindeverwaltung, 13 kleinen Dorf

## 69

**1 | Wie heißen die Minister?**
a. der Außenminister / die ~in, b. der Wirtschaftsminister, die ~in, c. der Innenminister, die ~in

**2 | Welche Funktionen haben diese Personen und Institutionen in Deutschland?**
b. wählt die Minister aus, c. berät / beschließt die Gesetze / wählt den Bundeskanzler / die ~in, d. wählen den Bundestag, e. kontrolliert die Regierung / kritisiert die Gesetze, f. schlägt die Gesetze vor

**3.1 | Kombinieren Sie.**
*er-:* ernennen, erraten
*vor-:* vorschreiben, vorschlagen
*be-:* bestimmen, beschreiben, benennen, beraten
*ab-:* abstimmen, (abschreiben), ablehnen, (abschlagen), abraten
*zu-:* zustimmen, zuschreiben, (zuschlagen)
*unter-:* unterschreiben, unterschlagen

**3.2 | Ergänzen Sie die passenden Verben aus Übung 3.1 in der richtigen Form.**
b. lehnen - ab, c. vorgeschlagen, d. unterschrieben, e. ernannt, f. beraten

**4 | Ergänzen Sie.**
b. regieren, c. kritisieren, d. entscheiden, e. siegen

**5 | Wie sagt man das?**
b. die Opposition, c. kritisieren, d. ablehnen, e. ernennen

**6 | Hören Sie und kreuzen Sie an, was richtig ist.**
*Richtig:* b., c., e.
*Falsch:* a., d.
*Text:* Berlin. Die Regierung hat im Bundestag das neue Gesetz zur Steuerreform vorgestellt. Der Bundestag diskutierte das Gesetz ausführlich. Die Opposition kritisierte das Gesetz scharf. Oppositionsführer Müller sagte, das Gesetz sei unsozial. Weil die Beratung so lange dauerte, konnte keine Abstimmung mehr stattfinden. Die Kanzlerin war aber optimistisch, dass eine Mehrheit dem Gesetz zustimmen wird.

## 70

**1 | Dafür oder dagegen? Formulieren Sie die Sätze um.**
b. Die Sozialdemokraten sind dafür.
c. Die Konservativen sind dagegen.
d. Die Grünen sind dafür.
e. Die Sozialisten sind dafür.

**2 | Ein Interview: Ergänzen Sie die Präposition und den Artikel.**
1 in die, 2 in einer

**3 | Wie sagt man dazu? Ergänzen Sie.**
b. Gegenkandidat, c. Politikerin, d. Mitglied

**4 | Werden Sie politisch aktiv! Ergänzen Sie die passende Präposition und achten Sie auf die Endungen.**
b. Sammeln Sie Unterschriften <u>gegen</u> den Bau der Autobahn!
c. Beschweren Sie sich <u>bei</u> den Politikern <u>über</u> den schlimmen Verkehr!
d. Demonstrieren Sie <u>für</u> bessere öffentliche Verkehrsmittel!

**5 | Hier sehen Sie die Notizen eines Journalisten ...**
*mögliche Lösung:*
Parteitag der Konservativen beginnt mit Verabschiedung
Mit der Rede des alten Parteivorsitzenden Hormann begann um 9 Uhr der Parteitag der Konservativen. Danach stimmten die Delegierten über das neue Parteiprogramm ab. Das Ergebnis war überraschend: Nur 70% der Delegierten stimmten dafür. Um 11 Uhr wählten die Delegierten dann die neue Parteivorsitzende, Rita Koch. Gleich nach der Wahl gratulierte ihr der Gegenkandidat, Martin Wendlinger. Danach hielt Rita Koch ihre erste Rede als Parteivorsitzende.

## 71

**1 | Welche dieser Verben sind trennbar, welche sind nicht trennbar? Schreiben Sie die Verben in der dritten Person.**
*trennbar:* er / sie nimmt jemanden fest, er / sie spricht jemanden frei, er / sie bricht ein
*nicht trennbar:* er / sie verhaftet jemanden, er / sie überfällt eine Bank, er / sie verurteilt jemanden, er / sie entscheidet etwas, er / sie verteidigt jemanden, er / sie ermordet jemanden, er / sie beweist etwas

**2 | Gegensätze: Ergänzen Sie.**
a. unschuldig, b. das Opfer, c. jemanden verurteilen / jemanden schuldig sprechen

**3 | Wie sagt man das?**
a. verhaften, b. zugegeben, c. beweisen

**4 | Eine Radionachricht. Hören Sie und ergänzen Sie.**
1 überfiel, 2 der dritte Überfall, 3 verhaftet, 4 Verhaftung, 5 ermordet, 6 Mord, 7 Kriminalität

**5 | Recht und Gesetz: Ergänzen Sie das Rätsel.**
*Waagerecht:* 1. Angeklagter, 2. Anwalt, 3. Richter, 4. Gericht, 5. Mord, 6. Polizei
*Senkrecht:* 1. Unschuld, 2. Gefängnis, 3. Klägerin, 4. Urteil, 5. Täter, 6. Opfer

## 72

**1 | Wie heißen die Adjektive?**
b. gleichberechtigt, c. jugendlich, d. gesellschaftlich, e. statistisch, f. männlich

**2 | Wie sagt man das?**
b. die Senioren, c. die Bevölkerung, d. die Gleichberechtigung, e. die Benachteiligung

**3 | Hier stimmt etwas nicht: Ordnen Sie passende Substantive zu den Adjektiven.**
a. weibliche Bevölkerung / Gesellschaftsgruppen
b. gleichberechtigte Gesellschaftsgruppen
c. ältere Väter / Mütter / Bevölkerung / Gesellschaftsgruppen
d. benachteiligte Gesellschaftsgruppen / Väter / Mütter / Jugendliche
e. gesellschaftliche Rechte / Benachteiligung

**4 | Welches Verb fehlt?**
b. gibt, c. sterben, d. bekommen, e. gehen

**5 | Frauen in der Gesellschaft: Ergänzen Sie.**
1 doppelt, 2 Gleichberechtigung, 3 abhängig

**7 | Gleichberechtigung für Mann und Frau?**
1 Gleichberechtigung, 2 schwanger, 3 Kind, 4 Statistik, 5 im Alter, 6 Rente, 7 benachteiligt

## 73

**1 | Wie heißen die Verben?**
b. achten, c. flüchten / fliehen, d. zunehmen, e. einwandern, f. integrieren

**2 | Wie heißt das Gegenteil?**
b. anders / verschieden, c. die Abnahme, d. eingewandert, e. die Mehrheit, f. ausschließen

**3 | Welches Wort passt? Ergänzen Sie.**
b. eingewandert, c. Globalisierung, d. Einwanderer, e. Fachleute, f. einwandern, g. Mobilität

**4 | Was passt nicht?**
a. Rassismus, b. Mobilität, c. verändern

**5 | Ergänzen Sie.**
b. auswandern, c. Toleranz, d. Visum

**6 | Der Liedermacher Charly M. wirbt für mehr Verständnis ...**
1 Rassismus, 2 wanderten, 3 ein, 4 Intoleranz, 5 achten, 6 akzeptieren, 7 Toleranz

## 74

**1 | Was passt?**
a. Armut, b. Arbeitslosengeld, c. Behandlung

**2 | Wie heißen die Substantive?**
b. die Pflege, c. die Betreuung, d. das Leben, e. die Entlassung, f. die Unterstützung, g. die Entwicklung

**3 | Finden Sie die Fehler? Korrigieren Sie die Sätze.**
a. Was ein Geschäftsmann verdient, nennt man sein Einkommen. (*falsch:* seine Einkommung)
b. Wenn man immer Beiträge bezahlt hat, erhält man im Alter die Rente. (*falsch:* Beiträge und Rente vertauscht)
c. Das Gegenteil von „Reichtum" ist „Armut". (*falsch:* Armtum)

**4 | Ergänzen Sie das Kreuzworträtsel.**
*Waagerecht:* 1. obdachlos, 2. Waise, 3. Rente, 4. Arzt, 5. hoch
*Senkrecht:* 1. leidet, 2. Beitrag, 3. reich, 4. taub, 5. stumm

**5 | Soziales: Hören Sie und ergänzen Sie.**
1 Arbeitslosen, 2 Einkommens, 3 Beiträge, 4 Job, 5 Anspruch auf, 6 Agentur für Arbeit, 7 Netz

## 75

**1 | Wie heißen die Substantive?**
b. die Belästigung, c. der Schaden, d. der Schutz, e. die Zerstörung, f. die Wiederverwertung

**2 | Was passt?**
b. belästigt, c. Zerstörung / Vermutzung, d. schadet, e. schützen, f. Wiederverwertung

**3 | Was kann man da machen? Verbinden Sie.**
b. Weniger Auto fahren.
c. Keine industriellen Giftstoffe in die Flüsse leiten.
d. Rauchen in öffentlichen Gebäuden verbieten.
e. Müll trennen und wiederverwerten.

**4 | Da stimmt etwas nicht! Diese Wörter gibt es nicht. Wie heißen die Wörter richtig?**
das Abgas, der Giftstoff, der Naturschutz, die Klimakatastrophe, die Mülltrennung

**5 | Und was machen Sie, um die Umwelt zu schützen?**
*Mögliche Antworten:*
Ich benutze nur umweltfreundliche Energien. Ich höre auf mit dem Rauchen. Ich benutze kein Haarspray. Ich spare Strom. Ich trenne meinen Müll. Ich verwende Papier wieder / zweimal: Ich schreibe auf die Vorderseite und auf die Rückseite. Ich verwende keine Chemikalien (bei der Hausarbeit). Ich fahre weniger Auto. Ich benutze den Autobus oder die Straßenbahn. Ich entsorge Batterien.

**6 | Ein Interview. Hören Sie und ergänzen Sie die fehlenden Wörter.**
1 Schutz der Umwelt, 2 schützen, 3 mit dem Fahrrad, 4 der Müll getrennt, 5 Papier, 6 Glas, 7 Plastik, 8 verwenden, 9 Strom zu sparen, 10 alternative Energien, 11 umweltfreundlich

## 76

**1 | Die EU und der Euro: Ergänzen Sie die passenden Ausdrücke.**
b. der Europäische Gerichtshof, c. das Europäische Parlament, d. der Euro-Raum / die Euro-Zone, e. die Europäische Kommission

**2 | Was passt? Ergänzen Sie die Lücken. Kontrollieren Sie mit dem Hörtext.**
1 verhandelt, 2 beschließt, 3 Verhandlungen, 4 beitreten, 5 gemeinsam, 6 zusammengewachsen, 7 Kompromisse

**3 | Wie heißt das Substantiv? Ergänzen Sie.**
b. die Kultur, c. die Veränderung, d. die Verhandlung, e. die Verschiedenheit

**4 | Das ist Europa: Ergänzen Sie.**
1 Einflüsse, 2 verschiedene, 3 Zukunft

**5 | Süden, Osten, Norden, Westen ...**
b. Finnland ist ein nordeuropäisches Land.
c. Italien ist ein südeuropäisches Land.
d. Ukraine ist ein osteuropäisches Land.

## 77

**1 | UNO und NATO. Ergänzen Sie.**
1 ganzen, 2 für, 3 zu bewahren, 4 Sitz, 5 Brüssel, 6 (Militär)bündnis, 7 westliche, 8 Mitglied

**2 | Definitionen: Ergänzen Sie.**
b. Ein Bürgerkrieg, c. Ein Feind, d. Eintreffen, e. Ein Mitglied, f. Gerecht, g. Armut

**3 | Weltpolitik: Formulieren Sie wichtige Forderungen.**
b. Wir müssen Frieden schaffen / für den Frieden kämpfen!
c. Wir müssen den Frieden bewahren.
d. Wir müssen gegen die Armut kämpfen / die Armut bekämpfen.
e. Der Reichtum auf der Welt muss gerechter verteilt werden.

**4 | Positiv Negativ.**
*mögliche Antworten:*
*positive Entwicklung:* Frieden, Wohlstand für alle, Sicherheit, genügend zu essen für alle, genügend Wasser, medizinischer Fortschritt für alle, Zugang zu Bildung für alle, Demokratie, Gleichberechtigung für die Menschen, Klimaschutz, Umweltschutz, internationale Verträge für Frieden und Fortschritt in der Welt, ...
*negative Entwicklung:* Krieg, immer mehr Armut und Hunger in vielen Ländern, Bürgerkriege, Unterdrückung, Diktaturen, Klima-Katastrophen, Unterschied zwischen reichen und armen Ländern wächst, viele regionale Konflikte, ...

**5 | Radionachrichten: Hören Sie und ergänzen Sie.**
1 Vertreter, 2 Frieden, 3 bewahrt, 4 Herausforderung, 5 Gespräch, 6 bemüht sich, 7 militärischen, 8 ungerechte, 9 Wohlstands

## 78

**1 | Wie heißen die Adjektive?**
b. amerikanisch, c. asiatisch, d. australisch, e. europäisch, f. nachbarschaftlich, g. kulturell, h. wirtschaftlich, i. österreichisch, j. Schweizer

**2 | Welches Wort passt? Kreuzen Sie an.**
a. kulturellen Beziehungen, b. Wissenschaftsaustausch

**3 | Wie sagt man das? Ergänzen Sie.**
b. Nachbarstaaten / Nachbarländer, c. Pazifikstaaten, d. Rio de Janeiro: Ostküste - Lima: Westküste, e. das Konsulat

**4 | Was kann man hier kombinieren?**
b. die Grenzkontrolle / der Grenzstaat, c. der Nachbarstaat / das Nachbarland, d. der Schüleraustausch, e. die Wirtschaftsbeziehungen, f. der Atlantikstaat / die Atlantikküste

**5 | Beziehungen zwischen den Staaten der Welt.**
b. Industriestaaten, c. Wirtschaftsbeziehungen, d. Kulturpolitik, e. Austausch

**6 | Hören Sie und ergänzen Sie.**
1 europäischen, 2 Partnern, 3 auf der Welt, 4 Beziehungen, 5 Staaten, 6 Botschaften, 7 politischen, 8 wirtschaftlichen, 9 fördern, 10 Ebene

## 79

**1 | Ergänzen Sie die Wortenden.**
b. der Astronaut, c. der Satellit, d. die Erdumlaufbahn, e. der Mond, f. der Planet, g. das Raumschiff, e. das Weltall, f. die Milchstraße

**2 | Sammeln Sie alle Wörter mit „Raum" und mit „Satellit" ...**
*Raum:* die Raumfahrt, der Weltraum, der Raumfahrer, die ~in, die Raumfahrt, die Raumstation, die Raumfahrttechnik
*Satellit:* der Satellit, das Satellitenbild, das Satellitenfernsehen, die Satellitenschüssel

**3 | Rund um die Erde: Lösen Sie das Kreuzworträtsel.**
*Waagerecht:* 1. Erde, 2. umkreisen, 3. Astronaut, 4. Planeten, 5. Milchstraße, 6. Mond
*Senkrecht:* 1. Weltall, 2. Satelliten, 3. Mars, 4. Raketen, 5. Raumstation, 6. Stern

**4 | Eine Welt ohne Satelliten ...**
Es gäbe kein Satellitenfernsehen mehr; man könnte nicht über Satelliten von einem Kontinent zum anderen telefonieren; es gäbe weniger Forschung im Weltall; die Wetterprognosen würden wieder unsicherer werden; es gäbe kein GPS und keine Navigationsgeräte (Navi); es gäbe aber auch keine Spionagesatelliten.

**5 | Apollo 11: Ergänzen Sie die Wörter in der richtigen Form.**
1 Astronauten, 2 landeten, 3 umkreiste, 4 Satellit, 5 Mondlandung, 6 Planet

## 80

**1.1 | Pro und Kontra Online-Dating: Bringen Sie den Dialog in die richtige Reihenfolge.**
a., e., c., b., d., f.

**1.2 | Schreiben Sie jetzt die hervorgehobenen Ausdrücke in die Tabelle.**
*die Meinung sagen:* Also, ich finde ...
*zustimmen:* Judith hat Recht ..., Genau!
*widersprechen und seine eigene Meinung verteidigen:* Das ist doch völliger Unsinn! Ich glaube schon, ..., Warum nicht?

**2 | Herr Unsinn und Herr Quatsch sind Freunde ...**
1 Unsinn, 2 Ich finde, 3 Da haben Sie Recht, 4 Ich finde trotzdem, 5 Na ja, wenn Sie meinen

**3 | Eine Diskussion unter Studenten. Hören Sie und ergänzen Sie die fehlenden Ausdrücke.**
1 Meinung, 2 Das sehe ich anders, 3 aber eins steht fest, 4 da hast du vielleicht Recht, 5 gar nicht einverstanden, 6 da muss ich dir zustimmen

## 81

**1 | Kommunikationsprobleme: Ergänzen Sie die passenden Verben und kontrollieren Sie mit dem Hörtext.**
1 überreden, 2 schimpfen, 3 Beschweren, 4 widersprechen, 5 unterhalten

**2 | Wie heißt das Substantiv / das Verb?**
b. sprechen, c. (sich) beschweren, d. widersprechen, e. die Zustimmung, f. warnen, g. die Diskussion, h. die Unterhaltung

**3 | Finden Sie die passenden Verben und ergänzen Sie sie in der richtigen Form.**
b. gewarnt, c. die / deine Meinung sagen, d. Sag, e. versichere, f. erzählt

**4 | Was „machen" diese Leute?**
b. warnen, c. erzählen, d. überreden – (widerwillig) zustimmen, e. zustimmen, f. sich beschweren, g. verraten

## 82

**1 | Welche Verben passen zusammen? Schreiben Sie die Verben mit ihren Objekten auf.**
a. jemanden etwas fragen - jemandem antworten
b. jemanden um etwas bitten - jemandem (für etwas) danken
c. sich bei jemandem nach etwas erkundigen - jemandem etwas mitteilen

**2 | Sie sollen oder wollen jemandem Grüße ausrichten. Was sagen Sie?**
a. Ich soll dir herzliche Grüße von Herrn Maier ausrichten.
b. Ich soll euch (herzlich) von meinem Lehrer (Herrn X) grüßen.
c. Frau Sievers, bitte grüßen Sie Ihren Mann von mir.
d. Stefan, grüß doch Karl (ganz herzlich) von mir.

**3.1 | Bitte! Erich ist freundlich, aber faul. Er bittet alle Leute um einen Gefallen.**
b. Darf ich dich bitten, mir etwas Geld zu leihen? / Könntest du mir bitte etwas Geld leihen?
c. Darf ich dich bitten, dich beim Reisebüro nach Flügen für mich zu erkundigen? / Könntest du dich im Reisebüro nach Flügen für mich erkundigen?
d. Könntest du mich bitte heute zum Essen einladen? / Darf ich dich bitten, mich heute zum Essen einzuladen?

**3.2 | Danke! Erich bedankt sich.**
b. Erika, ich danke dir / vielen Dank, dass du mir Geld geliehen hast.
c. Paul, ich danke dir / vielen Dank, dass du dich beim Reisebüro nach Flügen für mich erkundigt hast.
d. Sabine, ich danke dir / vielen Dank, dass du mich zum Essen eingeladen hast.

**4 | Wie heißen die Substantive?**
b. die Frage, c. die Bitte, d. der Ruf, e. die Mitteilung, f. das Versprechen, g. der Vorschlag, h. der Schrei, i. der Dank

**5 | Endlich Ruhe! Hören Sie und ergänzen Sie die fehlenden Wörter.**
1 riefen, 2 schrien, 3 schwiegen

## 83

**1.1 | Welche Aussagen sind höflich, welche sind unhöflich?**
*höflich:* b., c., e.
*unhöflich:* a., d., f.

**1.2 | Unterstreichen Sie alle Wörter, die die Sätze höflich machen.**
b. Würde es Ihnen etwas ausmachen, c. Bitte, e. doch gerne

**2 | Wenn man höflich ist, ist man oft indirekt ...**
a. Man sollte das Fenster schließen.
b. Hier ist Rauchen verboten!
c. Ich will wissen, wie lange Sie arbeiten.
d. Ich möchte noch eine Tasse.

**3 | Das geht auch freundlicher ...**
b. Ich hätte gern ein halbes Kilo Bananen und ein Kilo Äpfel.
c. Könnten / Würden Sie bitte das Handy ausstellen? *Sehr höflich:* Wären Sie so freundlich, Ihr Handy auszustellen?
d. (Entschuldigung, ... / Entschuldigen Sie, ... ) Könnten Sie mir bitte sagen, wo es hier zum Hotel „Meridian" geht?
e. Können / Würden Sie mir bitte helfen, den Koffer zu tragen? / Ach bitte, könnten Sie mir helfen, der Koffer ist so schwer.
f. (Entschuldigung, ...) könnte ich kurz euer Telefon benutzen? / Darf ich mal euer Telefon benutzen? Ich muss dringend zu Hause anrufen.
g. Nehmt doch bitte Platz. / Setzt euch / Setzen Sie sich (doch) bitte.
h. Darf ich dich bitten, die Tür zu schließen, es ist ein bisschen kalt hier. / Würde es dir etwas ausmachen, wenn wir die Tür schließen? Es ist ein bisschen kalt hier.

**4 | Was sagen Sie, wenn ...**
a. Oh, entschuldigen Sie bitte, das wollte ich nicht / das tut mir leid.
b. Vielen Dank für die Einladung. (Ich freue mich sehr darauf.)
c. Möchten Sie sich setzen? / Bitte setzen Sie sich doch! Nehmen Sie doch bitte Platz!
d. (Entschuldigung, ...) Könnten Sie das bitte noch einmal wiederholen? / Bitte wiederholen Sie das noch einmal.
e. Bitte sehr. Gern geschehen. / Bitte, bitte, gern geschehen.

## 84

**1 | Bitte noch einmal! Ergänzen Sie.**
b. wiederholen, c. richtig, d. schreiben, e. buchstabieren

**2 | Verständnisfragen: Wo – was – wohin ...?**
b. Entschuldigung, wo muss ich aussteigen?
c. Wen soll ich anrufen?
d. Was soll ich mit dem Antragsformular machen?
e. Mit wem soll ich sprechen?

**3 | Was passt zusammen? Verbinden Sie.**
b. Da müssen Sie zur Kfz-Zulassungsstelle.
c. Sie meinen sicher einen LKW.
d. Eine Bohrmaschine?
e. Das war sicher ein Eichhörnchen.

**4 | Wie sagt man das? Ergänzen Sie.**
b. Würden Sie mir das bitte aufschreiben? / Bitte schreiben Sie mir das hier auf den Zettel.
c. Also, habe ich das richtig verstanden: Ich soll zum Alexanderplatz zurückfahren und in die U-Bahn Linie 3 umsteigen?
d. Entschuldigung, das habe ich nicht verstanden. Könnten Sie das bitte noch mal wiederholen?

**6 | Hören Sie die Informationen und ergänzen Sie die Lücken. Wie fragen Sie nach diesen Informationen?**
a. Einwohnermeldeamt, b. zwölften, c. Wittgenstein, d. Haben Sie Ihren Pass dabei?
*So können Sie nach den Informationen fragen:*
b. Entschuldigung, in welchem / im wievielten Stock (ist das)?
c. Entschuldigen Sie, könnten Sie den Namen bitte buchstabieren. / Entschuldigung, wie ist der Name?
d. Entschuldigen Sie, ich habe das nicht verstanden. Könnten Sie das bitte noch mal sagen / wiederholen?

## 85

**1 | Ergänzen Sie „würden", „wären" oder „hätten" in der richtigen Form.**
c. Würdest, d. hätte, e. hätte, f. wäre

**2 | Ergänzen Sie „möchten" oder „mögen".**
b. mögen, c. Möchten, e. Möchten, f. mögen

**3 | Was wünschen Sie sich? Schreiben Sie Sätze.**
*Mögliche Antworten:*
Ich wünsche mir ... das rote Abendkleid / 10 gelbe Rosen / das neuste Handy-Modell / ein neues Auto.
Ich hätte gern ... 2 kg Kirschen (*Rest wie:* Ich wünsche mir ...).
Ich wäre gern ... ein berühmter Erfinder / ein bisschen mutiger / weniger schüchtern.
Ich würde gern ... besser Ski fahren / Russisch lernen / einmal nach Afrika reisen.

**4 | Wie sagt man das höflicher?**
b. Ich wünsche mir im nächsten Jahr / für das nächste Jahr Gesundheit.
c. Ich möchte bitte / Ich würde gerne etwas bestellen.
d. Können / Könnten Sie mir (bitte) ein Zimmer für den 1. Juli reservieren?

**5 | Was sagen Sie in dieser Situation?**
b. *zu sich selbst:* Hätte ich das nur nicht gesagt!
*zu der Person:* „Oh, das tut mir leid, entschuldigen Sie bitte."
c. Ich wäre gern charmanter. / Ach wäre ich doch charmanter! / Ich wünschte, ich wäre charmanter!
d. Ich wünschte, es gäbe Traubensaft. / Gäbe es doch einen Traubensaft! / Wie schade, dass es keinen Traubensaft gibt!
e. Ach hätte ich doch mehr Geld! / Ich wünschte, ich hätte mehr Geld! / Wenn ich doch mehr Geld hätte!

**6 | Eine Nachricht an den Weihnachtsmann.**
1 hätte, 2 wäre, 3 Hoffentlich, 4 würde, 5 gern, 6 mag, 7 wäre, 8 Traumgeschenk

## 86

**1 | Was hat dieselbe Bedeutung? Verbinden Sie.**
b. Er kann das. c. Das wäre möglich. d. Das ist unmöglich.
e. Das kann man machen. f. Das ist unbedingt notwendig.

**2 | Antworten Sie positiv und negativ. Kontrollieren Sie mit dem Hörtext.**
b. Ja, natürlich kann ich das / das lässt sich machen.
Nein, leider kann ich das nicht.
c. Ja bitte, das ist wichtig / schreiben Sie sie noch / tun Sie das.
Nein, das brauchen Sie nicht zu tun / das ist nicht notwendig / nötig / das muss nicht sein.
d. Ja, das muss sein / das ist leider notwendig / unbedingt!
Nein, er muss nicht unbedingt kommen / er braucht nicht (unbedingt) zu kommen / das ist nicht (unbedingt) nötig.

**3 | Muss man, soll man, kann man oder lässt sich das machen?**
b. darf / kann, c. sollen, d. kann - muss, e. lassen, f. müssen, g. kann, h. sollen / können, i. lässt, j. Sollen

## 87

**1 | Was passt? Ergänzen Sie.**
b. vorhaben, c. planen, d. lassen, e. vermuten, f. vornehmen, g. fassen, h. festsetzen

**2 | Was gehört zusammen? Verbinden Sie.**
b. Am liebsten in die Disko. c. Wir vermuten es. d. Wir gehen schwimmen. e. Wir haben es fest vor.

**3 | Was antworten Sie?**
*Mögliche Antworten:*
b. Ja, ich habe es fest vor. / Ich weiß es noch nicht so genau.
c. Ich habe keine festen Pläne.
d. Ich wasche meinen Wagen nicht selbst, ich lasse ihn waschen.
e. Wir wissen es nicht genau. / Wir schätzen es. / Wir haben es fest vor.

**5 | Eine Hochzeit planen: Hören Sie die Tipps und ergänzen Sie die fehlenden Wörter.**
1 plane, 2 festsetzen, 3 entscheiden, 4 wollt, 5 festlegen, 6 habe vor, 7 Plänen, 8 haben, 9 vor, 10 beabsichtige

## 88

**1 | Welche Antwort passt? Verbinden Sie.**
b. Ja, natürlich! c. Bitte sehr. d. Ja, ich würde das auf jeden Fall tun.
e. Hoffentlich!

**2 | Was raten Sie?**
b. Dann geh und frag beim Fundbüro nach. / Geh doch zum Fundbüro und frag nach.
c. Probier es doch mal so: Schalte den Drucker aus und dann wieder ein. (Vielleicht funktioniert er dann wieder.)
d. Ich rate dir, Salz draufzuschütten, (dann gehen die Flecken weg).
e. Ich würde etwas Sahne nachgießen.

**3 | Hannas Eltern sind schlecht gelaunt und verbieten alles ...**
*mögliche Antworten:*
a. Nein, heute erlaube ich es dir nicht. / Kommt nicht in Frage!
b. Nein, heute nicht! Es ist zu kalt! / Ich warne dich: Es ist zu kalt. / Das solltest du nicht machen, es ist zu kalt! / Du weißt doch, dass es noch zu kalt ist!
c. Nein, das geht leider nicht, ich brauche mein Auto heute selbst. / Nein, ich erlaube es nicht, dass du mit meinem Auto fährst. / Nein, du darfst nicht. / Nein, ich leihe es dir nicht. / Nein! Heute nicht!

**4 | Welches Verb passt? Kontrollieren Sie mit dem Hörtext.**
1 empfehlen, 2 müssen, 3 Soll, 4 Kann, 5 mag, 6 verspreche

## 89

**1 | Was kommt zuerst? Schreiben Sie jeweils zwei Sätze.**
b. Bevor ich zum Arzt gehe, mache ich einen Termin aus.
Nachdem ich einen Termin ausgemacht habe, gehe ich zum Arzt.
c. Bevor ich kaufe, vergleiche ich die Preise.
Nachdem ich die Preise verglichen habe, kaufe ich.
d. Bevor ich meine Meinung sage, denke ich nach.
Nachdem ich nachgedacht habe, sage ich meine Meinung.

**2 | Welche Präposition passt?**
1 Während, 2 Vor, 3 Seit, 4 Zu / Bei

**3 | Welche Subjunktionen fehlen hier? Ergänzen Sie.**
1 während, 2 bevor, 3 Nachdem, 4 Seit, 5 wenn, 6 Sobald

**4 | Schreiben Sie einen kleinen Text über Sabine Herrmann ...**
*mögliche Lösung:*
Sabine Herrmann arbeitet jetzt als Chefsekretärin. Früher hat sie als Schreibkraft und Sekretärin gearbeitet. Sie verdient heute ein gutes Gehalt. Damals verdiente sie nicht so gut. Seit 1996 hat sie eine Stelle als Chefsekretärin. Davor war sie als Sekretärin angestellt. Zuerst arbeitete sie in Lübeck, dann in Hamburg und danach in Rostock.

**5 | Hören Sie das Jobinterview und ergänzen Sie die fehlenden Wörter.**
1 zunächst, 2 damals, 3 nach der Stelle, 4 zuerst, 5 Danach, 6 seit, 7 zukünftig

## 90

**1 | Was passt? Verbinden Sie.**
b. kann sie sich keinen Kaffee aus dem Automaten kaufen.
c. weil sie lieber allein sein möchte.
d. deswegen kauft sie sich weite Röcke und Hosen.
e. darum hat sie niemandem etwas erzählt.
f. aus diesem Grund macht sie am Morgen Gymnastik.

**2 | Hier sind noch acht Wörter versteckt. Markieren Sie die Wörter und schreiben Sie sie auf.**

| | | | | | | | | | | | | | | | |
|---|---|---|---|---|---|---|---|---|---|---|---|---|---|---|---|
| C | H | A | N | D | U | S | F | J | H | I | L | M | O | R | W |
| N | U | A | T | F | E | U | D | D | A | R | C | H | G | E | S |
| O | Y | E | C | D | T | W | E | I | L | L | Z | N | W | W | E |
| E | S | T | H | A | Z | E | N | T | T | F | V | S | E | Ö | Z |
| D | E | S | W | E | G | E | N | A | B | S | R | ß | G | L | J |
| A | E | P | R | B | R | M | T | I | E | O | S | E | E | B | S |
| K | L | S | R | E | U | K | P | Ä | M | E | B | E | N | U | U |
| I | D | F | K | A | N | W | H | A | T | R | S | G | Ü | N | T |
| E | A | C | T | Ö | D | A | R | U | M | O | H | S | F | X | Y |

*Waagerecht:* weil, deswegen, darum, eben
*Senkrecht:* da, (der) Grund, halt, wegen

**3 | Wie können Sie die Gründe und Folgen ausdrücken?**
a. da ich noch viel zu tun habe.
b. ... deshalb / darum / deswegen kannst du nicht draußen spielen.
c. Wegen

**4 | Schreiben Sie die Sätze richtig.**
a. Es tut mir so leid. Aber ich konnte nicht eher kommen, weil ich den Bus verpasst habe.
b. Bitte sei mir nicht böse. Ich habe den Bus verpasst und konnte deshalb nicht eher kommen.

**5 | Man kann nicht immer Erfolg haben. Ergänzen Sie die fehlenden Wörter und kontrollieren Sie mit dem Hörtext.**
1 Grund, 2 deswegen, 3 aufgrund, 4 denn

## 91

**1 | Was sagen Sie?**
a. Es war trotz allem ein schöner Tag.
b. Aber das stimmt doch gar nicht!
c. Im Gegenteil, ich freue mich!
d. Ich gehe aber trotzdem!

**2 | Was passt? Verbinden Sie.**
b. weil sie nicht genügend Vitamine zu sich genommen hat.
c. da sie moderne Stücke sehr gern hat.
d. denn sie möchte andere Menschen kennenlernen.
e. trotz ihrer Erkältung!
f. trotzdem hat sie noch nicht viel abgenommen.
g. jedoch raten ihr ihre Eltern zu einem praktischen Fach.

**3 | Was passt nicht in die Reihe?**
a. obwohl, b. trotzdem, c. deshalb

**4 | Keine Rückenschmerzen mehr! Hören Sie und ergänzen Sie die fehlenden Wörter.**
1 weil, 2 deswegen, 3 denn, 4 obwohl, 5 Trotz, 6 Im Gegensatz zu

## 92

**1 | Welches Wort passt?**
a. obwohl, b. Dadurch, dass, c. Trotzdem, d. Weil

**2 | Was sagen Sie?**
a. Ich mache es genauso!
b. Ich denke ebenso wie Sie!
c. Indem ich die Anweisungen genau befolgt habe.
d. Mach es doch einfach so, wie ich es dir gezeigt habe.
e. Danke, gleichfalls!

**3 | Ergänzen Sie die Sätze.**
b. Sie lernt die Vokabeln, indem sie alle neuen Wörter aufschreibt.
c. Er nimmt das Zimmer, obwohl es nicht gemütlich ist.
d. Sie spart viel Geld, weil / indem sie die Preise vergleicht.
e. Sie raucht ständig, obwohl das ungesund ist.

**4 | Wie kann man das auch sagen?**
a. Durch genaues Zuhören können Sie die Unterschiede in der Aussprache erkennen.
b. Sie können Ihre Leistungen im Sport sehr verbessern, indem Sie regelmäßig trainieren.
c. Durch ständiges Fragen lernt sie viel über ihre neue Umgebung.

**5 | Wie baut man ein Regal? Hören Sie und ergänzen Sie.**
1 körperlich, 2 selber, 3 auf diese Weise, 4 Wie, 5 so, 6 dass, 7 indem, 8 Mit, 9 Genauso, 10 Arten

## 93

**1 | Ergänzen Sie die Bezeichnungen für die männlichen bzw. weiblichen Personen.**
b. der Kaufmann, c. der Pole, d. die Kollegin, e. das Mädchen, f. die Arbeiterin, g. die Französin, h. der Bankkaufmann, i. der Angestellte, j. der Hausmann

**2 | Schreiben Sie die Wörter, die nicht maskulin / neutral / feminin sind, mit ihrem Artikel.**
a. *nicht maskulin:* die Mutter, das Fenster, die Nacht, die Butter
b. *nicht neutral:* der Reichtum, der Besen, der Irrtum
c. *nicht feminin:* der Russe, das Auge, der Käse

**3 | Ergänzen Sie das Substantiv mit dem richtigen Artikel.**
b. die Sprache, c. keinen Fernseher, d. Der Reichtum - die Gesundheit

**4 | Manche Eltern benutzen oft „-chen" und „-lein", wenn sie mit kleinen Kindern reden . . .**
1 dein Fläschchen, 2 es, 3 Händchen, 4 Kindlein (Kindchen), 5 das Mündchen (Mündlein), 6 das kleine Köpfchen, 7 ein warmes Höschen, 8 ein grünes Jäckchen, 9 Äuglein, 10 Bettchen

## 94

**1 | Was passt nicht?**
b. aufsteigen - ansteigen, c. aufschalten - wegschalten, d. aufholen - wegholen - einholen, e. einfüllen - auffüllen - zufüllen

**2 | Wie heißt das Synonym? Verbinden Sie.**
b. zumachen, c. anmachen, d. abnehmen, e. ausmachen

**3 | Welche Wörter haben eine ähnliche Bedeutung?**
*anmachen:* einschalten
*weggehen:* losfahren - ausgehen - abfliegen
*ausmachen:* abschalten - aufhören

**4 | Gegensätze: Ergänzen Sie die Dialoge und kontrollieren Sie mit dem Hörtext.**
a. kommst du zurück, b. rauf, c. abheben - einzahlen, d. machst - an - ausgegangen - an, e. aufschließen - abgeschlossen

**5 | Welche Perspektive? Sortieren Sie.**
a. *zum Sprecher:* herschauen, herkommen
b. *vom Sprecher weg:* hinfahren, hinfliegen, hinschauen, weggehen

## 95

**1 | Aus einem Roman. Unterstreichen Sie die Suffixe und Präfixe der Adjektive.**
Sonn<u>iger</u> - <u>un</u>freund<u>licher</u> - schmuck<u>lose</u> - Atem<u>lose</u> - ängst<u>lich</u> - <u>un</u>bekannte - rauch<u>ige</u> - dreibein<u>igen</u> - <u>un</u>möglich

**2 | Ergänzen Sie die Tabelle.**
b. der Kapitalist, die ~in; kapitalistisch, c. akademisch, d. der Vegetarismus, vegetarisch, e. die Bürokratie, bürokratisch, f. der Realist, die ~in, realistisch, g. der Feminismus, feministisch, h. der Theoretiker, die ~in, theoretisch

**3 | Was sind die richtigen Bedeutungen der Adjektive?**
b. Der Mensch hat einen starken Willen. c. Das Konzert ist toll.
d. Man kann diese Suppe essen. e. Er ist sehr unglücklich.

**4 | Finden Sie die Gegensätze.**
ängstlich ⇔ mutig, unmöglich ⇔ machbar, sorglos ⇔ besorgt, flach ⇔ bergig, unglücklich ⇔ glücklich, salzfrei ⇔ salzreich

**5 | Was kann man kombinieren?**
dunkelblau, dunkelgrün, dunkelgelb, dunkelrot, dunkellila, dunkelgrau, hellblau, hellgrün, hellgelb, hellrot, helllila, hellgrau kunterbunt, pechschwarz, mausgrau, feuerrot

**6 | Hören Sie den Text und ergänzen Sie die fehlenden Wörter.**
1 wahnsinnig eilig, 2 dunkelgrauer, 3 künstlichen, 4 ungewöhnlich, 5 realistisch, 6 passiv, 7 todmüde, 8 sinnlos, 9 zufällig, 10 freundlich, 11 unrealistischer

## 96

**1 | Im Büro: Verbinden Sie.**
b. im großen Aktenschrank. c. in ihrem Notizbuch. d. ganz hinten im Buch. e. im Büro. f. auf den Knopf mit dem Zeichen ▼.

**2 | Wie heißt das Verb? Ergänzen Sie.**
c. hängen, d. liegen, e. stecken, f. stecken, g. sitzt, h. gelegt, i. steht, j. hängen

**3 | Was kann man setzen, legen, stellen, . . .?**
*setzen:* eine Puppe, ein Kind, sich selbst
*legen:* eine Puppe, einen Bleistift, einen Schlüssel, ein Blatt Papier, ein Bild, einen Ausweis, ein Kind, Geld, sich selbst, einen Prospekt
*stellen:* einen Schreibtisch, einen Computer, eine Puppe, eine Vase, einen Schrank, eine Lampe, ein Bild (mit Ständer im Rahmen), einen DVD-Player, ein Kind, sich selbst
*hängen:* eine Lampe, einen Schlüssel, ein Bild, einen Vorhang
*stecken:* einen Bleistift, einen Schlüssel, ein Bild, ein Blatt Papier (z. B. in den Briefkasten), einen Ausweis, Geld, einen Prospekt

**4 | Wohin gehört das? Ergänzen Sie.**
a. Der DVD-Player steht auf dem Schrank. Hanna stellt ihn wieder <u>in den</u> Schrank.
b. Die DVDs liegen verstreut <u>auf dem Boden</u>. Stefan ordnet sie alle <u>in das</u> Regal.
c. Einige Bücher liegen <u>in der Ecke</u>. Benni stellt sie <u>in das</u> Bücherregal.
d. Stifte und Papier liegen <u>auf dem großen Tisch</u>. Lisa legt die Stifte <u>in die</u> Schublade und wirft das Papier <u>in den</u> Papierkorb. Das schöne neue Plakat hängt sie <u>an die</u> Wand.
e. Der Papierkorb steht <u>zwischen der Tür</u> und <u>dem Schrank</u>. Kai stellt ihn wieder <u>unter den</u> Tisch.
f. Zuletzt die Stühle: Sie stehen in einer Reihe <u>unter den Fenstern</u>. Carlos stellt sie alle wieder <u>um die</u> Tische.

**5 | Ergänzen Sie die richtigen Präpositionen und Artikel. Kontrollieren Sie mit dem Hörtext.**
1 am, 2 ins, 3 am, 4 an der, 5 in den, 6 in die, 7 hinter dem, 8 auf den, 9 auf das

## 97

**1 | Ergänzen Sie „kein" oder „nicht".**
1 keine, 2 keine, 3 nicht

**2 | Was sagen Sie? Formulieren Sie und kontrollieren Sie dann mit dem Hörtext.**
b. Ich war noch nie in einer Sauna.
c. Die Wohnung ist nicht groß, sondern klein.
d. Ich habe den Text überhaupt nicht verstanden.
e. Ich habe niemand(en) gesehen.
f. Ich habe weder Zeit noch Lust, in die Disko zu gehen.
g. Ich sehe eher selten fern.

**3 | Paul und Doris lieben sich, aber sie haben ganz unterschiedliche Gewohnheiten. Ergänzen Sie.**
b. nichts, c. nirgends, d. niemand(em), e. weder - noch

**4 | Mit nichts zufrieden! Ergänzen Sie den Text mit Wörtern von der linken Seite.**
1 nicht, 2 nichts, 3 kaum, 4 gar nicht, 5 auf keinen Fall, 6 niemand(em), 7 nicht, 8 keine

## 98

**1 | Unterstreichen Sie in den Sätzen alles, was die Aussage verstärkt.**
b. Heute bist du <u>aber wirklich</u> nicht gut drauf!
c. Die Hausaufgaben öden mich <u>dermaßen</u> an!
d. Diese Musik ist <u>ja total</u> uncool!
e. Die Stimmung war gestern <u>sau</u>gut.
f. Arbeit finde ich <u>richtig</u> bescheuert.

**2 | Was bedeutet das? Sagen Sie es anders.**
b. Das finde ich wirklich langweilig!
c. Das gefällt mir (wirklich) sehr!
d. Ich hab' Lust, (einfach nur) faul zu sein. / Ich möchte mich heute nur entspannen.
e. Das gefällt mir überhaupt nicht! / Das finde ich überhaupt nicht gut.

**3 | In diesem Dialog gibt es viele verkürzte Formen. Schreiben Sie den Dialog in der Standardform (ohne Verkürzungen) neu.**
• Hallo Heinz, wie geht es dir?
- Super, das hier ist ein tolles Cafe, nicht wahr?
• Ja, echt gut. Du sag mal, was machst du denn heute Abend so?
- Heute Abend? Ich weiß (es) nicht, vielleicht gehe ich noch weg, warum?
• In eine Kneipe?
- Nein, es gibt eine Party bei Klaus, da will ich mal vorbeischauen. Und du?
• Keine Ahnung. Ich habe irgendwie nicht so (eine) große Lust auf Feiern heute. Ich werde mal sehen, was ich mache.

**5 | Hören Sie den Dialog und ergänzen Sie die fehlenden Ausdrücke.**
1 super süß, 2 der Typ, 3 Krass, 4 echt, 5 super, 6 echt gut, 7 chillen, 8 total aufgeregt, 9 sowas von überhaupt nicht

## 99

**1 | Wie sind die Formen?**
b. rund - eckig, c. schief - gerade, d. breit - schmal

**2 | Wie heißt das Gegenteil?**
b. geschlossen / zu, c. draußen, d. hinterer, e. untere, f. äußeres, g. innen, h. unten

**3 | Welche Farben haben diese Sachen? Ergänzen Sie.**
a. grau, b. gelb - grün - orange, c. lila - violett, d. schwarz - weiß

**4 | Eine E-Mail, Betreff: Unser neues Haus. Ergänzen Sie.**
1 langen, 2 unteren, 3 oberen, 4 Oben, 5 unten, 6 mittlere, 7 Hinter, 8 vorn

**5 | Hören Sie die kurzen Dialoge und ergänzen Sie die fehlenden Wörter.**
1 Länge, 2 breit, 3 Breite, 4 Autobahnkreuz, 5 parallel, 6 Stadtrand, 7 ein paar, 8 übrig, 9, derselbe, 10 kurz, 11 Reihenfolge